D0307499

BESTSELLER

Lauren Weisberger tiene una licenciatura de la Universidad de Cornell. Actualmente reside en Nueva York. *El diablo viste de Prada*, su primera novela, ha sido todo un éxito en Estados Unidos —ha estado varios meses entre los diez libros más vendidos de *The New York Times*— y el Reino Unido.

LAUREN WEISBERGER

El diablo viste de Prada

Traducción de
Matuca Fernández de Villavicencio

DEBOLS!LLO

Título original: *The Devil Wears Prada*
Diseño de la portada: Departamento de diseño de Random House Mondadori
Ilustración de la portada: © 2006 Twentieth Century Fox Film Corporation. All Rights Reserved.

Quinta edición con esta cubierta: enero, 2007

Printed in Spain – Impreso en España

ISBN: 978-84-9793-676-7 (vol. 619/1)
Depósito legal: B. 2.331 - 2007

Fotocomposición: Comptex & Ass., S. L.

Impreso en Novoprint, S. A.
Energia, 53. Sant Andreu de la Barca (Barcelona)

P 83676B

Dedicado a las tres únicas personas vivas
que creen sinceramente que este libro rivaliza con Guerra y paz*:*
mi madre, Cheryl, la madre «por la que
un millón de chicas daría un ojo de la cara»;
mi padre, Steve, que es guapo, astuto, brillante e ingenioso,
y que insistió en escribir él mismo su propia dedicatoria;
mi fenomenal hermana, Dana, la preferida de mis padres
(hasta que escribí mi primer libro).

Cuidado con las empresas que exigen ropa nueva.

Henry David Thoreau,
Walden, 1854

1

El semáforo aún no se había puesto verde en el cruce de la Diecisiete con Broadway cuando un ejército de prepotentes taxis amarillos adelantó rugiendo la diminuta trampa mortal que yo estaba intentando pilotar por las calles de la ciudad. Embrague, gas, cambio (¿de punto muerto a primera o de primera a segunda?), suelta embrague, me repetía mentalmente, mantra que a duras penas me brindaba consuelo, y no digamos orientación, en medio del chirriante tráfico del mediodía. El cochecito corcoveó salvajemente dos veces antes de salvar el cruce dando bandazos. El corazón me iba a cien. Los bandazos menguaron sin previo aviso y empezamos a ganar velocidad. Mucha velocidad. Bajé la mirada para comprobar que solo iba en segunda, pero en ese momento la parte trasera de un taxi se me apareció tan enorme frente al parabrisas que no tuve más remedio que clavar el pie en el freno con tanto vigor que se me saltó el tacón. ¡Mierda! Otros zapatos de setecientos dólares sacrificados por mi total falta de elegancia en situaciones tensas; el tercer destrozo de esa índole en lo que iba de mes. Cuando el coche se caló, casi me sentí aliviada (como es lógico, al frenar para salvar la vida había olvidado apretar el embrague). Dispuse de unos segundos —segundos de paz si hacía caso omiso de los bocinazos coléricos y las diversas versiones de «gilipollas» que me llegaban de todas direcciones— para quitarme mis Manolo destaconados y arrojarlos al asiento del copiloto. No tenía dónde secarme el sudor de las manos salvo en los pantalones

Gucci de ante, los cuales «abrazaban» mis muslos y caderas con tanto entusiasmo que ya había empezado a notar un hormigueo al poco rato de abrocharme el último botón. Los dedos dejaron vetas húmedas en el ante que cubría mis ahora entumecidos muslos. Tratar de conducir este descapotable de 84.000 dólares, con cambio manual, por la plaga de obstáculos que ofrecía el centro de la ciudad a la hora de comer pedía a gritos un cigarrillo.

—¡Joder, tía, muévete! —vociferó un conductor de tez tostada cuyo vello pectoral amenazaba con desbordar la camiseta de tirantes—. ¿Dónde crees que estás? ¿En una puta autoescuela? ¡Quítate de en medio!

Alcé una mano temblorosa para enseñarle el dedo corazón y me concentré en lo que más me interesaba en ese momento: conseguir que la nicotina navegara por mis venas con la máxima rapidez posible. Las manos volvían a sudarme, hecho confirmado por las cerillas que resbalaban constantemente hasta el suelo. El semáforo se puso verde justo en el momento en que lograba que el fuego hiciera contacto con la punta del cigarrillo, el cual me vi obligada a dejar suspendido entre los labios mientras sorteaba el laberíntico embrague, gas, cambio (¿de punto muerto a primera o de primera a segunda?), suelta embrague y el humo entraba y salía de la boca al ritmo de mi respiración. Tardé tres manzanas en conseguir que el coche circulara con la suficiente suavidad para permitirme retirar el cigarrillo de los labios, pero para entonces ya era demasiado tarde: el largo y precario renglón de ceniza había caído justo encima de la mancha de sudor de mis Gucci de ante. Impresionante. Antes de que pudiera calcular que, contando los Manolo, había destrozado 3.100 dólares de mercancía en menos de tres minutos, mi móvil aulló con estridencia. Y como si la esencia misma de la vida no fuera ya un desastre en ese preciso momento, el identificador de llamadas confirmó mi mayor temor: era Ella. Miranda Priestly. Mi jefa.

—¡An-dre-aaa! ¡An-dre-aaa! ¿Me oyes, An-dre-aaa? —trinó en cuanto abrí la tapa de mi Motorola, proeza nada desdeñable teniendo en cuenta que mis manos y pies (descalzos) ya estaban batallando con otras obligaciones.

Me puse el teléfono entre la oreja y el hombro y arrojé por la ventanilla el cigarrillo, el cual estuvo a punto de aterrizar en un mensajero ciclista que escupió algunos «gilipollas» antes de seguir su camino.

—Hola, Miranda. Sí, te oigo perfectamente.

—An-dre-aaa, ¿dónde está mi coche? ¿Lo has dejado ya en el garaje?

Por fortuna, el semáforo se puso rojo, y tenía pinta de ser de los largos. El vehículo se detuvo sin chocar contra nada ni nadie y respiré aliviada.

—Ahora mismo estoy en el coche, Miranda. Llegaré al aparcamiento dentro de unos minutos.

Supuse que quería asegurarse de que todo iba bien, de modo que le comuniqué que no había ningún problema y que en breve llegaríamos a nuestro destino en perfecto estado.

—No importa —me interrumpió con brusquedad—. Necesito que recojas a Madelaine y la dejes en el apartamento antes de regresar a la oficina.

Clic. La comunicación se cortó. Contemplé el teléfono unos segundos antes de comprender que Miranda había colgado porque ya me había facilitado todos los detalles que podía esperar de ella. Madelaine. ¿Quién demonios era Madelaine? ¿Dónde se encontraba en ese momento? ¿Sabía ella que yo tenía que recogerla? ¿Por qué debía dejarla en el apartamento de Miranda? ¿Y por qué —teniendo en cuenta que Miranda disponía de chófer, criada y niñera permanentes— me tocaba hacerlo a mí?

Tras recordar que en Nueva York era ilegal hablar por teléfono mientras conducías y decirme que lo último que necesitaba en ese momento era un encuentro con un poli responsable, me detuve en el carril bus y puse los intermitentes. Inspira, espira, me repetí, y hasta me acordé de poner el freno de mano antes de retirar el pie del pedal. Hacía muchos años que no conducía un coche con cambio manual —cinco, para ser exacta, desde que un novio del instituto me había ofrecido el suyo para algunas lecciones que suspendí rotundamente—, pero Miranda no había tenido en cuenta ese detalle cuando, hora y media antes, me convocó en su despacho.

«An-dre-aaa, necesito que recojas el coche y lo lleves al aparcamiento. Y ahora mismo, porque lo necesitaremos esta noche para ir a los Hamptons. Eso es todo.» Me quedé clavada en la moqueta frente a su descomunal escritorio, pero ella ya había borrado de su mente mi presencia. O eso pensaba yo. «Eso es todo, An-dre-aaa, muévete», añadió sin levantar la vista.

Cómo no, Miranda, pensé mientras me iba y trataba de decidir el primer paso de una tarea que prometía un millón de escollos por el camino. Lo primero que debía hacer, sin duda, era averiguar dónde estaba el automóvil. Lo más probable era que lo estuvieran reparando en el concesionario, o sea, en cualquiera de los miles de concesionarios que había repartidos por los cinco distritos de la ciudad. O quizá se lo había prestado a una amiga y ahora descansaba en una plaza de aparcamiento con todos los servicios de Park Avenue. Claro que siempre existía la posibilidad de que se estuviera refiriendo a un coche nuevo —marca desconocida— que había comprado recientemente y todavía se hallaba en el (desconocido) concesionario. Tenía mucho trabajo por delante.

Primero telefoneé a la niñera de Miranda, pero me salió el buzón de voz. La siguiente de la lista fue la criada, que por una vez fue de gran ayuda. Me explicó que el coche no era nuevo y que, de hecho, se trataba de un «deportivo descapotable de color verde inglés», pero ignoraba la marca y su paradero actual. Luego recurrí a la ayudante del marido de Miranda, quien me informó de que el matrimonio poseía un Lincoln Navigator negro último modelo y un pequeño Porsche verde. ¡Bien! Ya tenía la primera pista. Una llamada al concesionario Porsche de la avenida Once, entre las calles Veintisiete y Veintiocho, me reveló que, efectivamente, acababan de retocar la pintura e instalar un nuevo reproductor de discos compactos en un Carrera 4 Cabriolet verde para la señora Miranda Priestly. ¡Bingo!

Pedí un Town Car para ir al concesionario, donde entregué una nota que había falsificado con la firma de Miranda y en la que ordenaba que me entregaran el coche. A nadie pareció importarle el hecho de que yo no tuviera parentesco alguno con esa mujer, de que una desconocida hubiera entrado en el concesionario y solicitado el Porsche de otra persona. Me lanzaron las llaves y se limitaron a sonreír cuando les pedí que me sacaran el automóvil del garaje porque no estaba segura de poder recular con un cambio manual. Había tardado media hora en recorrer diez manzanas y todavía no había deducido dónde o cómo debía girar para salir del centro de la ciudad y dirigirme a la plaza de aparcamiento de Miranda que la criada me había descrito. Las probabilidades de llegar a la Setenta y seis con la Quinta Avenida sin herir gravemente a una servidora, el coche, un ciclista, un peatón u otro vehículo eran prácticamente nulas, y esa nueva llamada de Miranda no contribuyó a calmar mis nervios.

Repetí la ronda de llamadas, pero esta vez la niñera contestó al segundo timbre.

—Cara, soy yo.

—Hola, ¿qué pasa? ¿Estás en la calle? Oigo mucho ruido.

—Sí, estoy en la calle. He tenido que recoger del concesionario el Porsche de Miranda. El único problema es que no sé manejar los cambios de marcha manuales. Para colmo, acaba de telefonearme para ordenarme que recoja a alguien llamado Madelaine y le deje en el apartamento. ¿Quién demonios es Madelaine y dónde puedo encontrarle?

Cara estuvo riendo algo así como diez minutos antes de responder:

—Madelaine es su cachorro bulldog francés y se encuentra en el veterinario porque acaban de quitarle los ovarios. Tenía que recogerla yo, pero Miranda me llamó y me ordenó que fuera a buscar a las gemelas al colegio para poder marcharse pronto a los Hamptons.

—¿Bromeas? ¿Tengo que recoger a un puto perro con este Porsche? ¿Sin pegármela? Imposible.

—Está en el East Side Animal Hospital de la Cincuenta y dos, entre la Primera y la Segunda. Lo siento, Andy, pero tengo que ir a por las niñas. Llama si crees que puedo ayudarte en algo, ¿de acuerdo?

Maniobrar la bestia verde para alejarme del centro de la ciudad agotó mis últimas reservas de concentración. Para cuando hube alcanzado la Segunda Avenida, la tensión me había derretido el cuerpo. Era imposible que la situación pudiera empeorar, me dije mientras otro taxi se colocaba a un centímetro de mi parachoques trasero. Un solo rasguño en el coche me costaría el empleo, eso lo tenía claro, pero quizá también la vida. Como en pleno día no había un solo lugar donde aparcar —legal o ilegal—, telefoneé desde la calle al despacho del veterinario y pedí que me llevaran a Madelaine hasta el coche. Una mujer afable salió del edificio unos minutos después (el tiempo suficiente para atender otra llamada de Miranda, que esta vez quería preguntarme por qué no había regresado aún a la oficina) con un cachorro lloroso en los brazos. Me enseñó la barriga llena de puntos y me dijo que condujera con mucho, mucho cuidado porque la perra estaba «experimentando cierto malestar». Señora, conduciré con mucho, mucho cuidado únicamente para conservar el empleo y, probablemente, la vida; si la perra se beneficia de ello, tanto mejor.

Con Madelaine hecha un ovillo en el asiento del copiloto, encendí otro cigarrillo y me froté los helados pies para que los dedos reanudaran la tarea de agarrarse al embrague y el freno. «Embrague, gas, cambio, suelta embrague», tarareé para no prestar atención a los lamentos de la perra cada vez que aceleraba. Alternaba los gemidos con los lloros y bufidos. Para cuando llegamos al edificio de Miranda, la perra estaba casi histérica. Traté de consolarla, pero percibía mi hipocresía y, además, no me quedaba una sola mano libre para ofrecerle una palmadita o una caricia tranquilizadora. De modo que eso era lo que había conseguido después de cuatro años esquematizando y desentrañando libros, obras de teatro, relatos y poemas: la oportunidad de consolar a un diminuto bulldog con pinta de murciélago mientras procuraba no destrozar el coche caro, carísimo, de otra persona. Fantástico. Lo que siempre había soñado.

Logré dejar el vehículo y el perro con el conserje de Miranda sin más incidentes, pero las manos todavía me temblaban cuando subí al Town Car que me había estado siguiendo por toda la ciudad.

—Al edificio Elias-Clark —dije con un suspiro mientras el conductor doblaba la esquina y ponía rumbo al sur por Park Avenue.

Puesto que hacía esa ruta cada día —algunos dos veces—, sabía que disponía exactamente de seis minutos para respirar, tranquilizarme y tal vez incluso concebir la forma de ocultar las manchas de ceniza y sudor que habían pasado a ser un rasgo permanente de mis Gucci de ante. Los zapatos... en fin, los zapatos no tenían remedio, por lo menos mientras no los reparara la flota de zapateros *Runway* contratada para tales eventualidades. El trayecto duró, de hecho, cuatro minutos y medio, y luego no me quedó más remedio que cojear como una jirafa desequilibrada entre un zapato plano y un zapato con un tacón de diez centímetros. Una breve parada en el ropero me proporcionó unas Jimmy Choo hasta la rodilla de color castaño que quedaban de miedo con la falda de cuero que seleccioné antes de arrojar el pantalón de ante a la pila de «Limpieza de alta costura» (donde el precio de la limpieza en seco era como mínimo de setenta y cinco dólares por artículo). Ya solo me quedaba visitar el departamento de belleza, donde una de las redactoras echó un vistazo a mi maquillaje, que se me había corrido por el sudor, y sacó un maletín lleno de reparadores.

No está mal, pensé mientras me miraba en uno de los omnipresentes espejos de cuerpo entero. Nadie habría dicho que unos minutos antes había estado a punto de acabar con mi vida y la de cuantos me rodeaban. Entré con paso firme en la oficina de las ayudantes situada fuera del despacho de Miranda y me senté en silencio, con la esperanza de disfrutar de unos minutos de tranquilidad antes de que regresara del almuerzo.

—An-dre-aaa —exclamó Miranda desde su despacho sobrio y deliberadamente frío—. ¿Dónde están el coche y la perrita?

Salté de la silla, corrí por la lujosa moqueta tan deprisa como me lo permitían los tacones de doce centímetros que calzaba y me detuve frente a su mesa.

—He dejado el coche con el encargado del aparcamiento y a Madelaine con el conserje, Miranda —contesté, orgullosa de haber hecho ambas cosas sin haberme cargado el vehículo, el perro o a una servidora.

—¿Y por qué has hecho eso? —gruñó mientras levantaba la vista del número de *Women's Wear Daily* por primera vez desde que había entrado—. Te dije claramente que los trajeras al despacho, puesto que las niñas llegarán de un momento a otro para que podamos irnos.

—Pensé que habías dicho que los querías en...

—Basta. Los detalles de tu incompetencia no me interesan. Ve a buscar el coche y la perrita. Estaremos listos para marcharnos dentro de quince minutos. ¿Entendido?

¿Quince minutos? Esa mujer alucinaba. Necesitaba como mínimo un par de minutos para bajar a la calle y subir a un Town Car, otros cuatro para llegar a su edificio y unas tres horas para encontrar a la perrita en su apartamento de dieciocho habitaciones, sacar el inquieto descapotable del aparcamiento y recorrer las veinte manzanas que lo separaban de la oficina.

—Por supuesto, Miranda, quince minutos.

Nada más salir del despacho empecé a temblar de nuevo y me pregunté si mi corazón podría negarse a seguir funcionando a la provecta edad de veintitrés años. El primer cigarrillo que encendí aterrizó sobre mis nuevas Jimmy, donde ardió lo suficiente para abrir un pequeño orificio antes de caer sobre el cemento. Genial, murmuré, sencillamente genial. Hoy ya he destrozado mercancía por valor de cuatro de los grandes, un nuevo récord personal. Quizá Miranda la palmara antes de mi regreso, pensé tras decidir que había llegado la hora de ser optimista. Quizá, solo quizá pereciera de algo raro y exótico y nos liberábamos de su manantial de exigencias. Saboreé una última calada antes de apagar el cigarrillo e instarme a pensar con lógica. No quieres que se muera, me dije mientras subía al coche. Porque si se muere perderás toda posibilidad de cargártela tú misma. Y eso sería una pena.

2

El día que entré en los odiosos ascensores de Elias-Clark, esos transportadores de todas las cosas *en vogue*, para acudir a mi primera entrevista, lo ignoraba todo. No tenía ni idea de que los columnistas de la prensa rosa y los directivos de los medios de comunicación mejor relacionados de la ciudad estaban obsesionados con los pasajeros de aspecto impecable que entraban y salían de esos estilizados y silenciosos ascensores. Jamás había visto a mujeres con un cabello rubio tan radiante, ignoraba que mantener esas mechas de marca costaba seis de los grandes al año y que quienes estaban en el ajo podían identificar al autor con una sola mirada al producto final. Jamás había visto hombres tan hermosos. Perfectamente tonificados —sin excesivo músculo porque «no es sexy»—, lucían su dedicación eterna al gimnasio mediante jerseys de cuello cisne acanalados y pantalones de cuero ajustados. Bolsos y zapatos que jamás había visto en gente de verdad gritaban ¡Prada! ¡Armani! ¡Versace! Una amiga de una amiga —ayudante de redacción de la revista *Chic*— me había contado que a veces los complementos tropezaban con sus creadores en esos mismos ascensores, lo que generaba así encuentros conmovedores donde Miuccia, Giorgio o Donatella podían admirar, una vez más, sus tacones de cinco milímetros de espesor o su bolso de lágrimas para la primavera. Sabía que las cosas estaban cambiando para mí, pero no tenía claro que fuera para mejor.

Me había pasado los últimos veintitrés años encarnando la

América provinciana. Toda mi existencia era un perfecto cliché. Crecer en Avon (Connecticut) había supuesto deportes en el instituto, reuniones de grupos juveniles y fiestas con alcohol en bonitas casas residenciales cuando los padres se ausentaban. Vestíamos pantalones de chándal en el colegio, vaqueros los sábados por la noche y atuendos algo más vaporosos en los bailes semiformales. ¡Y el *college*! Caray, aquello era un mundo de sofisticación comparado con el instituto. Brown ofrecía infinitas actividades, clases y grupos para toda suerte imaginable de artistas, inadaptados y locos de la informática. Cualquier disciplina intelectual o creativa, por muy esotérica o impopular que fuera, tenía mercado en Brown. Quizá la alta costura fuera la única excepción a esta regla de la que alardeaban. Después de cuatro años paseándome por Providence con forro polar y botas de montaña, estudiando a los impresionistas franceses y redactando trabajos interminables, no estaba preparada en modo alguno para mi primer empleo después del *college*.

Había conseguido retrasarlo al máximo. Después de licenciarme dediqué cinco meses a reunir todo el dinero que pude y me fui de viaje yo sola. Durante un mes recorrí Europa en tren, pasando mucho más tiempo en las playas que en los museos, y no me preocupé demasiado por mantener el contacto con los de casa, salvo con Alex, mi novio desde hacía tres años. Alex sabía que, transcurridas cinco semanas, empezaría a sentirme sola, y como su formación en Teach for America acababa de terminar y disponía de unos meses libres antes de que le asignaran un colegio, apareció por sorpresa en Amsterdam. Para entonces yo había recorrido gran parte de Europa, que él ya había visitado el verano anterior, de modo que tras una tarde no demasiado sobria en un café reunimos nuestros cheques de viaje y compramos dos billetes de ida a Bangkok.

Recorrimos gran parte del sudeste asiático gastando no más de diez dólares al día y hablando obsesivamente de nuestros respectivos futuros. Alex estaba impaciente por empezar a enseñar lengua en uno de los colegios marginados de la ciudad, y entusiasmado ante la idea de formar mentes jóvenes y orientar a los más pobres y desamparados como solo él podía entusiasmarse. Yo estaba decidida a encontrar trabajo en una revista. Aunque sabía que las probabilidades de que me contrataran en el *New Yorker* recién salida del *college* eran prácticamente inexistentes, me había propuesto estar escribiendo para ellos antes de mi quinta reunión de ex alumnos. Era lo que siempre había deseado hacer, el único lugar donde quería trabajar. Había abierto mi primer número del *New Yorker* después de oír decir a mi madre sobre un artículo que acababa de leer: «Está muy bien escrito, ya no se leen cosas así», y de oír el comentario de mi padre: «Es lo único inteligente que se escribe hoy día». La revista me encantó. Me encantaron las críticas mordaces, las ingeniosas viñetas y la sensación de haber sido admitida en un exclusivo club de lectores. Leí todos los números durante los siguientes siete años y conocía de memoria cada sección, cada redactor e incluso cada escritor.

Alex y yo hablábamos de la nueva etapa que se abría ante nosotros y de lo afortunados que éramos de poder abordarla juntos. Con todo, no teníamos ninguna prisa por regresar a casa, como si presintiéramos que ese viaje sería el último período de calma antes de la tormenta, así que extendimos nuestros visados en Delhi para pasar unas semanas recorriendo los exóticos paisajes de India.

Pues bien, no hay nada como una disentería amebiana para volver bruscamente a la realidad. Aguanté una semana en un mugriento hotel indio suplicando a Alex que no me dejara morir en tan infernal lugar. Cuatro días después aterrizábamos en Newark y mi angustiada madre me sentaba en el asiento trasero de su coche y cloqueaba durante todo el trayecto a casa. En cierto modo mi estado era el sueño de toda madre judía, una buena razón para ir de médico en médico y asegurarse de que hasta el último parásito abandonaba a su niña. Tardé cuatro semanas en recuperarme y otras dos en darme cuenta de que vivir en casa se me hacía insoportable. Mamá y papá eran geniales, pero acabé hartándome de que me preguntaran adónde iba cada vez que salía y de dónde venía cada vez que volvía. Telefoneé a Lily y le pregunté si podía instalarme en el sofá de su minúsculo estudio de Harlem. Gracias a su bondadoso corazón, aceptó.

Desperté en el minúsculo estudio neoyorquino empapada en sudor. La frente me palpitaba, el estómago me ardía, hasta el último nervio de mi cuerpo bailaba el *shimmy* de una forma muy poco seductora. ¡Oh, no, han vuelto!, pensé horrorizada. Los parásitos habían logrado entrar de nuevo en mi cuerpo y estaba predestinada a sufrir eternamente. ¿Y si se trataba de algo peor? ¿Había contraído lo último en dengue? ¿Malaria? ¿Ébola quizá? Me recliné para intentar hacer frente a mi muerte inminente cuando me vinieron a la mente algunas imágenes de la noche anterior. Un bar lleno de humo en el East Village. Algo llamado música *trance*. Una bebida picante de color rosa en una copa de martini. Por favor, náuseas, deteneos. Amigos que se acercaban para darme la bienvenida. Un brindis, un trago, otro brindis. Por lo visto no padecía una especie extraña de fiebre hemorrágica, sino una simple resaca. No había tenido en cuenta que mi tolerancia etílica no era la misma después de haber perdido nueve kilos a causa de la disentería. Un metro ochenta de estatura y cincuenta y dos kilos de peso no eran la mejor combinación para una noche de juerga (aunque, mirando atrás, sí lo fue para encontrar empleo en una revista de moda).

Me despegué valientemente del abarquillado sofá en el que llevaba una semana instalada y concentré toda mi energía en no vomitar. La adaptación a Estados Unidos —la comida, los modales, las gloriosas duchas— no había sido difícil, pero lo de ser la invitada de la casa empezaba a cantar. Calculé que cambiando los *bahts* y siclos que me habían sobrado podía aguantar una semana y media antes de quedarme sin blanca, y la única forma de obtener dinero de mis padres era volver al interminable circuito de segundas opiniones. Fue justamente eso lo que me hizo levantarme de la cama un fatídico día de noviembre una hora antes de mi primera entrevista de trabajo. Había pasado la última semana apalancada en el sofá de Lily, todavía débil y exhausta, hasta que al final me había pedido que saliera cada día de casa aunque solo fuera unas horas. No sabiendo qué hacer con mi persona, había comprado una tarjeta de viaje y había recorrido toda la red de metro entregando desganadamente mi currículum a los conserjes de todas las redacciones de las grandes revistas, con una fría carta adjunta donde explicaba que quería ser ayudante de redacción y obtener experiencia como escritora de prensa. Me sentía demasiado débil para que me importara que alguien la leyera y lo último que esperaba era una entrevista. Con todo, el teléfono de Lily había sonado justo el día anterior y, por sorprendente que parezca, alguien de recursos humanos de Elias-Clark quería tener una «¡charla!» conmigo. Ignoraba si se trataba de una entrevista formal, pero lo de «charla» sonaba mucho más apetecible.

Bajé los comprimidos de Advil con Pepto y logré ponerme una chaqueta y un pantalón que no combinaban ni formaban un traje pero que, al menos, no resbalaban por mi famélica silueta. Una blusa azul, una coleta no demasiado vivaz y unas manoletinas con algunas rozaduras completaban mi aspecto. No era nada del otro mundo, de hecho rayaba en la fealdad suprema, pero tenía que servir. No me contratarán o rechazarán solo por mi indumentaria, recuerdo que pensé. Evidentemente, había tenido días más lúcidos.

Llegué puntualmente para mi entrevista de las once y no me entró el pánico hasta que tropecé con la cola de cuerpos de largas piernas y constitución enclenque que esperaban para entrar en los ascensores. (¡Los ascensores!) Inspira, espira, recordé. No vomitarás. No vomitarás. Estás aquí para hablar de tu deseo de trabajar como ayudante de redacción y luego volverás al sofá. No vomitarás. «¡Por supuesto que me encantaría trabajar en *Reaction*! No, supongo que el *Buzz* tampoco estaría mal. ¿Cómo? ¿Que puedo elegir? En ese caso necesitaré una noche para decidirme entre esas dos y *Maison Vous*. ¡Fabuloso!»

Al poco rato luzco una pegatina de «invitada» nada favorecedora en mi nada favorecedor pseudotraje (demasiado tarde descubrí que los invitados con rodaje pegan el pase en el bolso o incluso se deshacen de él, que solo los perdedores ignorantes lo llevan puesto) y me dirijo a los ascensores. Entonces... subo. Subo, subo, subo, cruzando el espacio y el tiempo y el erotismo infinito rumbo a... recursos humanos.

Durante el rápido trayecto me permití relajarme unos instantes. Perfumes intensos se mezclaban con el olor a cuero fresco, lo que daba a esos ascensores meramente funcionales una cualidad casi erótica. Por el camino nos deteníamos en una u otra planta para dejar salir a las bellezas de *Chic*, *Mantra*, *The Buzz* y *Coquette*. Las puertas se abrían con un sigilo casi reverente a recepciones de un blanco absoluto. Mobiliario chic de líneas limpias y sencillas desafiaba a la gente a sentarse, dispuesto a aullar de pavor si alguien —¡horror!— derramaba algo. El nombre de cada revista cubría las paredes del vestíbulo con caracteres negros y singulares. Gruesas puertas de cristal opaco protegían las oficinas. Eran nombres que el estadounidense medio reconoce pero nunca imagina girando bajo un elevadísimo tejado urbano.

Aunque servir yogur helado había sido mi trabajo más interesante hasta la fecha, mis amigos recién incorporados al mundo laboral me habían contado suficientes historias para saber que la vida de empresa no tenía nada que ver con eso. Ni mucho menos. Aquí faltaban las nauseabundas luces fluorescentes, las moquetas que disimulan las manchas. Donde hubiera debido ver secretarias desaliñadas había jovencitas de pómulos altos y trajes de diseño. Tampoco había rastro de material de oficina. La presencia de artículos tan básicos como archivadores, papeleras y libros era, sencillamente, nula. Observé cómo desaparecían seis plantas de blanca perfección antes de oír una voz cargada de odio.

—¡Es. Una. Auténtica. Hija. De. Puta! No la aguanto más. ¿Quién la aguanta, dime? ¿QUIÉN LA AGUANTA? —siseó una chica de veintitantos años ataviada con una falda de piel de serpiente y una diminuta camiseta sin mangas, más apropiada para una noche caliente en Lotus que un día (¡de invierno!) en la oficina.

—Lo sé, lo séee. ¿Qué crees que he estado soportando yo los últimos seis meses? Una auténtica hija de puta. Y encima tiene un gusto pésimo —convino su amiga con una vigorosa sacudida de su adorable melena.

Afortunadamente llegué por fin a mi planta y las puertas del ascensor se abrieron. Interesante, pensé. Sin embargo, si comparas este posible entorno de trabajo con un día normal en la vida de una chica de instituto, podría ser más que eso. ¿Estimulante? Bueno, quizá no. ¿Acogedor, bonito, alentador? No; no exactamente. ¿La clase de lugar que te anima a sonreír y a querer hacer un buen trabajo? ¡De acuerdo! En cualquier caso, si buscas lo delgado, lo sofisticado, lo último y lo supermoderno, Elias-Clark es la Meca.

Las joyas y el maquillaje impecable de la recepcionista de recursos humanos no aliviaron mi abrumadora sensación de que no estaba a la altura. Me dijo que me sentara y, «si quieres, puedes echar una ojeada a algunas de nuestras publicaciones», como si fueran a interrogarme sobre ellas. ¡Ja! Ya conocía a Stephen Alexander, de la revista *Reaction*, y no me costó mucho memorizar el nombre de Tanner Michel, del *Buzz*. Supuse que era lo único interesante que publicaban. Todo irá bien.

Una mujer menuda y esbelta se presentó como Sharon.

—De modo, querida, que quieres abrirte camino en las revistas —comentó mientras dejábamos atrás una hilera de clones de largas piernas y entrábamos en su frío despacho—. Supongo que sabes que es difícil conseguirlo recién terminados los estudios. Ahí fuera hay mucha, muchísima competencia para muy pocos trabajos. Y estos no están lo que se dice bien pagados, ya me entiendes.

Contemplé mi atuendo barato y que no conjuntaba, mis inoportunos zapatos, y me pregunté por qué me había tomado siquiera la molestia de ir. Viéndome de vuelta en el sofá con suficientes cigarrillos y Cheeze-Its para dos semanas, apenas la oí cuando añadió casi en un susurro:

—Sin embargo, debo decir que ahora mismo hay una oportunidad fabulosa, ¡y no durará mucho!

Desplegué las antenas e intenté que Sharon me mirara directamente a los ojos. ¿Oportunidad? ¿No durará mucho? La mente me iba a cien. ¿Esa mujer quería ayudarme? ¿Le había caído bien? ¿Cómo, si aún no había abierto la boca? ¿Cómo podía caerle bien? ¿Y por qué tuve la sensación de que empezaba a hablar como un vendedor de coches?

—Querida, ¿podrías decirme el nombre de la directora de *Runway*? —preguntó mirándome atentamente por primera vez desde que nos sentamos.

Blanco. Totalmente en blanco. No recordaba nada. ¡No puedo creer que me esté interrogando! No había leído un solo número de *Runway* en toda mi vida. Esa mujer no podía hacerme esa pregunta. A nadie le importaba *Runway*. Era una revista de moda, maldita sea, una revista que hasta dudaba que contuviera texto alguno, una revista donde solo aparecían anuncios lustrosos y un montón de modelos de aspecto famélico. Tartamudeé unos instantes mientras los nombres de los redactores que me había obligado a memorizar bailaban desparejados en mi cabeza. Estaba segura de que algún lugar recóndito de mi mente conocía el nombre de esa directora. ¿Quién no iba a conocerlo? Sin embargo, el nombre se negaba a cuajar en mi debilitado cerebro.

—Vaya, parece que ahora mismo no consigo recordarlo, aunque sé que lo sé, naturalmente que lo sé. ¡Todo el mundo lo sabe! Es solo que, en fin, que parece que ahora mismo no lo sé.

La mujer clavó por fin la mirada de sus enormes ojos en mi rostro, ahora sudoroso, y me observó por un instante.

—Miranda Priestly —dijo, casi en un susurro, con una mezcla de veneración y miedo—. Se llama Miranda Priestly.

Silencio. Durante un minuto entero ninguna de las dos abrió la boca, pero por lo visto Sharon decidió pasar por alto mi crucial tropiezo. En aquel entonces yo no sabía que deseaba desesperadamente contratar otra ayudante para Miranda, no podía saber que deseaba desesperadamente evitar que esa mujer siguiera llamándola de día y de noche para interrogarla sobre las posibles candidatas. Que deseaba desesperadamente encontrar a alguien, no importaba quién, que Miranda no rechazara. Y si yo —por improbable que pareciera— tenía la más mínima posibilidad de ser contratada y, por lo tanto, de liberarla, había que prestarme atención.

Sharon esbozó una sonrisa breve y me anunció que iba a presentarme a una de las dos ayudantes de Miranda. ¿Dos ayudantes?

—Por supuesto —respondió con cierta exasperación—. Miranda necesita dos ayudantes. Su primera ayudante, Allison, ha ascendido a redactora de belleza de *Runway*, y Emily, su segunda ayudante, ocupará el puesto de Allison. ¡Así pues, la plaza de segunda ayudante ha quedado vacante! Andrea, sé que acabas de licenciarte y probablemente no estás del todo familiarizada con los entresijos del mundo editorial... —Hizo una pausa dramática mientras buscaba las palabras adecuadas—. Creo que es mi deber, mi obligación, decirte que tienes delante una oportunidad de oro. Miranda Priestly... —Hizo otra pausa igual de dramática, como si estuviera haciendo una reverencia mental—. Miranda Priestly es la mujer más influyente de la industria de la moda y una de las directoras de revista más importantes del mundo. ¡Del mundo! La oportunidad de trabajar para ella, de verla dirigir a escritores y modelos famosos, de ayudarla a lograr cuanto logra cada día, en fin, huelga decir que es un trabajo por el que darían un ojo de la cara millones de chicas.

—Mmm, sí, parece fantástico —convine mientras me preguntaba por qué Sharon quería convencerme de algo por lo que millones de chicas darían un ojo de la cara.

Sin embargo, no había tiempo de pensar en eso. Descolgó el teléfono, pronunció unas palabras y a los pocos minutos ya me acompañaba a los ascensores para que acudiera a mis entrevistas con las dos ayudantes de Miranda.

Pensaba que Sharon hablaba como un robot, pero todavía no había tenido mi reunión con Emily. Bajé hasta la decimosegunda planta y esperé en la recepción absolutamente blanca de *Runway*. Transcurrió algo más de media hora antes de que una chica alta y delgada cruzara las puertas de cristal. De sus caderas caía una falda de cuero hasta la pantorrilla, mientras que un ingobernable cabello pelirrojo coronaba su cabeza formando uno de esos moños despeinados pero glamourosos. La piel, pálida e impecable, sin una sola peca o mancha, cubría a la perfección los pómulos más elevados que había visto en mi vida. No sonrió. Se sentó a mi lado y me echó una ojeada de forma aplicada pero mecánica, carente de interés. De repente, sin haberse presentado aún, la que supuse era Emily procedió a describirme el trabajo. El tono monótono de su voz me dijo más que todas sus palabras juntas: había pasado por esa situación docenas de veces, dudaba mucho que yo fuera diferente de las demás y, por consiguiente, no estaba dispuesta a perder demasiado tiempo conmigo.

—Es duro, de eso no hay duda. Habrá jornadas de catorce horas, no muchas pero las suficientes —prosiguió sin mirarme aún—. Y es importante tener presente que no habrá trabajo de redacción. Como segunda ayudante de Miranda, serías únicamente responsable de prever sus necesidades y satisfacerlas. Eso supone desde encargar sus sobres favoritos hasta ir con ella de compras. Sea lo que sea, siempre resulta divertido. Te permite pasar un día tras otro, una semana tras otra, con esta mujer absolutamente increíble. Porque es increíble —añadió con un suspiro, y pareció un tanto animada por primera vez desde el inicio de la entrevista.

—Parece estupendo —dije, y hablaba en serio.

Aquellos amigos míos que habían empezado a trabajar nada más licenciarse ya llevaban seis meses en sus puestos de aprendiz y todos estaban descontentos. Bancos, agencias de publicidad, editoriales, lo que fuera, todos estaban sumamente descontentos. Se quejaban de las largas jornadas, de los compañeros, de la política de la empresa, pero sobre todo del aburrimiento. Comparadas con el *college*, las tareas que les encomendaban en sus respectivos trabajos eran absurdas e innecesarias, idóneas para un chimpancé. Hablaban de muchas, muchísimas horas introduciendo números en bases de datos y haciendo visitas inesperadas a gente que no quería recibirlas. O clasificando años enteros de información en una pantalla de ordenador e investigando asuntos de todo punto intrascendentes durante meses para que sus supervisores pensaran que eran productivos. Todos juraban que se habían vuelto más tontos de lo que eran en el breve período de tiempo transcurrido desde su licenciatura y no veían ninguna solución a corto plazo. La moda no me atraía especialmente, pero prefería hacer algo «divertido» durante todo el día a hundirme en un trabajo tedioso.

—Sí, es estupendo, sencillamente estupendo. Lo que quiero decir es que es estupendo de verdad. En fin, ha sido un placer conocerte. Avisaré a Allison para que la conozcas. Ella también es estupenda.

En cuanto hubo desaparecido tras el cristal con un frufrú de cuero y rizos, asomó por la puerta una figura juvenil. Esta impresionante muchacha negra dijo ser Allison, la primera ayudante de

Miranda recién ascendida, y enseguida me percaté de que estaba delgadísima (instinto cultivado en mi época fallida como miembro de clubes estudiantiles femeninos). No obstante, no conseguí concentrarme en la forma en que se le hundía el vientre y le sobresalía la pelvis porque el simple hecho de que enseñara el vientre en el trabajo ya me tenía alucinada. Vestía un pantalón de cuero negro tan suave como ajustado. Un *top* de pelo blanco le ceñía el pecho y terminaba a cinco centímetros del ombligo. La larga melena era negra como la tinta y le caía por la espalda como una manta espesa y brillante. Llevaba los dedos de las manos y los pies pintados de blanco luminiscente, de modo que daban la sensación de que brillaban por dentro, y las sandalias proporcionaban ocho centímetros más a su armazón de metro ochenta y dos de estatura. Era increíblemente sexy y elegante al mismo tiempo, pero a mí me producía, sobre todo, frío. Literalmente. Después de todo, era noviembre.

—Hola, soy Allison, como probablemente sabes —comenzó mientras recogía una pelusa blanca del cuero que ceñía su exiguo muslo—. Acaban de ascenderme a un cargo de redacción y eso es precisamente lo fenomenal de trabajar con Miranda. Son muchas horas, es cierto, y el trabajo es duro, pero también increíblemente glamouroso. Millones de chicas darían un ojo de la cara por conseguirlo. Además, Miranda es maravillosa como mujer, directora y persona, y cuida mucho de sus chicas. Un solo año con ella te ahorrará años y años de esfuerzo para ascender en la jerarquía laboral. Si tienes talento, te enviará directa a la cumbre y... —Allison siguió parloteando sin molestarse en levantar la vista o fingir un mínimo de entusiasmo por lo que decía.

Aunque no tuve la impresión de que fuera especialmente tonta, sus ojos poseían ese brillo opaco característico de los miembros de las sectas y de las personas a quienes han lavado el cerebro. Tuve la sensación de que si me dormía, me metía el dedo en la nariz o, sencillamente, me marchaba, no se daría ni cuenta.

Cuando por fin cerró el pico y fue a avisar a otra entrevistadora, estuve a punto de desplomarme en los lujosos sofás de la recepción. Todo ocurría demasiado deprisa, fuera de mi control, y sin embargo estaba ilusionada. ¿Qué importaba que no supiera quién era Miranda Priestly?, pensé. Todo el mundo parecía encantado con ella. De acuerdo, es una revista de moda, no algo un poco más interesante, pero es mucho mejor trabajar en *Runway* que en una publicación industrial, ¿no? El prestigio de tener *Runway* en mi currículum me daría más credibilidad a la hora de solicitar trabajo en el *New Yorker* que, digamos, *Popular Mechanic*. Además, estoy segura de que millones de chicas darían un ojo de la cara por tener este empleo.

Tras media hora de reflexiones de esa índole otra chica alta y delgadísima entró en la recepción. Me dijo su nombre, pero yo solo era capaz de concentrarme en su cuerpo. Vestía una falda tejana ajustada con varios jirones, una blusa blanca transparente y sandalias plateadas de tiras. Lucía un bronceado y una manicura perfectos, así como un desnudo parcial en pleno invierno. No fue hasta que me indicó por señas que cruzara con ella las puertas de cristal y, por lo tanto, tuve que levantarme, cuando me percaté de lo horrendo e inadecuado que era mi atuendo, de la languidez de mi pelo y de la ausencia total de complementos y joyas. Actualmente mi imagen de aquel día —y el hecho de que portara algo parecido a un maletín— todavía me atormenta. Noto cómo la cara me arde de rubor cuando recuerdo mi pinta birriosa al lado de las mujeres más conjuntadas y modernas de la ciudad de Nueva York. No supe hasta mucho después, cuando me hallaba a las puertas de convertirme en una de ellas, cuánto se habían reído de mí durante la ronda de entrevistas.

Tras el obligado repaso Chica Despampanante me condujo al despacho de Cheryl Kerston, redactora ejecutiva de *Runway* y una lunática adorable. También ella habló durante horas, pero esta vez escuché. Escuché porque parecía amar su trabajo, porque hablaba con entusiasmo del tema de las «palabras» dentro de la revista, de los maravillosos textos que leía, de los escritores con los que trataba y de los redactores que supervisaba.

—No tengo nada que ver con la parte relativa a la moda —declaró con orgullo—, de modo que será mejor que dejemos esas preguntas para otro.

Cuando le dije que era justamente su puesto el que más me

atraía, que no tenía experiencia ni un interés especial por la moda, esbozó una sonrisa amplia y sincera.

—En ese caso, Andrea, quizá seas precisamente lo que necesitamos aquí. Creo que es hora de que conozcas a Miranda. ¿Puedo darte un consejo? Mírala directamente a los ojos y véndete. Véndete bien y te respetará.

Como si hubiera estado aguardando su turno, Chica Despampanante entró justo a tiempo para acompañarme al despacho de Miranda. El trayecto duró apenas treinta segundos, pero noté todas las miradas clavadas en mí. Me observaban desde el otro lado del cristal esmerilado y desde el espacio abierto donde las ayudantes tenían sus cubículos. Una hermosura que estaba en la fotocopiadora se volvió para darme un repaso, y lo mismo hizo un hombre absolutamente magnífico, aunque a todas luces gay e interesado tan solo en examinar mi indumentaria. Justo cuando me disponía a cruzar el umbral de la oficina de las ayudantes situada frente al despacho de Miranda, Emily me arrebató el maletín y lo metió debajo de su mesa. Tardé unos instantes en comprender el mensaje: «Entra con eso y perderás toda credibilidad». Acto seguido allí estaba, en el despacho de Miranda, un amplio espacio con enormes ventanales y una luz deslumbrante. Ese día no reparé en ningún otro detalle, pues no podía apartar la vista de ella.

Como nunca había visto una foto de Miranda Priestly, me sorprendió su delgadez. La mano que tendió era menuda, femenina, suave. Tuvo que alzar la cabeza para mirarme a los ojos, pero no se levantó para recibirme. Llevaba el pelo perfectamente teñido y recogido en un moño muy chic, deliberadamente flojo para parecer despreocupado, a pesar de lo cual resultaba muy elegante, y aunque no sonrió, no me pareció especialmente intimidadora. Parecía más bien amable y algo menuda detrás de su inquietante mesa negra; aunque no me invitó a sentarme, me sentí lo bastante cómoda para ocupar una de las incómodas sillas negras que había frente a ella. Fue entonces cuando lo noté: me estaba observando con atención, anotando mentalmente y con aparente regocijo mis atentados contra la elegancia y el buen gusto. Condescendiente, sí, pero no especialmente perversa, me dije. Ella habló primero.

—¿Qué te trae a *Runway*, An-dre-aaa? —preguntó con su acento británico de clase alta, sin apartar la vista de mí.

—He hablado con Sharon y ella me ha explicado que está buscando una ayudante —comencé con voz algo trémula. Al ver que asentía con la cabeza, gané confianza—. Ahora, después de hablar con Emily, Allison y Cheryl, creo que tengo una idea clara de la clase de persona que busca, y estoy segura de que yo sería perfecta para el puesto —proseguí recordando las palabras de Cheryl.

Miranda parecía divertida, aunque mantuvo el rostro impasible. Fue en ese momento cuando empecé a desear el trabajo con esa desesperación con que la gente quiere las cosas que considera inalcanzables. Quizá no fuera comparable a entrar en una facultad de derecho o publicar un ensayo en un periódico universitario, pero para mi mente hambrienta entonces de éxito era un auténtico desafío, un desafío porque yo era una impostora, y no muy buena. Nada más poner los pies en *Runway* había comprendido que no cuadraba en ese lugar. Mi atuendo y mi pelo desentonaban, eso estaba claro, pero más desentonaba mi actitud. No sabía nada de moda ni me importaba lo más mínimo. Por lo tanto, tenía que conseguir ese empleo. Además, millones de chicas darían un ojo de la cara por él.

Continué respondiendo a sus preguntas sobre mi persona con una rotundidad y una seguridad sorprendentes. No tenía tiempo para sentirme intimidada. Además, Miranda parecía una mujer agradable y nada me hacía pensar lo contrario. Nos enredamos un poco cuando me preguntó por los idiomas. Cuando le dije que hablaba hebreo, hizo una pausa, colocó las palmas sobre la mesa y repitió fríamente:

—¿Hebreo? Esperaba francés o por lo menos un idioma más útil.

Estuve a punto de disculparme, pero me detuve a tiempo.

—Por desgracia, no hablo ni una palabra de francés, pero estoy segura de que no será un problema.

Miranda juntó de nuevo las manos.

—Aquí dice que estudiaste en Brown.

—Así es. Me especialicé en filología inglesa y en escritura creativa. Escribir siempre ha sido mi pasión. —¡Qué cursi!, me regañé. ¿Era necesario que utilizara la palabra «pasión»?

—¿Tu gusto por la escritura significa que la moda no te interesa?

Bebió de un líquido gaseoso y devolvió a la mesa el vaso. Una rápida ojeada a este me reveló que Miranda era de esas mujeres capaces de beber sin dejar una asquerosa marca de carmín. Siempre tendría los labios perfectamente delineados y pintados, fuera la hora que fuera.

—Oh, no; por supuesto que no, adoro la moda —mentí con tranquilidad—. Y estoy deseando aprender más acerca de ella, pues sería maravilloso poder escribir sobre moda algún día.

¿De dónde demonios había sacado eso? Empecé a tener la sensación de que no era yo quien hablaba, de que estaba pronunciando las palabras de otras personas.

La entrevista prosiguió con suavidad hasta que Miranda formuló su última pregunta: ¿qué revistas leía con regularidad? Me incliné ávidamente hacia delante y empecé a hablar.

—Solo estoy suscrita al *New Yorker* y *Newsweek*, pero leo regularmente *The Buzz*. A veces *Time*, aunque me aburre un poco, y *U.S. News* es demasiado conservador. Naturalmente, como un placer prohibido, echo una ojeada a *Chic*, y como acabo de llegar de viaje, leo todas las revistas de viajes y...

—¿Lees *Runway*, An-dre-aaa? —me interrumpió inclinándose sobre la mesa y mirándome con mayor intensidad que antes.

La pregunta fue tan súbita, tan inesperada, que por primera vez me quedé sin habla. No mentí, y tampoco busqué excusas ni intenté explicarme.

—No.

Tras unos segundos de pétreo silencio Miranda llamó a Emily para que me acompañara a la salida. Entonces supe que el trabajo era mío.

3

—Yo no veo tan claro que el trabajo sea tuyo —murmuró Alex, mi novio, mientras jugaba con mi pelo cuando descansé la dolorida cabeza en su regazo después de tan largo día.

Al terminar la entrevista había ido directa a su apartamento de Brooklyn. No quería dormir otra noche en el sofá de Lily y necesitaba contarle todo lo sucedido.

—Ni siquiera sé por qué lo quieres —añadió. Luego recapacitó—. En realidad me parece una oportunidad fabulosa. Si esa chica, Allison, empezó como ayudante de Miranda y ahora es redactora, está muy bien.

Hacía lo posible por fingir que se alegraba por mí. Llevábamos juntos desde nuestro primer año en Brown y conocía cada inflexión de su voz, cada mirada, cada gesto. Alex había empezado a trabajar en la escuela pública 277 del Bronx hacía unas semanas y estaba siempre tan cansado que apenas podía hablar. Aunque sus alumnos tenían apenas nueve años, no daba crédito a lo hartos y cínicos que se habían vuelto ya. Le repugnaba que hablaran con toda tranquilidad de mamadas, que conocieran diez palabras diferentes para referirse a la marihuana y que les encantara alardear de las cosas que robaban o de qué primo residía actualmente en la cárcel más dura. «Peritos Carcelarios», los llamaba Alex. Podrían escribir un libro sobre las sutiles ventajas de Sing Sing frente a Riker, pero no sabían leer una sola palabra escrita en inglés. Estaba buscando la forma de cambiar las cosas para mejor.

Deslicé una mano por debajo de su camiseta y comencé a rascarle la espalda. El pobre parecía tan desdichado que me sabía mal molestarle con los detalles de la entrevista, pero necesitaba hablar del tema con alguien.

—Soy consciente de que ese trabajo no tendrá nada que ver con la parte editorial, pero estoy segura de que podré escribir algo dentro de unos meses —dije—. Tú no crees que trabajar en una revista de moda sea una traición, ¿verdad?

Alex me estrechó el brazo y se tumbó a mi lado.

—Cielo, eres una escritora brillante y sé que lo harás de maravilla estés donde estés. Por supuesto que no es una traición. Es justicia. ¿No has dicho que si inviertes un año en *Runway* te ahorrarás tres años más como ayudante en otra revista?

Asentí con la cabeza.

—Eso dijeron Emily y Allison, que la compensación era automática. Logra trabajar un año para Miranda sin que te despida y con una llamada te conseguirá un empleo donde tú quieras.

—En ese caso, ¿cómo no vas a aceptar? En serio, Andy, trabajarás un año y conseguirás un puesto en el *New Yorker*. ¡Es lo que siempre has querido! Y por lo visto llegarás allí mucho antes haciendo esto que cualquier otra cosa.

—Tienes razón, tienes toda la razón.

—Además, eso significaría que vendrías a vivir a Nueva York, lo que reconozco me hace mucha ilusión. —Me dio uno de esos besos largos y perezosos que teníamos la sensación de haber inventado nosotros—. Deja de preocuparte tanto. Tú misma has dicho que no estás segura de que el puesto sea tuyo. Esperemos a ver qué pasa.

Preparamos una cena sencilla y nos dormimos viendo Letterman. Estaba soñando con abominables niños de nueve años que practicaban el sexo en el patio mientras bebían whisky y gritaban a mi dulce y adorable novio, cuando sonó el teléfono.

Alex descolgó el auricular y se lo llevó a la oreja, pero no se molestó en abrir los ojos ni la boca. Lo dejó caer a mi lado. Yo no estaba segura de poder reunir la energía necesaria para levantarlo.

—¿Diga? —farfullé mientras miraba el reloj, marcaba las 7.15.

¿Quién demonios podía llamar a esas horas?

—Soy yo —espetó Lily, muy enfadada.

—Hola. ¿Va todo bien?

—¿Crees que te estaría llamando si todo fuera bien? Tengo una resaca tan descomunal que estoy a punto de palmarla. Cuando por fin consigo dejar de vomitar el tiempo suficiente para poder dormirme, va y me despierta una mujer asquerosamente animosa que dice trabajar en recursos humanos de Elias-Clark. Te está buscando. A las siete y cuarto de la puta mañana. Llámala y dile que pierda mi número.

—Lo siento, Lil. Le di tu número porque todavía no tengo móvil. ¡No puedo creer que haya llamado tan pronto! Me pregunto si eso es bueno o malo.

Agarré el inalámbrico, salí de la habitación y cerré sigilosamente la puerta tras de mí.

—Yo qué sé. Buena suerte. Llámame para contarme cómo te ha ido, pero no en las próximas horas, ¿de acuerdo?

—De acuerdo. Gracias y perdona.

Miré de nuevo el reloj y no pude creer que estuviera a punto de tener una conversación de trabajo. Preparé la cafetera, esperé a que saliera el café y me llevé una taza al sofá. Había llegado la hora de telefonear, no tenía opción.

—Hola, soy Andrea Sachs —dije con firmeza, aunque la voz me traicionó con su ronquera de recién levantada.

—¡Andrea, buenos días! Espero no haber llamado demasiado pronto —trinó Sharon con una voz rebosante de vida—. Estoy segura de que no, ¡sobre todo porque muy pronto también tú serás un pájaro madrugador! Tengo una gran noticia para ti. Has causado muy buena impresión a Miranda. Dijo que está deseando trabajar contigo. ¿No es fabuloso? Felicidades, querida. ¿Qué sensación tienes al ser la nueva ayudante de Miranda Priestly? Supongo que estás...

La cabeza me daba vueltas. Traté de despegarme del sofá para servirme más café, o agua, cualquier cosa que pudiera despejarme, pero solo conseguí hundirme aún más en los cojines. ¿Me estaba preguntando si quería el empleo? ¿Estaba haciendo una oferta formal? No entendía nada de lo que acababa de decir, salvo que había caído bien a Miranda.

—... encantada con la noticia. ¿Quién no lo estaría? Veamos, ¿qué te parece si empiezas el lunes? Podrías venir para una rápida sesión de orientación y luego te llevaré directa a la oficina de Miranda. Ella estará en los desfiles de París, pero será un gran momento para arrancar. Te permitirá familiarizarte con las demás chicas. ¡Son todas encantadoras!

¿Orientación? ¿Empezar el lunes? ¿Chicas encantadoras? Sus palabras se negaban a cuajar en mi debilitado cerebro.

—Mmm, me temo que no podré comenzar el lunes —repuse con calma a la única frase que había entendido, confiando en haber dicho algo lógico.

La pronunciación de esas palabras me había conmocionado hasta sumirme en un estado semiinconsciente. Había atravesado las puertas de Elias-Clark por primera vez el día anterior y ahora me despertaban de un sueño profundo para decirme que debía empezar a trabajar al cabo de tres días. Era viernes, eran las siete de la mañana, joder, ¿y querían que me incorporara el lunes? Empecé a intuir que la situación se me escapaba de las manos. ¿A qué venía tanta prisa? ¿Tan importante era esa mujer como para necesitarme de inmediato? ¿Y por qué la voz de Sharon sonaba como si temiera a Miranda?

No podía empezar el lunes. Carecía de domicilio. Tenía el campamento base en casa de mis padres, en Avon, el lugar al que había vuelto de mala gana después de licenciarme y donde había almacenado la mayoría de mis cosas antes de partir de viaje. Tenía toda la ropa para las entrevistas amontonada sobre el sofá de Lily. Me había esforzado por fregar los platos, vaciar sus ceniceros y comprar cajas de Haagen-Dazs para que no me odiara, pero pensaba que merecía un descanso con respecto a mi interminable presencia, de modo que los fines de semana acampaba en casa de Alex. Eso significaba que tenía la ropa de fin de semana y el juego de maquillaje en Brooklyn, el portátil y los trajes que no conjuntaban en Harlem y el resto de mi vida en Avon. No tenía apartamento en Nueva York y no entendía cómo podía saber todo el mundo que Madison Avenue subía pero Broadway bajaba. ¿Y quería que empezara el lunes?

—Mmm, me temo que este lunes no puedo porque ahora mismo no resido en Nueva York —me apresuré a explicar apretando el auricular con fuerza— y necesitaré un par de días para buscar apartamento, comprar algunos muebles e instalarme.

—En fin, supongo que no pasará nada por que empieces el miércoles —replicó ella con desdén.

Tras un breve forcejeo quedamos para el lunes de la semana siguiente, el 17 de noviembre. Eso me dejaba poco más de ocho días para buscarme un hogar, y amueblarlo, en uno de los mercados inmobiliarios más disparatados del mundo.

Colgué y me derrumbé de nuevo en el sofá. Me temblaban las manos y el teléfono se me cayó al suelo. Una semana. Disponía de una semana para incorporarme al trabajo que acababa de aceptar como ayudante de Miranda Priestly. ¡Un momento! Ya decía yo que algo me tenía mosca... En realidad no había aceptado ningún empleo porque no me habían hecho ninguna oferta formal. Sharon ni siquiera había pronunciado las palabras «Nos gustaría hacerte una oferta» porque daba por sentado que cualquier persona con un mínimo de inteligencia aceptaría sin vacilar. Casi me eché a reír en voz alta. ¿Se trataba de una táctica bélica perfeccionada? Espera a que la víctima entre en las profundidades del sueño REM después de una noche agitada y luego lánzale una noticia que va a cambiarle la vida. ¿O acaso Sharon había decidido que, tratándose de la revista *Runway*, cosas tan prosaicas como hacer una oferta de trabajo y aguardar a que la aceptara constituían una pérdida de tiempo y energía? Había dado por hecho que me pondría a dar saltos de alegría, que estaría feliz con esa oportunidad. Y, como siempre ocurría en Elias-Clark, tenía razón. Todo había sucedido tan deprisa que no había tenido tiempo de reflexionar. No obstante, presentía que era una oportunidad que no debía desperdiciar, un gran primer paso para llegar al *New Yorker*. Tenía que intentarlo. Ciertamente era una chica con suerte.

Reanimada al fin, apuré el café, preparé una taza para Alex

y me di una ducha caliente. Cuando entré en el dormitorio, él se estaba incorporando.

—¿Ya estás vestida? —preguntó mientras buscaba las gafas con montura de alambre, sin las cuales no veía ni torta—. ¿Ha llamado alguien esta mañana o lo he soñado?

—No lo has soñado —respondí deslizándome de nuevo entre las sábanas pese a llevar puestos unos vaqueros y un jersey de cuello alto. Procuré que mi pelo mojado no empapara la almohada—. Era Lily. La mujer de recursos humanos de Elias-Clark llamó a su casa porque les di su número. Y adivina qué.

—¿Te han dado el trabajo?

—¡Me han dado el trabajo!

—¡Ven aquí! —exclamó Alex al tiempo que me abrazaba—. Estoy muy orgulloso de ti. Es una noticia estupenda.

—¿Todavía piensas que es una buena oportunidad? Sé que ya lo hemos hablado, pero es que esa mujer ni siquiera me ha permitido decidir. Ha dado por sentado que quería el empleo.

—Es una oportunidad increíble. La moda no es lo peor de este mundo, puede que hasta te resulte interesante.

Puse los ojos en blanco.

—De acuerdo, me he pasado un poco —agregó—. Pero con *Runway* en el currículum, una carta de esa Miranda y quizá hasta algunos artículos para cuando termine el año, podrás hacer lo que quieras. *The New Yorker* te suplicará que trabajes para ellos.

—Espero que tengas razón. —Me levanté y procedí a guardar mis enseres en la mochila—. ¿De veras que no te molesta que coja tu coche? Cuanto antes llegue a casa, antes estaré de vuelta, aunque tampoco importa mucho, porque me mudo a Nueva York. ¡No hay marcha atrás!

Como Alex tenía que ir a Westchester dos veces por semana para cuidar de su hermano pequeño porque su madre trabajaba hasta tarde, esta le había regalado su viejo coche, pero no lo necesitaría hasta el martes y yo pensaba estar de vuelta antes de ese día. Además, ya había planeado pasar el fin de semana en casa y ahora tendría una buena noticia que llevarme.

—Claro que no. Está a media manzana de aquí, en Grand

Street. Las llaves están sobre la mesa de la cocina. Llámame cuando llegues, ¿de acuerdo?

—Claro. ¿Seguro que no quieres venir? Habrá comida buena. Ya sabes que mi madre solo compra lo mejor.

—Es muy tentador. Sabes que iría, pero he quedado mañana con los profesores jóvenes para tomar algo. Pensé que eso nos ayudaría a trabajar como un equipo. Lo he organizado yo y no puedo faltar.

—Maldito bonachón, siempre creando buen rollo allí donde vas. Te odiaría si no te quisiera tanto.

Le di un beso.

—Exageras. Pásalo bien.

—Tú también. Adiós.

Encontré su pequeño Jetta verde al primer intento y solo tardé veinte minutos en dar con la alameda que me conduciría a la 95 Norte, que estaba muy despejada. Ah, cómo echaba de menos conducir. Hacía un frío que pelaba para ser noviembre, estábamos a un par de grados y había placas de hielo en las carreteras secundarias. No obstante, el sol brillaba y proyectaba esa luz de invierno que hace llorar a los ojos poco acostumbrados, y notaba el aire frío y limpio en los pulmones. Hice todo el trayecto con la ventanilla bajada, escuchando una y otra vez la banda sonora de *Casi famosos*. Me recogí el pelo húmedo en una coleta para que no me cubriera los ojos y me fui soplando los dedos de las manos para mantenerlos calientes, o por lo menos lo bastante calientes para poder sostener el volante. Había finalizado mis estudios hacía apenas seis meses y mi vida ya estaba a punto de dar un gran paso adelante. Miranda Priestly, hasta el día anterior una desconocida pero mujer poderosa, me había elegido para trabajar en su revista. Ahora tenía una buena razón para salir de Connecticut, mudarme a Manhattan —sola, como una verdadera adulta— y convertirlo en mi hogar. Cuando detuve el coche frente a mi casa de la infancia me sentía dichosa. El retrovisor me mostró unas mejillas rojas a causa del viento y un pelo alborotado. No iba maquillada y llevaba los bajos de los vaqueros sucios de caminar por el aguanieve de la ciudad, pero me sentía hermosa, natural, fresca, limpia y diáfana. Abrí la puerta y llamé a mi madre. Nunca he vuelto a sentirme tan ligera.

—¿Una semana? Cariño, dudo mucho que puedas empezar a trabajar dentro de una semana —observó mi madre al tiempo que removía el té con una cucharilla.

Estábamos sentadas frente a la mesa de la cocina, en nuestro lugar de costumbre, mi madre acompañada de su acostumbrado té sin teína y con sacarina, y yo de mi acostumbrada taza de English Breakfast con azúcar. Aunque hacía cuatro años que no vivía en casa de mis padres, solo necesitaba esas enormes tazas de té preparado en el microondas y un par de frascos de mantequilla de cacahuete para sentir que no me había movido de allí.

—No tengo opción y la verdad es que he tenido mucha suerte. No te imaginas lo insistente que estuvo esa mujer por teléfono —dije. Mamá me miró con cara inexpresiva—. En cualquier caso, no es algo que deba preocuparme. He conseguido un trabajo en una revista famosa con una de las mujeres más poderosas de la industria de la moda. Un trabajo por el que darían un ojo de la cara millones de chicas.

Sonreímos, pero la sonrisa de mi madre estaba teñida de tristeza.

—Me alegro mucho por ti —afirmó—. Tengo una hija adulta preciosa. Cariño, sé que será el comienzo de una época maravillosa de tu vida. Oh, recuerdo cuando terminé el *college* y me mudé a Nueva York, sola en esa enorme y loca ciudad. Estaba aterrada, pero era muy estimulante. Quiero que disfrutes de cada minuto que pases en Nueva York, del teatro y el cine, la gente, las tiendas, los libros. Sé que será la mejor época de tu vida. —Posó una mano sobre la mía, gesto raro en ella—. Estoy muy orgullosa de ti.

—Gracias, mamá. ¿Significa eso que estás lo bastante orgullosa para comprarme un apartamento, algunos muebles y un vestuario nuevo?

—Claro, claro —respondió, y me golpeó la coronilla con una revista mientras se dirigía al microondas para calentar dos tazas más. No había dicho que no, pero tampoco se había precipitado sobre el talonario.

Pasé el resto de la tarde enviando correos electrónicos a todas las personas que conocía para preguntarles si necesitaban compañera de piso o sabían de alguien que estuviera buscando una. Puse algunos anuncios y telefoneé a gente con la que hacía meses que no hablaba. Nada. Había decidido que mi única opción —si no quería instalarme de forma permanente en el sofá de Lily y acabar inevitablemente con nuestra amistad, o estrellarme en el de Alex, algo para lo que ninguno de los dos estaba preparado— era alquilar una habitación hasta conocer mejor la ciudad. Deseaba disponer de una habitación propia y, a ser posible, amueblada para no tener que preocuparme también de ese aspecto.

El teléfono sonó poco después de medianoche. Me abalancé sobre él y a punto estuve de caerme de la cama de mi niñez en el proceso. Una fotografía de Chris Evert, mi heroína de la infancia, enmarcada y firmada, sonreía desde la pared, debajo de un tablón que todavía contenía recortes de revista de Kirk Cameron, mi amor de la infancia. Sonreí al descolgar el auricular.

—Hola, campeona, soy Alex —dijo con ese tono que indicaba que algo había pasado. Imposible saber si se trataba de algo bueno o malo—. Acabo de recibir un mensaje electrónico de Claire MacMillan, una chica de Princeton, que está buscando compañera de piso. Creo que la conozco. Sale con Andrew y es muy normal. ¿Te interesa?

—Claro, ¿por qué no? ¿Tienes su teléfono?

—No, solo su dirección electrónica, pero te enviaré el mensaje y podrás ponerte en contacto con ella. Creo que te irá bien con Claire.

Envié un correo electrónico a Claire mientras terminaba de hablar con Alex y finalmente pude echarme a dormir. Tal vez, solo tal vez, esta posibilidad funcione.

Claire MacMillan: descartada. Su apartamento era oscuro y deprimente, se hallaba en una zona infernal y cuando llegué había un yonqui en el portal. Los demás no se quedaban atrás: una pareja que quería alquilar una habitación en su apartamento e insinuó que tenía que aguantar su constante y ruidosa actividad sexual; un pintor de treinta y pocos años con cuatro gatos y el deseo de tener más; una habitación sin ventana ni armario al final de un largo y oscuro pasillo, y un gay de veinte años en plena «etapa guarra», según sus palabras. Cada cuarto lúgubre que visité costaba más de mil dólares mensuales. Mi salario era de 32.500 dólares anuales. Aunque las matemáticas nunca habían sido mi fuerte, no hacía falta ser un genio para deducir que el alquiler iba a comerse más de 12.000 dólares al año. Para colmo, mis padres tenían intención de confiscarme la tarjeta de crédito para casos de urgencia porque ya era una «adulta». Genial.

Fue Lily quien me sacó del apuro después de tres días infructuosos. Dado que tenía un interés personal por sacarme de su sofá para siempre, envió mensajes electrónicos a todos sus conocidos. Por lo visto una compañera de su programa de doctorado de Columbia tenía una amiga que tenía una jefa que conocía a dos chicas que buscaban compañera de piso. Telefoneé y hablé con una joven muy simpática llamada Shanti, quien me contó que ella y su amiga Kendra buscaban a alguien para compartir su apartamento del Upper East Side, con derecho a un dormitorio minúsculo pero con ventana, armario e incluso una pared de ladrillos a la vista. Por ochocientos dólares al mes. Pregunté si el apartamento tenía cuarto de baño y cocina. Tenía ambas cosas (naturalmente, nada de lavavajillas, bañera o ascensor, pero no podía esperar una vida llena de lujos la primera vez que me emancipaba). Shanti y Kendra resultaron ser dos chicas indias dulces y tranquilas que acababan de licenciarse en la Universidad de Duke, trabajaban un montón de horas en bancos de inversión y me parecieron, ese primer día y los siguientes, imposibles de distinguir. Había encontrado un hogar.

4

Llevaba tres días durmiendo en mi nueva habitación y todavía me sentía como una extraña viviendo en un lugar extraño. El dormitorio era diminuto. Quizá algo más espacioso que el cobertizo del patio trasero de la casa de Avon, pero no mucho más. A diferencia de esas estancias que parecen más amplias una vez amuebladas, mi cuarto se había encogido a la mitad. Había contemplado el diminuto recuadro y decidido ingenuamente que medía casi como una habitación normal y que compraría el típico juego de dormitorio: una cama, una cómoda y tal vez un par de mesitas de noche. Fui con Lily en el coche de Alex a Ikea, la meca de los licenciados universitarios, y juntas escogimos un precioso juego de madera clara y una alfombra en tonos azul claro, azul oscuro, azul marino y añil. Al igual que la moda, la decoración no era mi fuerte; creo que Ikea se hallaba en su Etapa Azul. Compramos una funda nórdica con motas azules y el edredón más mullido de la tienda. Lily me instó a adquirir una de esas lámparas chinas de papel de arroz para la mesita de noche y escogí algunas fotos en blanco y negro enmarcadas para compensar el rojo áspero de mi celebrada pared de ladrillos. Así pues, mobiliario elegante e informal pero nada zen. Perfecto para mi primera habitación de adulta en la gran ciudad.

Perfecto hasta que llegó. Por lo visto contemplar una habitación no es lo mismo que medirla. Nada encajaba. Alex montó la cama, y cuando la empujó contra la pared de ladrillos (código de

Manhattan para «pared inacabada») se comió todo el cuarto. Los repartidores tuvieron que volverse a Ikea con la cómoda de seis cajones, las adorables mesitas de noche y hasta el espejo de cuerpo entero. Sin embargo, antes ayudaron a Alex a levantar la cama para que yo pudiera deslizar la alfombra, de la que conseguí que asomaran algunos centímetros de azul. La lámpara de papel de arroz no tenía mesita de noche ni cómoda sobre la que descansar, así que la coloqué en el suelo, empotrada en los quince centímetros que separaban la estructura de la cama de la puerta corredera del armario. Y aunque probé con cinta adhesiva especial, clavos, tornillos, alambres, KrazyGlue y un montón de palabrotas, las fotos se negaban a permanecer colgadas de la pared de ladrillos. Tras casi tres horas de esfuerzos y nudillos pelados por el ladrillo, las puse sobre el alféizar de la ventana. Mejor así, pensé. De ese modo bloqueaban ligeramente la vista panorámica que de mi habitación tenía la vecina de enfrente. No obstante, nada de eso me importaba. Tampoco me importaba tener delante un patio en lugar de los rascacielos de la ciudad, ni la ausencia de cajones, ni que el armario fuera demasiado pequeño para meter un abrigo. Era mi habitación —la primera que podía decorar yo sola sin la intervención de padres ni compañeras de cuarto— y me encantaba.

La tarde del domingo anterior a mi primer día de trabajo, no hice otra cosa que angustiarme por lo que debía ponerme al día siguiente. Kendra, la más simpática de mis dos compañeras de piso, asomaba regularmente la cabeza y preguntaba si podía hacer algo por mí. Dado que ambas vestían trajes ultraconservadores para ir a trabajar, opté por rechazar su opinión. Me paseé arriba y abajo de la sala —cada recorrido se hacía en cinco zancadas— y finalmente me senté en el futón, delante de la tele. ¿Qué debía ponerme para mi primer día de trabajo con la directora más elegante de la revista de moda más elegante del momento? Había oído hablar de Prada (a las pocas pijas que llevaban mochila en Brown), de Louis Vuitton (porque mis dos abuelas portaban el bolso con las letras del logotipo sin darse cuenta de lo modernas que eran) e incluso de Gucci (¿quién no ha oído hablar de Gucci?). No obstante, no poseía ni una sola puntada de esas firmas y tampoco habría sabido qué hacer si todo el contenido de sus tiendas hubiera residido en mi diminuto armario. Regresé a mi habitación —o, mejor dicho, al colchón de pared a pared que llamaba mi habitación— y me desplomé en la enorme cama golpeándome el tobillo con el voluminoso armazón en el proceso. Mierda. ¿Y ahora qué?

Tras mucho sufrimiento y numerosas pruebas, al final me decidí por un jersey celeste de cachemir, una falda negra hasta la rodilla y mis botas negras hasta la rodilla. Puesto que ya sabía que debía huir del maletín, no tuve más remedio que recurrir a mi bolso negro de lona. Lo último que recuerdo de aquella noche es a una servidora sorteando la descomunal cama con botas de tacón, falda y torso desnudo, y sentándose para descansar del esfuerzo.

Debí de quedarme frita de pura ansiedad, porque fue la adrenalina la que me despertó a las cinco y media de la mañana. Me levanté de un salto. Durante toda la semana había tenido los nervios de punta y me parecía que la cabeza me iba a estallar. Disponía exactamente de hora y media para ducharme, vestirme y llegar desde mi edificio de aspecto estudiantil de la Noventa y seis con la Tercera hasta el centro en transporte público, una idea todavía oscura y que me intimidaba. Eso significaba que debía destinar una hora al trayecto y media hora al acicalamiento.

La ducha era terrible. Hacía un ruido agudo y penetrante, como esos silbatos para entrenar perros, y el agua permanecía tibia hasta que me apartaba del plato para enfrentarme al aire helador del cuarto de baño, momento en que empezaba a salir hirviendo. Solo tardé tres días en optar por levantarme, correr hasta el baño, abrir el agua caliente y meterme de nuevo en la cama. Tras pasar la alarma del despertador tres veces más, regresaba al cuarto de baño y lo encontraba totalmente empañado gracias el agua maravillosamente caliente aunque poco abundante de la ducha.

En veinticinco minutos conseguí meterme en mi incómodo atuendo y salir de casa, todo un récord. Y solo tardé diez minutos en encontrar la estación de metro más cercana, algo que habría debido hacer la noche anterior si no hubiera estado tan ocupada mofándome de mi madre cuando me aconsejó que me estudiara el trayecto para no perderme. La semana anterior había ido a la entrevista en taxi y estaba convencida de que el experimento con el metro sería una pesadilla pero, curiosamente, en la taquilla había una empleada que hablaba inglés, la cual me indicó que tomara la línea 6 hasta la calle Cincuenta y nueve. Dijo que saldría directamente a esa calle y que luego solo tendría que caminar dos manzanas en dirección oeste hasta Madison. Chupado. En el tren reinaba el silencio, pues yo era la única persona lo bastante loca para estar despierta y, de hecho, en movimiento a tan miserable hora de la mañana en pleno noviembre. Por el momento todo iba bien, hasta que me tocó subir a la calle.

Caminé hasta las escaleras más cercanas y salí a un día glacial. Las únicas luces visibles eran las de los colmados que nunca cerraban. Elias-Clark, Elias-Clark, Elias-Clark. ¿Dónde estaba el edificio Elias-Clark? Giré ciento ochenta grados hasta que mis ojos tropezaron con un letrero: calle Sesenta con Lexington. La Cincuenta y nueve, por lo tanto, no podía andar muy lejos, pero ¿qué dirección debía tomar para caminar hacia el oeste? ¿Y dónde estaba Madison con respecto a Lexington? El entorno no me era familiar, pues en mi primera visita a Elias-Clark el taxi me había dejado delante de la puerta. Caminé un poco, satisfecha de haber salido con tiempo de sobra para perderme, y al final entré en una tienda para tomarme un café.

—Hola, señor. Estoy buscando el edificio Elias-Clark. ¿Podría indicarme en qué dirección queda? —pregunté a un hombre de aspecto nervioso que estaba apostado detrás de la caja registradora.

Me esforcé por no sonreír dulcemente, recordando lo que todo el mundo me había dicho, que ya no estaba en Avon y que aquí la gente no reaccionaba bien a los buenos modales. El hombre frunció el entrecejo y me inquieté porque pensé que le había parecido una grosera. Sonreí dulcemente.

—Un dolá —dijo tendiendo una mano.

—¿Cobra por dar indicaciones?

—Un dolá, con lete o tolo, da iguá.

Le miré fijamente por un instante antes de comprender que solo sabía el inglés suficiente para hablar de café.

—Oh, con leche sería genial. Muchísimas gracias.

Le tendí un dólar y volví a la calle más perdida que nunca. Pregunté a quiosqueros, barrenderos, incluso a un hombre metido en uno de esos carritos donde se venden desayunos. Ninguno me entendió lo bastante para señalar en dirección a Madison con la Cincuenta y nueve. Entonces me asaltaron recuerdos de Delhi, depresión, disentería. ¡No! Lo encontraré.

Unos minutos caminando sin rumbo por una ciudad que empezaba a despertar me llevaron, de hecho, hasta la puerta del edificio Elias-Clark. Envuelto en la penumbra de la mañana, el vestíbulo resplandecía al otro lado de la entrada de cristal, y por un instante me pareció un lugar cálido y acogedor, pero cuando empujé la puerta giratoria se me resistió. Apreté hasta tener todo el peso del cuerpo impulsado hacia delante y la cara a unos milímetros del cristal. Solo entonces se movió. Al principio lo hizo con lentitud, de modo que empujé con más fuerza. Entonces la bestia de cristal ganó velocidad y me golpeó por detrás, lo que me obligó a avanzar a trompicones y arrastrando los pies para no caer al suelo. El hombre situado detrás del mostrador de seguridad se echó a reír.

—Jodido, ¿eh? No es la primera vez que veo ocurrir eso ni será la última —dijo con una risita ahogada y un temblor en sus carnosas mejillas—. Aquí saben cómo pillarte.

Eché una rápida mirada al hombre, decidí detestarle y supe que yo nunca le caería bien a él, independientemente de lo que hiciera o dijera. No obstante, sonreí.

—Soy Andrea —anuncié mientras me quitaba los guantes de lana y caminaba hasta el mostrador—. Hoy es mi primer día en *Runway*. Soy la nueva ayudante de Miranda Priestly.

—¡Mi más sentido pésame! —rugió echando la cabeza hacia atrás de puro regocijo—. La acompaño en el sentimiento, ¡ja, ja, ja! Eh, Eduardo, no te lo pierdas. Es una de las nuevas esclavas de Miranda. ¿De dónde sales, muchacha, tan amable y simpática? ¿Del jodido Kansas? Se te comerá viva, ¡ja, ja, ja!

Antes de que pudiera responder, un hombre corpulento e igualmente uniformado se acercó y me miró de arriba abajo sin disimulo alguno. Me preparé para otra burla, pero en lugar de eso el tipo se volvió hacia mí con expresión amable y me miró a los ojos.

—Soy Eduardo y este idiota de aquí es Mickey —explicó señalando al primer hombre, que parecía molesto por el hecho de que Eduardo hubiera actuado cortésmente y aguado la diversión—. No le hagas caso, solo bromea —prosiguió con un mezcla de acento español y neoyorquino mientras extraía un libro de registro—. Rellena estas casillas y te daré un pase provisional para que puedas subir. Di a los de recursos humanos que necesitas una tarjeta con tu foto.

Debí de mirarle con suma gratitud, porque cuando me pasó el libro por encima del mostrador parecía turbado.

—Venga, ahora escribe. Y buena suerte, muchacha, vas a necesitarla.

A esas alturas yo estaba demasiado nerviosa y cansada para pedirle que se explicara y, en cualquier caso, no era necesario. Una de las pocas cosas que había tenido tiempo de hacer durante la última semana fue indagar un poco sobre mi nueva jefa. La había «googleado», y me sorprendió descubrir que Miranda Priestly había nacido con el nombre de Miriam Princhek en el Est End de Londres. Su familia era como todas las familias judías ortodoxas de la ciudad, tremendamente pobre pero muy religiosa. El padre hacía pequeñas reparaciones, pero dependían básicamente del apoyo de la comunidad, pues el hombre pasaba la mayor parte del tiempo estudiando textos judíos. La madre había fallecido al dar a luz a Miriam, de modo que la abuela se mudó con la familia para ayudar a criar a los hijos. ¡Y no eran pocos! Once en total. Miriam era la menor. Al igual que el padre, casi todos sus hermanos y hermanas se emplearon en oficios manuales y dedicaban la mayor parte de su tiempo a rezar y trabajar. Dos de ellos consiguieron ir a la universidad y terminar los estudios, para luego casarse jóvenes y empezar a formar su propia familia numerosa. Miriam fue la única excepción a la tradición familiar.

Tras ahorrar los pequeños billetes que sus hermanos mayores le daban cuando podían, abandonó el instituto al cumplir diecisiete años —a solo tres meses de obtener el título— a fin de trabajar para un modista británico joven y prometedor organizando los desfiles de cada temporada. Después de dedicar unos años a hacerse un nombre en el incipiente mundo de la moda londinense y estudiar francés por las noches, consiguió un trabajo de redactora en la revista *Chic* de París. Para entonces apenas tenía relación con su familia. Ellos no comprendían su estilo de vida ni sus ambiciones, mientras que a ella le avergonzaban la beatería anacrónica y la abrumadora falta de sofisticación de sus hermanos. El alejamiento fue total al poco tiempo de incorporarse a *Chic*, cuando, con veinticuatro años, Miriam Princhek se convirtió en Miranda Priestly, o sea, cuando cambió su nombre innegablemente étnico por uno más elegante. No tardó en sustituir su acento *cockney* por una dicción distinguida que cultivó con esmero, y antes de llegar a los treinta la transformación de palurda judía en burguesa laica ya era absoluta. A partir de ahí trepó rápida e implacablemente por la jerarquía del mundo de la moda.

Pasó tres años al timón del *Runway* francés antes de que Elias la trasladara al puesto número uno, el *Runway* de Estados Unidos, el último escalón. Se mudó con sus dos hijas y su marido (una estrella del rock que también deseaba salir de Londres y abrirse camino en América) a un ático de la Quinta Avenida con la calle Setenta y seis, y la revista *Runway* inició una nueva etapa: la era Priestly, que se acercaba a su sexto año el día que yo empecé a trabajar.

Por un golpe de suerte incomprensible yo llevaría más de un mes trabajando cuando Miranda regresara a Elias-Clark. Cada año comenzaba sus vacaciones una semana antes de Acción de Gracias y las prolongaba hasta después de Año Nuevo. Normalmente pasaba unas semanas en el piso que conservaba en Londres, pero alguien me contó que ese año había arrastrado a su marido e hijas hasta la hacienda que Óscar de la Renta tiene en la República Dominicana antes de pasar la Navidad y la Nochevieja en el Ritz de París. También me habían advertido de que, aunque Miranda estaba «de vacaciones», se hallaba localizable y trabajaba en todo momento, y eso mismo debían hacer todos los miembros de la plantilla. Por lo tanto, tenían que formarme y prepararme sin la presencia de su alteza. De ese modo Miranda no tendría que sufrir los errores que inevitablemente cometería mientras aprendía mi trabajo. La idea me gustó. Así pues, a las siete en punto de la mañana estampé mi firma en el registro y crucé por primera vez los torniquetes.

—¡Déjalos pasmaos! —exclamó Eduardo antes de que las puertas del ascensor se cerraran.

Emily, con aspecto ojeroso y desaliñado, vestida con una camiseta ceñida pero arrugada y unos pantalones de color verde aceituna, me esperaba en la recepción sosteniendo una taza de Starbucks y hojeando el nuevo número de diciembre. Sus zapatos de tacón descansaban sobre la mesita del café y a través del algodón transparente de su camiseta se adivinaba un sujetador de encaje negro. La melena pelirroja que le caía alborotada por los hombros y el carmín ligeramente corrido a causa del café hacían pensar que había pasado las últimas setenta y dos horas en la cama.

—Bienvenida —refunfuñó mientras me hacía el primer repaso oficial si no contaba el del vigilante—. Me gustan tus botas.

El corazón me dio un vuelco. ¿Hablaba en serio? No podía deducirlo por el tono. Los puentes me dolían y tenía los dedos estrujados contra la punta pero, si una *runwayer* había alabado un artículo de mi indumentaria, el dolor merecía la pena.

Emily me miró un rato más antes de retirar las piernas de la mesa y suspirar con dramatismo.

—En fin, manos a la obra. Tienes mucha suerte de que ella no esté —dijo—. No es que no sea estupenda, porque no cabe duda de que lo es —añadió en lo que pronto yo identificaría y acabaría adoptando como el Giro Paranoico de *Runway*.

En cuanto algo negativo sobre Miranda escapaba de los labios de un empleado, por justificado que fuera, la paranoia de que Miranda pudiera descubrirlo se apoderaba de él y provocaba un cambio radical. Observar cómo mis colegas se esforzaban por rectificar la crítica que acababan de pronunciar terminaría por convertirse en uno de mis pasatiempos favoritos.

Emily pasó su tarjeta por el lector electrónico y, codo con codo, recorrimos en silencio los tortuosos pasillos hasta el centro de la planta, donde se hallaban la oficina y el despacho de Miranda. Abrió las puertas y arrojó el bolso y el abrigo sobre una mesa.

—Esta, lógicamente, es tu mesa. —Emily señaló una tabla de madera suave en forma de L situada justo enfrente de su mesa. Sobre ella descansaban un ordenador iMac turquesa, un teléfono y algunas bandejas, y en los cajones ya había bolígrafos, clips y libretas—. Te dejo la mayoría de mis cosas. Es más fácil que encargue el material nuevo para mí.

Emily acababa de ascender al puesto de primera ayudante dejándome así el de segunda ayudante. Allison ya había abandonado la oficina para ocupar su cargo en el departamento de belleza, donde sería la responsable de probar los maquillajes, las cremas hidratantes y los productos capilares que salieran al mercado y escribir sobre ellos. Yo ignoraba de qué modo su trabajo como ayudante de Miranda la había preparado para esa tarea, pero estaba impresionada. Las promesas eran ciertas: la gente que trabajaba para Miranda llegaba lejos.

El resto de los empleados empezaron a llegar en torno a las diez de la mañana, en total unos cincuenta. El departamento más numeroso era, naturalmente, el de moda, con casi treinta personas, incluidos los ayudantes de complementos. Los departamentos de reportajes, belleza y arte completaban el cuadro. Casi todo el mundo se detenía en el despacho de Miranda para charlar con Emily, enterarse de algún cotilleo sobre su jefa y echar una ojeada a la chica nueva. Esa primera mañana, conocí a docenas de personas. Todas ellas esbozaban sonrisas amplias y relucientes y parecían sinceramente contentas de conocerme.

Los hombres, ataviados con pantalones de cuero a modo de segunda piel y camisetas apretadas sobre bíceps hinchados y torsos perfectos, eran a todas luces homosexuales. El director de arte, un hombre maduro que lucía una cabellera de un rubio champán en proceso de extinción y tenía aspecto de haberse pasado la vida emulando a Elton John, apareció con unos mocasines de pelo de conejo y los ojos pintados. Nadie parpadeó. En el campus de la universidad había grupos gays y durante los últimos años algunos amigos míos habían salido del armario, pero ninguno presentaba ese aspecto. Tenía la sensación de estar rodeada de todo el equipo de *Rent*, aunque con mejor vestuario, claro.

Las mujeres, o mejor dicho las jovencitas, eran individualmente bellas. En conjunto quitaban el hipo. Aparentaban veinticinco años y pocas tenían más de treinta. Aunque casi todas lucían enormes brillantes en el dedo anular, costaba creer que alguna hubiera parido alguna vez o que incluso fuera a hacerlo. Pavoneándose airosamente sobre finos tacones de diez centímetros caminaban hasta mi escritorio para tender unas manos blanquísimas de dedos largos y cuidados y presentarse como «Nicole, la que trabaja para Hope», «Jocelyn, de moda» o «Stef, supervisora de complementos». Solo una, Shayna, medía menos de uno ochenta, pero era tan enclenque que parecía incapaz de soportar un centímetro más. Todas ellas pesaban menos de cincuenta kilos.

Me encontraba en mi silla giratoria tratando de recordar los nombres cuando entró la chica más bonita que había visto en mi vida. Llevaba un jersey de cachemir rosa que parecía hecho de nubes y por la espalda le caía una extraordinaria melena blanca y ondulada. Sus 185 centímetros de estatura transportaban el peso justo para mantenerla derecha, y sin embargo se movía con una elegancia de bailarina. Tenía unas mejillas lustrosas y el brillante de cuatro quilates de su sortija de compromiso emitía una luz cegadora. Supuse que me había pillado mirándolo porque me acercó la mano hasta la nariz.

—Lo he creado yo —declaró sonriendo en dirección a su mano antes de mirarme.

Me volví hacia Emily en busca de una pista sobre la identidad de la muchacha, pero estaba al teléfono. Supuse que la chica se refería al diseño de la sortija hasta que dijo:

—¿No te encanta el color? Es una capa de Marshmallow y otra de Ballet Slipper. En realidad, la de Ballet Slipper se pone antes y después. Es el tono perfecto, pálido pero sin que parezca que te has pintado las uñas con White-Out. ¡Creo que a partir de ahora será el único que utilice!

Dicho esto, giró sobre sus talones y se marchó. Oh, sí, yo también me alegro de conocerte, dije para mis adentros a su espalda.

Me había divertido conocer a mis colegas. Eran simpáticos y, exceptuando al bicho raro de la laca de uñas, todos parecían deseosos de conocerme. Emily todavía no se había despegado de mí y aprovechaba cualquier ocasión para enseñarme algo. Me ponía al tanto de quién era realmente importante, a quién no había que cabrear y de quién valía la pena ser amiga porque ofrecía las mejores fiestas. Cuando le describí a la Chica Manicura, su rostro se iluminó.

—¡Oh! —exclamó con una emoción que no había mostrado por el resto—. ¿No es fabulosa?

—Bueno... sí, parecía simpática. En realidad no llegamos a conversar, solo me enseñó su laca de uñas.

Emily sonrió con orgullo.

—Supongo que sabes quién es.

Me devané los sesos tratando de recordar si se parecía a alguna actriz, cantante o modelo. De modo que era famosa. Tal vez por eso no se había presentado, porque se suponía que yo debía reconocerla. Pero no la había reconocido.

—No; no lo sé. ¿Es famosa?

Emily me miró con una mezcla de incredulidad y desprecio.

—Pues sí —contestó subrayando el «sí» y afilando la mirada, como queriendo decir «ignorante del culo»—. Es Jessica Duchamps. —Aguardó. Aguardé. Nada—. Seguro que ya has caído, ¿a que sí?

Volví a devanarme los sesos tratando de relacionar con algo el nuevo dato, pero estaba segura de que nunca había oído hablar de esa chica. Además, empezaba a estar harta de tanta adivinanza.

—Emily, no la había visto en mi vida y su nombre no me suena. ¿Te importaría decirme quién es? —pregunté esforzándome por mantener la calma.

El caso es que me traía sin cuidado quién era, pero estaba claro que Emily no tiraría la toalla hasta que me hiciera parecer una completa idiota. Esta vez, su sonrisa fue condescendiente.

—Cómo no, solo tenías que pedirlo. Jessica Duchamps es, en

fin, ¡es una Duchamps! Ya sabes, del restaurante francés más famoso de la ciudad. Pertenece a sus padres. ¿No es alucinante? Son increíblemente ricos.

—¿No me digas? —repuse con fingido entusiasmo por haber conocido a la hija supermona de unos padres restauradores—. Es genial.

Atendí algunas llamadas con el obligado «Despacho de Miranda Priestly», si bien a Emily y a mí nos preocupaba que telefoneara la propia Miranda y yo no supiera qué hacer. El pánico cundió durante una llamada en que una mujer que no se identificó ladró algo incoherente con un fuerte acento británico y arrojé el auricular a Emily sin apretar el botón de llamada en espera.

—Es ella —susurré nerviosa—. Habla tú.

Emily me lanzó la primera de sus miradas especiales. Poco dada a disimular sus sentimientos, conseguía enarcar las cejas y dejar caer el mentón de una forma que expresaba desprecio y pena a partes iguales.

—¿Miranda? Soy Emily —dijo al tiempo que una sonrisa iluminaba su rostro, como si la mujer pudiera verla a través del teléfono. Silencio. Frente arrugada—. Oh, Mimi, cuánto lo siento. La nueva chica ha pensado que eras Miranda. Sí, muy gracioso. ¡Aún no ha aprendido que cada acento británico no tiene que ser forzosamente el de nuestra jefa! —Me miró con sus finísimas cejas más enarcadas que nunca.

Charló un rato más mientras yo atendía la otra línea y anotaba mensajes para Emily, que luego devolvía cada llamada no sin antes comunicarme su orden de importancia, si es que la tenía, en la vida de Miranda. En torno al mediodía, justo cuando empezaba a notar las primeras punzadas de hambre, atendí una llamada y escuché un acento británico al otro lado de la línea.

—¿Hola? ¿Eres tú, Allison? —preguntó una voz glacial pero regia—. Necesito una falda.

Cubrí el auricular con la mano y noté que los ojos se me salían de las órbitas.

—Emily, es ella, esta vez seguro que es ella —susurré agitando el auricular para llamar su atención—. ¡Quiere una falda!

Emily se volvió y al ver mi cara de pánico colgó rápidamente su teléfono sin un «Te llamaré más tarde» ni un «Adiós». Pulsó el botón para conectar con Miranda y esbozó otra amplia sonrisa.

—¿Miranda? Soy Emily. ¿Qué puedo hacer por ti? —Clavó la punta del bolígrafo en la libreta y empezó a escribir como una loca con el entrecejo fruncido—. Cómo no. Por supuesto.

Y la conversación terminó con la misma rapidez con que había empezado. Miré impaciente a Emily, que puso los ojos en blanco al percatarse de mi impaciencia.

—Acaba de caerte tu primer trabajo. Miranda necesita una falda para mañana, además de otras cosas, así que hay que meterlas en un avión esta noche como muy tarde.

—Muy bien. ¿Qué clase de falda necesita? —pregunté, todavía bajo la fuerte impresión de que una falda viajara a la República Dominicana simplemente porque Miranda así lo quería.

—No lo ha dicho —murmuró Emily mientras levantaba el auricular—. Hola, Jocelyn, soy yo. Quiere una falda y tiene que estar en el vuelo de esta noche de la señora De la Renta, que se reunirá en la hacienda con Miranda. No tengo ni idea. No; no lo ha dicho. De veras que no lo sé. De acuerdo, gracias. —Se volvió hacia mí—. Las cosas se complican cuando Miranda no especifica. Está demasiado ocupada para preocuparse de nimiedades, así que no ha dicho qué tela, color, estilo o marca desea. Pero no importa. Conozco su talla y, naturalmente, conozco su gusto lo bastante para poder predecir qué quiere. Esa era Jocelyn, del departamento de moda. Se encargará de que traigan algunas faldas.

Me imaginé a Jerry Lewis presidiendo un telemaratón de faldas con un enorme marcador, redoble de tambores y *voilà!*, Gucci y aplausos espontáneos.

No exactamente. «Traer» las faldas fue mi primera lección sobre la estupidez de *Runway*, aunque debo decir que la operación se llevó a cabo con eficiencia militar. El proceso era el siguiente. Emily y yo avisábamos a todas las ayudantes del departamento de moda, unas ocho en total, cada una de las cuales mantenía contacto con una lista concreta de diseñadores y tiendas. De inmediato telefoneaban a los relaciones públicas de las diversas casas de diseño y, en caso pertinente, de las tiendas más elegantes de Manhattan y les comunicaban que Miranda Priestly —sí, Miranda Priestly, y sí, para su uso personal— estaba buscando una prenda determinada. Minutos después cada director y ayudante de relaciones públicas de Michael Kors, Gucci, Prada, Versace, Fendi, Armani, Chanel, Barney's, Chloe, Sonia Rykiel, Calvin Klein, Bergdorf, Roberto Cavalli y Saks enviaban (o, en algunos casos, llevaban en persona) todas las faldas que creían podían ser del gusto de Miranda Priestly. El proceso transcurría como un ballet coreografiado donde cada bailarín sabía exactamente dónde, cuándo y cómo dar su siguiente paso. Mientras tenía lugar esta actividad casi diaria, Emily me envió a recoger algunas cosas que debían viajar esa noche junto con la falda.

—El coche te estará esperando en la Cincuenta y ocho —dijo en tanto atendía dos llamadas y me escribía las instrucciones en una hoja con el membrete de *Runway*. Se detuvo un momento para lanzarme un teléfono móvil—. Llévalo encima por si necesito localizarte o tienes dudas. No lo desconectes nunca y responde siempre.

Cogí el móvil y la hoja y bajé hasta la puerta del edificio que daba a la Cincuenta y ocho preguntándome cómo iba a encontrar el «coche». O qué significaba eso. Apenas había puesto un pie en la acera mirando alrededor como un corderito cuando se me acercó un hombre achaparrado de pelo blanco que mordisqueaba una pipa de color caoba.

—¿Eres la nueva chica de Priestly? —gruñó a través de unos labios manchados de tabaco, sin retirarse la pipa de la boca. Asentí con la cabeza—. Soy Rich, el encargado del transporte. ¿Que quieres un coche? Habla conmigo. ¿Lo entiendes, rubia? —Asentí de nuevo y me subí al asiento trasero de un Cadillac negro. Rich cerró la portezuela con fuerza y se despidió agitando una mano.

—¿Adónde quiere ir, señorita? —preguntó el conductor devolviéndome al presente.

Me di cuenta de que no lo sabía y saqué de mi bolsillo el trozo de papel.

«Primera parada: estudio de Tommy Hilfiger en el 355 de la

Cincuenta y siete Oeste, 6.ª planta. Pregunta por Leanne. Te dará todo lo que necesitas.»

Le indiqué la dirección y miré por la ventanilla. Era la una de la tarde de un frío día de invierno, tenía veintitrés años y me hallaba en el asiento trasero de un automóvil con chófer camino del estudio de Tommy Hilfiger. Y estaba muerta de hambre. Tardamos casi cuarenta y cinco minutos en recorrer las quince manzanas del centro durante la hora del almuerzo, mi primera experiencia en un verdadero atasco neoyorquino. El chófer me dijo que daría vueltas a la manzana hasta que yo saliera y entré en el estudio de Tommy. Cuando pregunté por Leanne en la recepción de la sexta planta, una chica adorable de no más de dieciocho años bajó por la escalera dando saltitos.

—¡Hola! —exclamó alargando la «a» unos segundos—. Tú debes de ser Andrea, la nueva ayudante de Miranda. Aquí la queremos mucho, ¡así que bienvenida al equipo! —Sonrió. Sonreí. Extrajo una gigantesca bolsa de plástico de debajo de una mesa y vertió el contenido en el suelo—. Aquí tenemos los tejanos predilectos de Carolina en tres colores, y también hemos metido algunas camisetas. Cassidy adora las faldas safari de Tommy. Se las he puesto en aceituna y piedra.

De la bolsa salieron faldas vaqueras, chaquetas tejanas y hasta un par de calcetines. Yo lo miraba todo boquiabierta; había suficiente ropa para llenar el armario de cuatro adolescentes. ¿Quiénes eran Cassidy y Caroline?, me pregunté. ¿Qué persona que se precie viste tejanos de Tommy Hilfiger y nada menos que en tres colores?

Mi cara debía de ser de total estupor, porque Leanne me dio deliberadamente la espalda mientras recogía la ropa y decía:

—Sé que a las hijas de Miranda les encantará todo esto. Llevamos años vistiéndolas y Tommy insiste en elegirles la ropa personalmente.

La miré con gratitud y me eché la bolsa al hombro.

—¡Buena suerte! —exclamó con una sonrisa sincera antes de que las puertas del ascensor se cerraran—. ¡Qué afortunada eres de tener un trabajo tan magnífico!

Antes de que la chica pudiera decirlo, me descubrí acabando mentalmente la frase por ella. Millones de chicas darían un ojo de la cara por él. En aquel momento, tras haber visto el estudio de un diseñador famoso y hallándome en posesión de miles de dólares en ropa, pensé que tenía razón.

Una vez que hube pillado el truco al proceso, el resto del día pasó volando. Me pregunté si alguien pensaría que estaba loca por detenerme un instante a comprar un bocadillo, pero no tenía más remedio que hacerlo. No había comido nada desde el cruasán de las siete de la mañana y ya eran casi las dos de la tarde. Pedí al conductor que se detuviera en una charcutería y en el último minuto decidí comprarle otro a él. Cuando le entregué el emparedado de pavo y mostaza me miró con tal asombro que temí haberle incomodado.

—He pensado que usted también tendría hambre —dije—. Si se pasa el día conduciendo, seguro que no tiene tiempo de parar a comer.

—Gracias, señorita, se lo agradezco. Es solo que desde hace diecisiete años me dedico a llevar de un lado a otro a chicas de Elias-Clark y ninguna ha sido nunca tan amable como usted. Es usted muy amable —añadió con un acento fuerte pero indeterminado, mirándome por el retrovisor.

Sonreí y procedimos a saborear nuestros respectivos emparedados en medio del atasco mientras escuchábamos su CD favorito. Yo solo oía a una mujer aullar lo mismo una y otra vez en un idioma desconocido, acompañada de un sitar.

La siguiente orden de Emily era recoger unos pantalones cortos blancos que Miranda necesitaba desesperadamente para jugar a tenis. Supuse que iríamos a Polo, pero Emily había escrito Chanel. ¿Chanel confeccionaba pantalones de tenis? El conductor me llevó a la tienda privada, donde una dependienta madura cuyo *lifting* facial le había dejado los ojos como ranuras me hizo entrega de unos pantaloncitos de algodón y licra, talla cero, prendidos de una percha de seda y cubiertos por un guardapolvo de terciopelo. Miré la prenda pensando que no le entraría ni a una niña de seis años, y luego a la mujer.

—¿Cree que le cabrán? —pregunté con cautela, convencida de que esa mujer podía abrir su boca de ballena y tragarme entera.

Me miró indignada.

—Eso espero, señorita —gruñó mientras me tendía el minipantalón—. Lo hemos confeccionado siguiendo al pie de la letra sus indicaciones. Dígale que el señor Kopelman le envía saludos.

Cómo no, señora, quienquiera que sea.

La siguiente parada era J & R Computer World, que según Emily había escrito se hallaba «en pleno centro», cerca del ayuntamiento. Por lo visto era la única tienda de la ciudad que vendía *Guerreros del Oeste*, un juego de ordenador que Miranda quería regalar a Moisés, el hijo de Óscar y Annette de la Renta. Cuando llegué, una hora más tarde, ya me había percatado de que el móvil permitía llamadas interurbanas y estaba marcando el número de mis padres para explicarles lo genial que era mi trabajo.

—¿Papá? Hola, soy Andy. Adivina dónde estoy. Sí, claro que en el trabajo, pero resulta que es el asiento trasero de un coche con chófer que me está paseando por Manhattan. Ya he estado en Tommy Hilfiger y Chanel, y después de comprar un juego de ordenador iré al apartamento de Óscar de la Renta en Park Avenue para dejar unas cosas. ¡No; no son para él! Miranda está en la RD y Annette viajará allí esta noche para reunirse con ella. ¡En un avión privado, sí! ¡Papá! Son las siglas de la República Dominicana, ¡naturalmente!

Mi padre parecía receloso pero contento de verme tan feliz, y yo decidí que estaba contratada como mensajera educada en un *college*. Y no me importaba en absoluto. Después de entregar la ropa de Tommy, los pantalones cortos y el juego de ordenador a un portero de aspecto muy distinguido en un lujoso vestíbulo de Park Avenue (¡de modo que a esto se refiere la gente cuando habla de Park Avenue!), regresé a Elias-Clark. Entré en la oficina y encontré a Emily sentada en el suelo, al estilo indio, envolviendo regalos con papeles y cintas blancos. Estaba rodeada de cajas rojas y blancas, todas idénticas. Había cientos de ellas, quizá miles, esparcidas entre nuestras mesas y el despacho de Miranda. Emily no era consciente de que la estaba observando. Calculé que solo tardaba dos minutos en envolver perfectamente cada caja y quince segundos en colocarle una cinta de raso blanco. Actuaba con diligencia, sin desperdiciar un solo segundo, y amontonaba las cajas a su espalda en columnas ordenadas. Los montones terminados crecían, pero los montones pendientes no menguaban. Estimé que, aunque se pasara así los siguientes cuatro días, aún le quedarían cajas por envolver.

Grité su nombre para que me oyera por encima del CD de los ochenta que sonaba en su ordenador.

—Emily, ya he vuelto.

Se volvió y por un breve instante dio la impresión de que ignoraba por completo quién era yo. Estaba totalmente en blanco. Entonces recordó que era la chica nueva.

—¿Cómo te ha ido? ¿Has conseguido todo lo de la lista?

Asentí con la cabeza.

—¿El juego de ordenador también? Cuando llamé a la tienda solo les quedaba uno. ¿Todavía lo tenían?

Asentí de nuevo.

—¿Y se lo has entregado todo al portero de De la Renta? ¿La ropa, el pantalón, todo?

—Sí, no ha habido ningún problema, todo ha ido como la seda. Lo dejé hace unos minutos. No estoy segura de que Miranda quepa en esos...

—Oye, necesito ir urgentemente al lavabo, pero estaba esperando a que volvieras. Quédate un minuto al lado del teléfono, por favor.

—¿No has ido al lavabo desde que me fui? —pregunté con incredulidad. Habían pasado cinco horas—. ¿Por qué no?

Emily terminó de colocar la cinta en la caja que acababa de envolver y me miró con frialdad.

—Miranda no tolera que nadie salvo sus ayudantes atienda el teléfono. Supongo que hubiera podido escaparme un minuto, pero sé que Miranda tiene hoy un día frenético y quería estar a su disposición en todo momento. Por lo tanto, no, nosotras no vamos al lavabo ni a ningún otro sitio sin ponernos de acuerdo. Tenemos que trabajar juntas para asegurarnos de que lo hacemos todo lo mejor posible. ¿De acuerdo?

—Claro —respondí—. Anda, ve. No me moveré de aquí.

Cuando Emily desapareció, puse una mano sobre la mesa para serenarme. ¿Nada de ir al baño sin un plan de guerra coordinado? ¿De veras Emily había permanecido cinco horas en esa oficina, rezando para que su vejiga se comportara, por miedo a que una mujer que se hallaba al otro lado del Atlántico llamara durante los dos minutos y medio que habría tardado en ir al baño? Estaba claro que sí. Me pareció una exageración, pero lo atribuí al excesivo entusiasmo de Emily. No podía creer que Miranda exigiera eso a sus ayudantes. Imposible. ¿O no?

Recogí algunas hojas de la impresora y leí el título: «Regalos de Navidad recibidos». Una, dos, tres, cuatro, cinco, seis hojas de regalos a un espacio. El remitente aparecía en una columna y el artículo en otra. Doscientos cincuenta y seis regalos en total. Parecía la lista de bodas de la reina de Inglaterra y fui incapaz de absorberla toda. Había un juego de maquillaje Bobby Brown de la propia Bobby Brown, un bolso exclusivo Kate Spade de Kate y Andy Spade, un archivador de cuero granate Smythson de Bond Street enviado por Graydon Carter, un saco de dormir forrado de visón de Miuccia Prada, una pulsera Verdura de varias vueltas de Aerin Lauder, un reloj de brillantes de Donatella Versace, una caja de champán de Cynthia Rowley, un corpiño de cuentas a juego con un bolso de noche de Mark Badgley y James Mischka, una colección de bolígrafos Cartier de Irv Ravitz, una bufanda de chinchilla de Vera Wang, una chaqueta con estampado tipo cebra de Alberto Ferretti, una manta de cachemir Burberry de Rosemarie Bravo. Y eso no era más que el principio. Había bolsos de todas las formas y tamaños de todo el mundo: Herb Ritts, Bruce Weber, Giselle Bundchen, Hillary Clinton, Tom Ford, Calvin Klein, Annie Leibovitz, Nicole Miller, Adrienne Vittadini, Kevin Aucoin, Michael Kors, Helmut Lang, Giorgio Armani, John Sahag, Bruno Magli, Mario Testino y Narciso Rodríguez, por mencionar unos pocos. Había docenas de donaciones hechas en nombre de Miranda a varias sociedades benéficas, unas cien botellas de vino y champán, ocho o diez gemas de Fendi, dos docenas de velas aromáticas, piezas preciosas de cerámica oriental, pijamas de seda, libros forrados en piel, productos de baño, bombones, pulseras, caviar, jerseys de cachemir, fotografías enmarcadas y suficientes arreglos florales y/o plantas para decorar una de esas bodas de quinientas parejas que los chinos celebran en campos de fútbol. ¡Santo Dios! ¿Era real? ¿Estaba ocurriendo de verdad? ¿Estaba trabajando para una mujer que recibía 256 regalos de Navidad de los personajes más famosos del mundo? O no tan famosos. No estaba segura. Reconocía a algunas celebridades y diseñadores, pero ignoraba que entre los demás estuvieran los fotógrafos, maquilladores y modelos más codiciados, gente de la alta sociedad y una retahíla de directivos de Elias-Clark. Me preguntaba si Emily sabía realmente quién era toda esa gente cuando entró. Fingí que no estaba leyendo la lista, pero no pareció importarle.

—Una locura, ¿verdad? Miranda es la mejor —exclamó mientras cogía unas hojas de su mesa y las contemplaba con lo que solo podía describirse como lujuria—. ¿Has visto cosas más increíbles en tu vida? Abrir los regalos es una de las mejores partes de este trabajo.

No entendía nada. ¿Nosotras abríamos los regalos? ¿Por qué no los abría Miranda en persona? Se lo pregunté.

—¿Estás loca? Miranda detesta el noventa por ciento de los regalos que recibe. Algunos son decididamente insultantes, cosas que ni siquiera me molesto en enseñarle. Como este. —Levantó una cajita.

Era un teléfono inalámbrico de Bang and Olufsen con su característico diseño de cantos curvos y unos tres mil kilómetros de alcance. Yo había estado en la tienda unas semanas antes viendo cómo Alex salivaba con los equipos de música y, por lo tanto, sabía que el teléfono costaba más de quinientos dólares y podía hacerlo todo salvo mantener la conversación por ti.

—Un teléfono. ¿Puedes creer que alguien haya tenido el valor de regalar un teléfono a Miranda Priestly? —Me lo lanzó—. Quédatelo si quieres. Jamás permitiría que Miranda lo viera siquiera. Le indignaría mucho enterarse de que alguien le ha enviado algo electrónico. —Emily pronunció la palabra «electrónico» como si fuera sinónima de «cubierto de secreciones corporales».

Metí el teléfono debajo de mi mesa y me esforcé por no sonreír. ¡Era demasiado perfecto! En la lista de las cosas que necesitaba para mi nuevo hogar figuraba un teléfono inalámbrico (tenía un supletorio en mi habitación) y acababa de conseguir gratis uno de quinientos dólares.

—Envolvamos algunas botellas de vino más —prosiguió Emily mientras se sentaba de nuevo en el suelo— y luego podrás abrir los regalos que han llegado hoy. Están allí. —Señaló una pila de cajas, bolsas y cestas de multitud de colores situada detrás de su mesa.

—¿Estas botellas son los regalos que nosotras enviamos en nombre de Miranda? —pregunté alzando una caja que procedí a envolver con el papel blanco.

—Sí, cada año es lo mismo. Los más importantes reciben botellas de Dom, o sea, los directivos de Elias y los grandes diseñadores que no son amigos personales, el abogado y el administrador. Los intermedios reciben Veuve, y eso abarca a casi todo el mundo, los maestros de las gemelas, los peluqueros, Uri y demás. Los don nadie se llevan una botella de Chianti Ruffino, como los relaciones públicas que envían a Miranda regalos pequeños e impersonales. Hemos de enviar Chianti al veterinario, a las canguros que sustituyen a Cara, a la gente que le atiende en las tiendas que frecuenta y a quienes cuidan de la casa de verano de Connecticut. A principios de diciembre encargó 25.000 dólares en regalos, Sherry-Lehman nos los trae y generalmente tardamos una semana en envolverlos. Es un buen trato, porque Elias paga la factura.

—Supongo que costaría el doble si Sherry-Lehman también los envolviera —dije mientras me esforzaba por asimilar el orden jerárquico de los regalos.

—¿Qué importa eso? —bufó Emily—. Créeme, pronto te darás cuenta de que aquí el precio de las cosas no es un problema. Lo que pasa es que a Miranda no le gusta el papel que utilizan en Sherry-Lehman. El año pasado, les entregué este papel blanco, pero las cajas no les quedaban tan bonitas como a nosotras.

Estuvimos envolviendo hasta las seis mientras Emily me contaba cómo funcionaban las cosas en *Runway* y yo intentaba asimilar ese extraño y excitante mundo. Me estaba describiendo cómo le gustaba a Miranda su café (con leche y dos terrones de azúcar sin refinar) cuando llegó una rubia jadeante con una cesta del tamaño de un cochecito de bebé. Se detuvo frente al umbral del despacho, como si temiera que la moqueta gris fuera a tornarse en arenas movedizas bajo sus Jimmy Choo si osaba cruzarlo.

—Hola, Em. He traído las faldas. Siento haber tardado tanto, pero es difícil encontrar a la gente en los días previos a Acción de Gracias. En fin, espero que encuentres alguna que le guste. —Bajó la vista hacia la cesta repleta de faldas.

Emily miró a la chica sin apenas ocultar su desdén.

—Déjalas sobre mi mesa y ya te devolveré las que no sirvan. Que imagino serán la mayoría, teniendo en cuenta tu gusto. —La última frase la pronunció en voz baja y solo yo pude oírla.

La rubia nos miró desconcertada. No era la estrella más brillante del cielo, pero parecía simpática. Me pregunté por qué Emily la detestaba tanto. Había tenido un día largo entre tantos recados y tantos nombres y caras que recordar, así que no me molesté en preguntárselo.

Emily colocó la cesta sobre la mesa y la contempló con las manos sobre las caderas. Desde mi posición en el suelo calculé que había unas veinticinco faldas en una variedad asombrosa de telas, colores y tamaños. ¿Era posible que Miranda no hubiera especificado qué quería? ¿Era posible que no se hubiera molestado en informar a Emily de si necesitaba la falda para una cena de etiqueta, un partido de dobles mixtos o como complemento del traje de baño? ¿La quería tejana o la prefería de gasa? ¿Cómo se suponía que debíamos adivinar sus deseos?

Estaba a punto de descubrirlo. Emily trasladó la cesta al despacho de Miranda y la dejó con cuidado y veneración a mi lado, sobre la lujosa moqueta. Tomó asiento y procedió a sacarlas una por una y a colocarlas alrededor de nosotros. Había un precioso pareo de ganchillo fucsia de Celine, una falda gris perla de Calvin Klein y una de ante negro con cuentas en torno al bajo del propio De la Renta. Había faldas rojas, de color crudo y morado, algunas de encaje y otras de cachemir, unas lo bastante largas para cubrir elegantemente los tobillos y otras tan cortas que parecían camisetas sin mangas. Levanté una de seda marrón divina que llegaba hasta media pantorrilla y me la llevé a la cintura, pero la tela solo me cubrió una pierna. La siguiente, una cascada de tul y gasa hasta el suelo, se habría sentido como en casa en una fiesta en el Charleston. Una de las faldas tejanas tenía el tejido gastado y venía con un gigantesco cinturón de cuero marrón. Había otra de tela plateada y crujiente sobre un forro también plateado pero más opaco. No daba crédito a mis ojos.

—Caray, parece que Miranda tiene obsesión por las faldas —comenté, porque no sabía qué otra cosa decir.

—No creas. En realidad Miranda tiene una ligera obsesión por los pañuelos. —Emily desvió la mirada, como si acabara de revelar que tenía herpes—. Es uno de esos detalles encantadores sobre Miranda que debes conocer.

—¿No me digas? —pregunté tratando de parecer impresionada en lugar de horrorizada.

¿Obsesión por los pañuelos? Me gustan la ropa, los bolsos y los zapatos tanto como a cualquier otra chica, pero no llamaría «obsesión» a ninguna de esas cosas.

—Bueno, aunque ahora necesite una falda, los pañuelos son su auténtica pasión. Ya sabes, esos pañuelos que la caracterizan. —Me miró y probablemente mi rostro le comunicó que estaba del todo perdida—. Al menos te acordarás de cómo vestía cuando te hizo la entrevista, ¿no?

—Claro —me apresuré a mentir, presintiendo que no era una buena idea revelarle que no había podido recordar el nombre de Miranda durante la entrevista, de modo que no era tan extraño que ahora hubiera olvidado qué llevaba puesto aquel día—. Pero no estoy segura de que luciera un pañuelo.

—Miranda siempre, siempre lleva un pañuelo blanco de Hermès en su indumentaria y casi siempre alrededor del cuello, aunque a veces pide a su peluquero que le haga un moño con él o lo utiliza como cinturón. Es su distintivo. Todo el mundo sabe que Miranda Priestly lleva siempre un pañuelo blanco de Hermès. ¿No es genial?

Fue entonces cuando reparé en el pañuelo verde lima que Emily llevaba metido en las trabillas de los tejanos y que asomaba ligeramente por debajo de la camiseta.

—A veces le gusta mezclar y creo que esta es una de esas veces. De todas formas, estos idiotas de la moda no tienen ni idea de lo que ella quiere. Mira estas faldas. ¡Algunas son horrendas!

Levantó una preciosa de mucho vuelo, algo más elegante que las demás, con unas pequeñas pintas doradas sobre el fondo marrón.

—Es cierto —convine en lo que sería la primera de miles, si no millones, de veces en que, a partir de ese momento, estaría de acuerdo con Emily sencillamente para que cerrara el pico—. Es horrenda.

Era tan bonita que me dije que no me importaría lucirla en mi boda.

Emily siguió hablando de estampados y telas, y de las necesidades y deseos de Miranda, insertando de tanto en tanto un insulto mordaz hacia algún colega. Al final eligió tres faldas totalmente diferentes y las puso a un lado sin dejar de hablar, hablar y hablar. Yo trataba de escuchar, pero eran casi las siete y no sabía si estaba hambrienta, mareada o simplemente agotada. Creo que las tres cosas. Ni siquiera me percaté de que el ser humano más alto que había visto en mi vida acababa de entrar en el despacho.

—¡TÚ! —oí a mis espaldas—. ¡LEVÁNTATE PARA QUE PUEDA VERTE!

Me volví hacia un hombre de más de dos metros de estatura, piel aceitunada y pelo negro, que me señalaba con el dedo. Tenía 115 kilos repartidos por su altísima estructura y estaba tan musculado que parecía que iba a romper la tela tejana de su... ¿mono? ¡Córcholis, vestía un mono! Sí, sí, un mono tejano con las perneras ceñidas, cinturón y mangas subidas, y encima una capa de piel. En realidad era una capa grande como una manta recogida en dos vueltas alrededor de su grueso cuello. Unas botas de combate negras del tamaño de una raqueta de tenis cubrían sus descomunales pies. Le eché unos treinta y cinco, aunque todo ese músculo, ese intenso bronceado y esa mandíbula decididamente cincelada tanto podían ocultar diez años como añadir cinco. El tipo agitaba las manos para instarme a que me levantara del suelo. Obedecí, incapaz de apartar la vista de él, y procedió a examinarme de arriba abajo.

—¡VAYA, VAYA, A QUIÉN TENEMOS AQUÍ! —bramó tanto como le permitía su voz en falsete—. ERES MONA, PERO DEMASIADO SALUDABLE. ¡Y ESA ROPA NO TE FAVORECE NADA!

—Me llamo Andrea. Soy la nueva ayudante de Miranda.

Sus ojos inspeccionaron mi cuerpo centímetro a centímetro. Emily contemplaba el espectáculo con expresión burlona. El silencio era insoportable.

—¿BOTAS HASTA LA RODILLA? ¿CON UNA FALDA HASTA LA RODILLA? ¿ME TOMAS EL PELO? NENA, POR SI NO TE HAS ENTERADO, POR SI NO HAS VISTO EL ENORME LETRERO NEGRO DE LA PUERTA, ESTO ES *RUNWAY*, LA REVISTA MÁS MODERNA DEL PLANETA. ¡DEL PLANETA! PERO NO TE PREOCUPES, CARIÑO, NIGEL ACABARÁ MUY PRONTO CON ESA PINTA DE RATA DE CENTRO COMERCIAL DE JERSEY.

Colocó sus enormes manos sobre mis caderas y me hizo girar. Noté que me miraba las piernas y el trasero.

—MUY PRONTO, CIELO, TE LO PROMETO, PORQUE ERES BUENA MATERIA PRIMA. PIERNAS BONITAS, PELO ESTUPENDO Y NI UNA PIZCA DE GRASA. NO SOPORTO LA GRASA. MUY PRONTO, CIELO.

Quería sentirme ofendida, apartarme de esas manos que me sujetaban la cadera, dedicar unos minutos a rumiar sobre el hecho de que un completo desconocido, y para colmo compañero de trabajo, acabara de obsequiarme con una descripción no solicitada y descaradamente franca de mi atuendo y mi figura, pero no podía. Me gustaban sus amables ojos verdes, que parecían reír en lugar de mofarse, pero sobre todo me gustaba el hecho de que me hubiera dado un aprobado. Era Nigel —nombre único, como Madonna o Prince—, la autoridad en moda que hasta yo reconocía de haberlo visto en la tele, en las revistas, en las páginas de sociedad, en todas partes, y había dicho que era mona. ¡Y que tenía unas piernas bonitas! Decidí olvidarme del comentario de la rata. El tipo me caía bien.

Emily le dijo que me dejara en paz, aunque yo no quería que se marchara. Se alejó hacia la puerta, la capa de piel ondeando a su espalda, y quise llamarle, decirle que había sido un placer conocerle, que no estaba ofendida por sus palabras y que me encantaba que quisiera rehacerme. No obstante, antes de que pudiera abrir la boca Nigel se volvió y salvó el espacio que nos separaba en dos zancadas, cada una de la longitud de un largo salto. Se detuvo delante de mí, envolvió con sus gigantescos brazos todo mi cuerpo y me apretó contra sí. Mi cabeza descansaba justo debajo de su pecho y aspiré el olor inconfundible de colonia Johnson para niños. Justo cuando adquirí suficiente sangre fría para abrazarle, me apartó, sumergió mis manos en las suyas y aulló:

—¡BIENVENIDA A LA CASA DE MUÑECAS, NENA!

5

—¿Qué dijo él? —preguntó Lily al tiempo que lamía una cuchara llena de helado de té verde.

Había quedado con ella en el Sushi Samba a las nueve para contarle los detalles de mi primer día de trabajo. De mala gana, mis padres habían soltado de nuevo la tarjeta de crédito para casos de urgencia hasta que cobrara mi primera paga. Los rollos de atún con especias y las ensaladas de algas me parecían sin duda alguna una urgencia, y por dentro di las gracias a mamá y a papá por tratarnos a Lily y a mí tan bien.

—Dijo: «Bienvenida a la casa de muñecas, nena», te lo juro. ¿No es genial?

Me miró boquiabierta, la cuchara suspendida en el aire.

—Tienes el trabajo más molón del mundo —aseguró Lily, que siempre decía que hubiera debido trabajar durante un año antes de volver a la universidad.

—Mola, sí —convine antes de atacar mi bizcocho de chocolate con nueces—. Es raro, eso está claro, pero mola. De todos modos preferiría volver a ser estudiante.

—Ya, seguro que te encantaría tener que trabajar media jornada para poder pagarte una exorbitante e inútil carrera. ¿A que sí? Te da envidia que yo sirva mesas en un bar de estudiantes de primer curso cada noche hasta las cuatro de la madrugada y luego vaya a clase de ocho de la mañana a seis de la tarde. Todo eso sabiendo que, en el supuestísimo caso de que consigas terminar la carrera en los próximos diecisiete años, no encontrarás trabajo. En ningún lugar.

Esbozó una enorme sonrisa y bebió un trago de Sapporo.

Lily se estaba sacando el doctorado en literatura rusa por la Universidad de Columbia y, cuando no estaba estudiando, hacía algún trabajillo. Su abuela apenas tenía dinero para mantenerse, y Lily no tendría derecho a una beca hasta que terminara su máster, de modo que constituía todo un acontecimiento que hubiera salido esa noche.

Piqué el anzuelo, como siempre que mi amiga despotricaba contra su vida.

—Entonces ¿por qué lo haces, Lil? —pregunté pese a haber escuchado la respuesta un millón de veces.

Soltó un bufido y puso los ojos en blanco.

—¡Porque me encanta! —trinó con sarcasmo.

Aunque nunca lo reconocería, porque era mucho más divertido quejarse, lo cierto es que le encantaba. Había empezado a apasionarse por la cultura rusa cuando su profesor de octavo le dijo que era como siempre había imaginado a Lolita, con el rostro redondo, el pelo negro y rizado. Lily se fue derecha a casa y leyó la obra maestra de la lujuria de Nabokov sin dejar que la alusión profesor-Lolita la molestara, y siguió con todas sus demás obras. Y con Tolstoi. Y con Gogol. Y con Chéjov. Cuando llegó el momento de pensar en el *college*, solicitó trabajar en Brown con un profesor de literatura rusa que, después de entrevistar a una Lily de diecisiete años, declaró que era la estudiante de literatura rusa más apasionada e instruida que había conocido, tanto en los cursos inferiores como en los superiores. A Lily todavía le apasionaba, continuaba estudiando gramática rusa y leía perfectamente en ese idioma, pero más le gustaba quejarse al respecto.

—Estoy de acuerdo en que me ha tocado la lotería. ¿Tommy Hilfiger, Chanel, el apartamento de Óscar de la Renta? Menudo primer día. No obstante, ignoro de qué modo me acercará todo eso al *New Yorker*, aunque quizá es demasiado pronto para saberlo. El caso es que no me parece real, ¿sabes?

—Pues cada vez que quieras volver a entrar en contacto con la realidad ya sabes dónde encontrarme —declaró Lily mientras extraía de su bolsa la tarjeta del metro—. Si te da por echar de menos el gueto, si te mueres de ganas por conocer la realidad de Harlem, mi lujoso estudio de veintitrés metros cuadrados es todo tuyo.

Pagué la cuenta y nos despedimos con un abrazo. Lily me explicó detalladamente cómo llegar desde la Séptima con Christopher hasta mi apartamento en la periferia de la ciudad. Le juré que había entendido a la perfección cómo encontrar la línea L y luego la 6 y cómo llegar a pie desde la parada de la Noventa y seis hasta mi apartamento, pero en cuanto se hubo marchado me subí a un taxi.

Solo por esta vez, me dije hundiéndome en el cálido asiento y tratando de no aspirar el olor corporal del conductor. Ahora soy una chica *Runway*.

Me alegré de comprobar que el resto de aquella primera semana no difería mucho del primer día. El viernes, Emily y yo nos encontramos de nuevo en el vestíbulo blanco a las siete en punto, esta vez me entregó mi tarjeta de identificación personal, provista de una fotografía que no recordaba haberme hecho.

—La hizo la cámara de seguridad —explicó cuando la miré sin comprender—. Están por todas partes. Ha habido graves problemas porque mucha gente robaba cosas, como ropa y joyas, que traían para los reportajes fotográficos. Por lo visto los mensajeros y a veces hasta los propios redactores se quedaban con lo que querían. Ahora siguen la pista a todo el mundo. —Deslizó la tarjeta por la ranura y la puerta de cristal se abrió.

—¿La pista? ¿Qué quieres decir exactamente?

Emily avanzó por el pasillo con paso presuroso, contoneando las caderas bajo su ceñidísimo pantalón de pana marrón Seven. El día antes, me había dicho que debía pensar seriamente en la posibilidad de comprarme uno, o tal vez diez, pues eran los únicos pantalones que Miranda permitía en la oficina. Esos y los MJ, pero solo los viernes y solo con tacones altos. ¿MJ? «Mark Jacobs», había contestado Emily con exasperación.

—Entre las cámaras y las tarjetas saben más o menos qué está haciendo todo el mundo —prosiguió mientras dejaba su bolso Gucci sobre su mesa. Empezó a desabrocharse la ajustada chaqueta de cuero, prenda que parecía del todo inadecuada para finales de noviembre—. Dudo que en realidad miren las cámaras a menos que desaparezca algo, pero las tarjetas lo revelan todo. Por ejemplo, cada vez que la deslizas en la planta baja para pasar el mostrador de seguridad, o en esta planta para cruzar la puerta, están al tanto de dónde te encuentras. De ese modo saben si la gente está trabajando, así que si un día no puedes venir, aunque siempre podrás, pero en el caso de que suceda algo, me darás tu tarjeta para que te la pase. De esa manera te pagarán los días que faltes. Tú harás lo mismo por mí, todo el mundo lo hace.

Yo todavía estaba dando vueltas al «aunque siempre podrás», pero ella seguía con su discurso.

—Y así es como se compra la comida en el comedor. Hace de tarjeta de crédito: pones dinero y te lo van restando en la caja registradora. De esa forma se enteran de lo que comes.

Abrió la puerta del despacho de Miranda y se desplomó en el suelo. Al acto cogió una botella de vino y empezó a envolverla.

—¿Les interesa saber qué comemos? —pregunté con la sensación de haber entrado en una escena de *Sliver*.

—No estoy segura. Solo sé que pueden saberlo. Y también se enteran si vas al gimnasio, porque tienes que utilizarla allí, y en el quiosco para comprar libros o revistas. Creo que les ayuda a organizarse.

¿Organizarse? Trabajaba para una empresa que definía la buena «organización» como saber qué planta visitaba cada empleado, si prefería sopa de cebolla o ensalada y cuántos minutos podía soportar en la máquina elíptica. Realmente era una chica muy afortunada.

Exhausta porque era la quinta mañana que me despertaba a las cinco y media, tardé otros cinco minutos en reunir la energía suficiente para quitarme el abrigo y sentarme a mi mesa. Pensé en descansar la cabeza un rato, pero Emily carraspeó. Sonoramente.

—¿Quieres venir y ayudarme a envolver? —preguntó, aunque de hecho no era una pregunta—. Anda, envuelve esto. —Me acercó un montón de papel blanco y reanudó su tarea mientras Jewel perforaba los dos altavoces que había conectado a su iMac.

Cortar, colocar, doblar, pegar. Emily y yo trabajamos así durante toda la mañana. Solo nos deteníamos para llamar al centro de mensajería del edificio cada vez que terminábamos veinticinco cajas. Las retendrían allí hasta que, a mediados de diciembre, les diéramos luz verde para que las repartieran por todo Manhattan. Durante mis dos primeros días acabamos con las botellas que debían enviarse fuera de la ciudad y que actualmente aguardaban en el ropero a que DHL las recogiera. Todas debían mandarse con la máxima prioridad y llegar a sus respectivos destinos a la mañana siguiente. No entendía a qué venía tanta prisa, sobre todo porque todavía estábamos a finales de noviembre, pero ya había aprendido a no hacer preguntas. Enviaríamos por correo urgente unas ciento cincuenta botellas a todo el mundo. Las botellas Priestly llegarían a París, Cannes, Burdeos, Milán, Roma, Florencia, Barcelona, Ginebra, Brujas, Estocolmo, Amsterdam y Londres. ¡Docenas a Londres! Federal Express enviaría otras en avión a Pekín y Hong Kong, Ciudad del Cabo, Tel Aviv y Dubai (¡Dubai!). Brindarían por Miranda Priestly en Los Ángeles, Honolulú, Nueva Orleans, Charleston, Houston, Bridgehampton y Nantucket. Y eso sin contar Nueva York, la ciudad donde residían todos los amigos, médicos, sirvientes, peluqueros, niñeras, maquilladores, psiquiatras, instructores de yoga, preparadores físicos privados y chóferes de Miranda. También vivía aquí casi toda la gente que trabajaba en la industria de la moda; diseñadores, modelos, actores, redactores, publicistas, relaciones públicas y estilistas recibirían su botella, acorde con su categoría, entregada con amor por un mensajero de Elias-Clark.

—¿Cuánto crees que cuesta todo esto? —pregunté a Emily mientras cortaba lo que me parecía el millonésimo trozo de papel blanco.

—Ya te lo dije, encargué 25.000 dólares de alcohol.

—No, cuánto crees que cuesta en total. Me refiero al reparto de estas cajas por todo el mundo. Apuesto a que en algunos casos el envío es más caro que la propia botella, sobre todo si es para un don nadie.

Emily me miró con curiosidad. Era la primera vez que la veía mirarme sin aversión, exasperación o indiferencia.

—Veamos, si tenemos en cuenta que todos los envíos nacionales de Federal Express rondan los veinte dólares, y todos los internacionales cuestan en torno a los sesenta, eso representa 9.000 para Fed Ex. Creo que oí a alguien decir que los mensajeros cobraban once dólares por paquete, así que enviar 250 de esos subiría 2.750 dólares. Y si nosotras tardamos una semana entera en envolver las cajas, eso son dos semanas de nuestros salarios, lo que representa otros cuatro mil...

Fue ahí cuando me encogí por dentro, al comprender que la suma de nuestros sueldos de una semana constituía el gasto menor.

—Sí, eso suma un total de unos 16.000 dólares. Una locura, pero ¿qué otra cosa puede hacerse? Hablamos de Miranda Priestly.

En torno a la una Emily anunció que tenía hambre y que se iba a buscar algo de comer con algunas chicas de complementos. Supuse que subiría la comida, pues eso habíamos hecho durante toda la semana, de modo que esperé diez, quince, veinte minutos, pero no apareció. Desde el día de mi incorporación ni ella ni yo habíamos almorzado en el comedor por miedo a que Miranda llamara, pero eso era ridículo. Dieron las dos, las dos y media, las tres, y yo solo podía pensar en el hambre que tenía. Llamé al móvil de Emily, pero me salió el buzón de voz. ¿La había palmado en el comedor?, me pregunté. Tal vez se había atragantado con una hoja de lechuga o desplomado tras beber un zumo. Barajé la posibilidad de pedir a alguien que me trajera algo, pero me parecía demasiado arrogante decir a un completo desconocido que me subiera el almuerzo. Después de todo, se suponía que la encargada de llevar el almuerzo era yo. «Querida, soy demasiado importante para abandonar mi puesto envolviendo regalos, así que he pensado que tal vez podrías traerme un cruasán de pavo con brie. Fenomenal.» Yo no podía hacerlo. Por lo tanto, cuando dieron las cuatro, en vista de que Emily seguía sin aparecer y Miranda sin llamar, hice lo impensable: dejé solo el despacho.

Tras asomarme al pasillo y confirmar que Emily no estaba, corrí literalmente hasta la recepción y pulsé veinte veces el botón del ascensor. Sophy, la encantadora recepcionista oriental, enarcó las cejas y desvió la mirada, no sé si por mi impaciencia o porque sabía que el despacho de Miranda había quedado desatendido. No tenía tiempo de averiguarlo. El ascensor llegó y conseguí entrar a pesar de que un gracioso, flaco como un heroinómano, con el pelo erizado y unas Puma verde lima, apretaba el botón de «Cerrar puertas». Nadie se apartó para hacerme sitio aunque había espacio de sobra. En otras circunstancias eso me habría irritado, pero solo podía pensar en conseguir comida y regresar cuanto antes.

La entrada del comedor de cristal y granito estaba bloqueada por un grupo de ayudantes de moda en proceso de formación que no paraban de cuchichear y examinar a la gente que salía del ascensor. Amigos de los empleados de Elias, recordé que había dicho Emily de tales grupos, no ocultaban su emoción por estar en el centro del meollo. Lily me había suplicado que la invitara al comedor, pues habían escrito sobre él casi todos los periódicos y revistas de Manhattan tanto por la increíble selección y calidad de la comida como por su gente guapa, pero todavía no estaba preparada para eso. Además, debido al complejo horario de permanencia en la oficina que Emily y yo negociábamos cada día, todavía no había invertido más de dos minutos y medio en pedir y pagar mi comida, y dudaba que alguna vez lo hiciera.

Me abrí paso entre las chicas y noté que volvían la cabeza para comprobar si yo era alguien importante. Negativo. Zigzagueando prestamente pasé por delante de las hermosas hileras de cordero y ternera al Marsala de la sección de platos principales y, haciendo acopio de fuerza de voluntad, dejé atrás la pizza especial de tomates secos y queso de cabra (expuesta sobre una mesita apartada que la gente llamaba afectuosamente «Rincón de los Hidratos»). Más difícil resultaba rodear la *piece de resistance* de la sala, a saber, el Bufet de Ensaladas (también conocido simplemente como «Verduras»; los empleados decían: «Quedamos en las Verduras»), tan largo como la pista de aterrizaje de un aeropuerto y accesible desde cuatro puntos diferentes. No obstante, las masas me dejaron pasar cuando vociferé que no iba tras el último cubo de tofu. Al fondo de la sala, justo detrás del puesto Panini, que en realidad parecía un puesto de maquillaje, estaba el solitario Puesto de las Sopas. Solitario porque el chef encargado de él era el único en todo el comedor que se negaba a preparar una sola de sus recetas baja en materia grasa, sin materia grasa, baja en sodio o baja en hidratos de carbono. Sencillamente se negaba. Por lo tanto, su mesa era la única de toda la sala que no tenía cola y yo iba cada día directa a ella. En vista de que yo era la única de la empresa que pedía sopa —y solo llevaba allí una semana—, los mandamases habían reducido la oferta a una única clase de sopa al día. Recé para que fuera de queso y tomate. En lugar de eso, el chef me sirvió una taza gigante de sopa de almejas Nueva Inglaterra mientras afirmaba con orgullo que la había elaborado con doble ración de crema de leche. Tres personas de Verduras se volvieron para mirarme. El único obstáculo que me quedaba por salvar era la multitud agolpada alrededor de la Mesa del Chef, donde un cocinero invitado, vestido de blanco, disponía grandes trozos de sashimi para sus admiradores. Leí el nombre de la placa prendida al almidonado cuello: Nobu Matsuhisa. Me dije que lo buscaría cuando llegara a la oficina en vista de que parecía ser la única empleada que no lo adoraba. ¿Qué resultaba más imperdonable, ignorar quién era el señor Matsuhisa o Miranda Priestly?

Cuando me llegó el turno, la menuda cajera miró primero la sopa y luego mis caderas. Ya me había acostumbrado a que me miraran de arriba abajo allí adonde iba, y habría jurado que lo hacía con la misma cara que si tuviera delante a una persona de doscientos kilos cargada con ocho Big Macs. Elevó la vista lo justo, como si preguntara «¿Realmente necesitas eso?», pero me sacudí la paranoia y me recordé que la mujer solo era una cajera, no una consejera de Vigilantes del Peso. Ni una redactora de moda.

—Poca gente pide sopa estos días —comentó con voz queda mientras pulsaba las teclas de la caja registradora.

—Supongo que a muy poca gente le gusta la sopa de almejas —farfullé pasando mi tarjeta y deseando que sus manos se movieran más aprisa.

La mujer dejó de teclear y me clavó una mirada afilada.

—Yo creo que es porque el chef se empeña en hacer sopas que engordan una barbaridad. ¿Tiene idea de cuántas calorías hay ahí dentro? ¿Tiene idea de lo que engorda esa tacita de sopa? Cualquiera pondría cinco kilos con solo mirarla. —Y tú no puedes permitirte poner cinco kilos, me dio a entender.

¡Uf! Por si no me había costado bastante convencerme de que tenía un peso normal para una estatura normal mientras recibía las miradas de desaprobación de las rubias altas y delgadas de *Runway*, ahora la cajera prácticamente me decía que estaba gorda. Le arrebaté la bolsa, me abrí paso a empujones entre la gente y fui directa al lavabo, convenientemente situado al lado del comedor, donde una podía purgar sus excesos. Aunque sabía que el espejo iba a revelarme lo mismo que me había revelado esa mañana, me volví para mirarlo cara a cara y me devolvió un rostro rabioso.

—¿Qué demonios haces aquí? —exclamó Emily.

Me volví justo en el momento en que introducía la chaqueta de piel en el asa del bolso Gucci y se colocaba las gafas de sol en lo alto de la cabeza. Entonces comprendí que cuando Emily me había informado, tres horas y media antes, de que iba a buscar algo de comer, quería decir fuera. O sea, al restaurante. O sea, dejándome sola tres horas seguidas sin previo aviso, prácticamente atada a una línea telefónica sin posibilidades de comer ni de ir al lavabo. O sea, que nada de eso importaba porque, pese a todo, sabía que había hecho mal marchándome de la oficina y alguien de mi misma edad estaba a punto de echarme una bronca. Por fortuna, la puerta se abrió y apareció la directora de *Coquette*, que nos miró de arriba abajo mientras Emily me agarraba del brazo y ponía rumbo al ascensor. Permanecimos así, ella apretándome el brazo y yo con la sensación de haberme hecho pipí en la cama. Parecía una de esas escenas en que un secuestrador coloca a una mujer una pistola en la espalda a plena luz del día y la amenaza en voz baja mientras la lleva a su sala de torturas.

—¿Cómo has podido hacerme esto? —susurró mientras me empujaba hacia la recepción de *Runway* y corríamos hasta nuestras respectivas mesas—. Como primera ayudante, soy responsable de lo que ocurre en nuestra oficina. Sé que eres nueva, pero te he dicho desde el primer día que no podemos dejar a Miranda desatendida.

—Miranda no está —observé con voz un tanto chillona.

—¡Pero podría haber llamado cuando no estabas y nadie habría respondido al maldito teléfono! —exclamó, cerrando de un golpe la puerta de nuestra oficina—. Nuestra prioridad, nuestra única prioridad, es Miranda Priestly. Punto. Si no puedes asimilarlo, recuerda que hay millones de chicas que darían un ojo de la cara por tener tu empleo. Ahora comprueba tu buzón de voz. Si ha llamado, estamos acabadas. Estás acabada.

Quería introducirme en mi iMac y morirme. ¿Cómo era posible que hubiera metido la pata de ese modo en mi primera semana? Miranda aún no estaba en la oficina y ya le había fallado. Qué importaba que yo tuviera hambre, eso podía esperar. Había gente muy importante que se esforzaba por hacer que las cosas funcionaran, gente que dependía de mí, y yo les había fallado. Marqué mi buzón de voz.

«Hola, Andy, soy yo —Alex—. ¿Dónde estás? Es la primera vez que no contestas. Estoy deseando que llegue esta noche. El plan sigue en pie, ¿verdad? Iremos al restaurante que tú quieras. Llámame cuando recibas este mensaje, estaré en la sala de profesores a partir de las cuatro. Te quiero.» Me sentí culpable al instante, pues tras el desastre del almuerzo había decidido cambiar de planes. Mi primera semana había sido tan frenética que Alex y yo apenas nos habíamos visto, y esa noche habíamos quedado en salir a cenar los dos solos. No obstante, sabía que no tendría ninguna gracia que me durmiera sobre mi copa de vino y además, me apetecía pasar la noche sola y relajarme. Tenía que acordarme de llamarle para ver si podíamos aplazarlo hasta el día siguiente.

Emily estaba a mi lado porque ya había comprobado su buzón de voz. A juzgar por su cara relativamente serena, supuse que Miranda no le había dejado ninguna amenaza de muerte. Negué con la cabeza para indicarle que todavía no había recibido ningún mensaje de ella.

«Hola, Andrea, soy Cara. —La niñera de Miranda—. Miranda me llamó hace un rato. —Parada cardíaca—. Por lo visto había telefoneado a la oficina y nadie le había contestado. Supuse que algo ocurría ahí, así que le dije que había hablado contigo y con Emily apenas un minuto antes. De todos modos no tienes de qué preocuparte. Miranda quería que le enviarais al Ritz por fax el *Women's Wear Daily* y yo tenía un ejemplar aquí. Ya he confirmado que lo ha recibido, así que tranquila. Solo quería que lo supieras. Que pases un buen fin de semana. Ya hablaremos. Adiós.»

Salvada. Esa chica era una verdadera santa. Me costaba creer que solo hacía una semana que la conocía —y únicamente por teléfono—, porque creo que estaba enamorada de ella. Era opuesta a Emily en todos los aspectos: serena, estable y totalmente ajena a la moda. Reconocía los comportamientos absurdos de Miranda, pero no se los reprochaba; poseía esa habilidad rara y encantadora de reírse de sí misma y de todos los demás. Había encontrado una amiga.

—No; no es ella —mentí a Emily, aunque no del todo, y sonreí triunfalmente—. Nos hemos salvado.

—Te has salvado —me corrigió con firmeza—. Recuerda que estamos en esto juntas, pero que yo estoy al mando. Tengo derecho a que me cubras de vez en cuando si quiero salir a comer. Esto no volverá a ocurrir, ¿entendido?

Me tragué las ganas de soltar algo desagradable.

—Entendido —dije—. Entendido.

A las siete de la tarde ya habíamos terminado de envolver y entregar a los mensajeros el resto de las botellas, y Emily no había vuelto a mencionar el abandono de la oficina. A las ocho, por fin, me derrumbé en el interior de un taxi (solo por esta vez) y a las diez me hallaba despatarrada sobre la cama, todavía vestida. Aún no había cenado porque no soportaba la idea de salir en busca de comida y volver a perderme, como me había ocurrido las cuatro últimas noches, en mi propio barrio. Llamé a Lily desde mi nuevo teléfono Bang and Olufsen para lamentarme.

—¡Hola! Pensaba que habías quedado con Alex—dijo.

—Sí, pero estoy muerta. Lo hemos dejado para mañana y creo que voy a llamar para que me traigan algo de comer. ¿Cómo te ha ido el día?

—Te lo resumo en una palabra: desastroso. Jamás imaginarías lo que me ha pasado. Bueno, sí lo imaginarías, porque ocurre todos...

—Al grano, Lil, porque puedo quedarme sobada en cualquier momento.

—De acuerdo. Hoy ha venido un tío monísimo a mi exposición oral. Se quedó hasta el final mirándome fascinado y me esperó a la salida. Me preguntó si podía invitarme a una copa y escucharlo todo sobre la tesis que yo había publicado en Brown y que él ya había leído.

—Qué bien. ¿Cómo es?

Lily salía casi cada noche con un tío diferente, pero todavía no había completado su escala. Había creado la Escala Fraccionaria del Amor una noche, después de haber escuchado a nuestros amigos varones puntuar a las chicas con las que salían de acuerdo con una escala inventada por ellos. «Es una seis, ocho, B más», declaró Jake acerca de la ayudante de publicidad que le habían encasquetado la noche anterior. Se suponía que todo el mundo conocía esa escala, donde el rostro ocupaba el primer lugar de la puntuación, el cuerpo el segundo y la personalidad el tercero. Esta última recibía una letra. Dado que a la hora de juzgar a los tíos había más factores en juego, Lily concibió una Escala Fraccionaria que comprendía un total de diez «rasgos» que valían un punto cada uno. El Tío Perfecto debía poseer, naturalmente, los cinco rasgos principales: inteligencia, sentido del humor, cuerpo decente, cara bonita y un trabajo que cayera en la generosa categoría de «normal». Como era prácticamente imposible encontrar al Tío Perfecto, se podían ganar puntos con los cinco rasgos secundarios, a saber, ausencia de ex novias psicópatas, de padres psicópatas y de compañeros de piso violadores, y presencia de un interés o afición, con excepción de los estudios, que no guardara relación con los deportes ni la pornografía. Hasta la fecha, la puntuación máxima concedida por Lily había sido de nueve puntos, pero el tipo la había dejado.

—Pues bien, al principio le di siete puntos. Había estudiado arte dramático en Yale, era hetero y podía hablar de política israelí con la suficiente inteligencia para no insinuar en ningún momento que deberíamos «bombardearles con armas nucleares».

—Eso es genial. ¿Dónde está el problema? ¿Te habló de su juego de Nintendo favorito?

—Peor —respondió con un suspiro.

—¿Está más flaco que tú?

—Peor.

—¿Es un agarrado?

—Peor.

—¿Qué puede ser peor que eso?

—Vive en Long Island...

—¡Lily! Es cierto que geográficamente resulta indeseable, pero eso no lo convierte en una persona con la que no puedas salir. Sabes mejor que…

—Con sus padres —me interrumpió.

Oh.

—Desde hace cuatro años.

Oh, oh.

—Y le encanta. Dice que no se imagina viviendo solo en una ciudad tan grande cuando su mamá y su papá son tan buena compañía.

—¡No sigas! Creo que es la primera vez que un siete cae hasta cero en la primera cita. Ese tipo ha establecido un nuevo récord. Felicidades. Está claro que has tenido un día peor que el mío.

Oí llegar a Shanti y Kendra y me estiré para cerrar la puerta de mi habitación con el pie. Entonces oí una voz masculina y me pregunté si alguna de ellas tenía novio. Como trabajaban más horas que yo, en los diez días que llevábamos viviendo juntas las había visto un total de diez minutos.

—¿Peor? ¿Cómo es posible que hayas tenido un mal día? —preguntó Lily—. Trabajas en el mundo de la moda.

Se oyeron unos golpes suaves en la puerta.

—Espera un momento, alguien llama a mi puerta. ¡Adelante! —indiqué en voz demasiado alta para tan reducido espacio.

Esperaba que una de mis compañeras de piso entrara para preguntar tímidamente si me había acordado de telefonear al casero para poner mi nombre en el contrato (no) o de comprar más platos de papel (no), o si había recogido algún mensaje telefónico (no), pero quien apareció fue Alex.

—Oye, ¿puedo llamarte más tarde? Acaba de llegar Alex.

Me alegraba de verlo, de recibir esa sorpresa, pero una parte de mí estaba impaciente por darse una ducha y meterse en la cama.

—Claro. Salúdale de mi parte. Y recuerda lo afortunada que eres por haber completado la escala con él, Andy. Es un tío genial. No lo dejes escapar.

—Como si no lo supiera. Es un auténtico cielo. —Sonreí mirando a Alex.

—Adiós.

—¡Hola! —Me levanté y me dirigí hacia él—. ¡Qué sorpresa! —Hice ademán de abrazarle, pero retrocedió con los brazos ocultos detrás de la espalda—. ¿Qué ocurre?

—Nada. Sé que has tenido una semana muy dura y, conociéndote, he supuesto que no te habrías molestado aún en comer, así que te he traído la cena.

Por su espalda asomó una enorme bolsa marrón, la típica de los colmados de la vieja escuela, provista ya de aromáticas manchas de grasa. El hambre se apoderó de mí.

—¡No me lo puedo creer! ¿Cómo sabías que estaba aquí tumbada preguntándome de dónde iba a sacar la energía para salir a buscar comida? Estaba a punto de tirar la toalla.

—¡Entonces, a comer!

Abrió la bolsa con satisfacción, pero nos dimos cuenta de que no cabíamos en el suelo de mi habitación. Barajé la posibilidad de trasladarnos a la sala, puesto que en la cocina no había mesa, pero Kendra y Shanti estaban hundidas en el sofá frente a la tele, con sus ensaladas de encargo intactas. Pensaba que estaban esperando a que terminara el episodio de *Real World* hasta que me di cuenta de que se habían dormido. Qué vidas las nuestras.

—Espera, tengo una idea —dijo Alex, y caminó hasta la cocina de puntillas.

Regresó con dos bolsas de basura que extendió sobre mi edredón azul. Introdujo la mano en la bolsa y sacó dos hamburguesas gigantes completas y una ración gigante de patatas fritas. Se había acordado del ketchup y la sal para mí, y hasta de las servilletas. Aplaudí de felicidad a pesar de que en ese momento me asaltó la imagen de Miranda, que me preguntaba con tono de decepción: «¿Te vas a comer esa hamburguesa?».

—Aún hay más. Mira esto. —De la bolsa salió un puñado de velitas de olor a vainilla, seguidas de una botella de vino tinto con tapón de rosca y dos tazas de papel.

—¿Estás loco? —susurré, sin creerme aún que Alex hubiera organizado todo eso después de que yo anulara nuestra cita.

Me tendió una taza de vino y brindamos.

—No, no lo estoy. ¿Crees que iba a quedarme sin oír cómo ha sido el primer día del resto de tu vida? Brindo por mi mejor chica.

—Gracias —dije, y bebí lentamente—. Gracias, gracias, gracias.

6

—¡Dios mío, es la directora de moda en persona! —bromeó Jill cuando abrí la puerta—. Acércate y deja que tu hermana mayor se arrodille.

—¿Directora de moda? —bufé—. Más bien accidente de moda. Bienvenida a la civilización.

La abracé durante lo que parecieron diez minutos y todavía me resistía a soltarla. Había sido duro para mí que se fuera a estudiar a Stanford y me dejara sola con nuestros padres cuando yo apenas tenía nueve años, pero más me había costado aceptar que siguiera a su novio —ahora marido— a Houston. ¡Houston! Esa ciudad nadaba en humedad, estaba plagada de mosquitos y, por si eso fuera poco, mi hermana, mi sofisticada y hermosa hermana mayor, que amaba el arte neoclásico y te derretía el corazón cuando recitaba a Byron, había adquirido acento texano. Y no un acento de cadencia suave y sutil, sino un acento que te taladraba los oídos. Todavía no había perdonado a Kyle que la hubiera arrastrado hasta ese humedal, aunque fuera un cuñado bastante aceptable, y la cosa no mejoraba cuando abría la boca.

—Hola, Andy, cada vez que te veo estás más guapa —dijo con su típico acento texano—. ¿Qué os dan de comer en *Runway*?

Sentí deseos de meterle una pelota de tenis en la boca para que cerrara el pico, pero me sonrió y me acerqué a darle un abrazo. Era cierto que hablaba como un paleto y sonreía en exceso, pero se esforzaba por ser amable y era evidente que adoraba a mi hermana. Me juré que procuraría no hacer muecas de dolor cuando hablara.

—*Runway* no es un lugar donde se preocupen demasiado por la comida. Tienen más afición por el agua. Tú también tienes muy buen aspecto, Kyle. Espero que mantengas a mi hermana ocupada en esa mísera ciudad.

—Andy, cariño, deberías venir a casa. Organiza unas pequeñas vacaciones con Alex. Houston no está tan mal, ya lo verás.

Kyle me sonrió y sonrió a Jill, que sonrió a su vez y le pasó una mano por la mejilla. Estaban asquerosamente enamorados.

—Tiene razón, Andy. Houston es un lugar con mucha vida cultural y un montón de cosas que hacer. Nos gustaría que nos visitaras alguna vez. No es justo que solo nos veamos en esta casa. —Jill abarcó con un movimiento del brazo la sala de estar de mis padres—. Si puedes soportar Avon, soportarás Houston.

—¡Andy, ya estás aquí! ¡Jay, la futura triunfadora de Nueva York está en casa! —exclamó mi madre al salir de la cocina y doblar la esquina—. Ven a saludarla. Pensaba que llamarías cuando llegaras a la estación.

—La señora Myers fue recoger a Erika, que viajaba en el mismo tren, y se ofreció a acompañarme. ¿Cuándo comemos? Estoy hambrienta.

—Ahora mismo. ¿Quieres lavarte? Podemos esperar. Estás un poco desaliñada por el viaje. No pasa nada si...

—¡Mamá!

Le clavé una mirada de advertencia.

—¡Andy, estás radiante! Ven a dar un abrazo a tu viejo. —Mi padre, alto y todavía atractivo a sus cincuenta y pocos años, sonrió desde el pasillo. Detrás de la espalda llevaba una caja de Scrabble que de vez en cuando asomaba por un costado de la pierna para dejármela ver. Esperó a que todo el mundo desviara la mirada antes de señalar el juego y decirme—: Te daré una paliza, estás avisada.

Sonreí y asentí con la cabeza. En contra de lo que esperaba, me di cuenta de que deseaba pasar las siguientes cuarenta y ocho horas con mi familia mucho más de lo que lo había deseado desde que me marché de casa cuatro años atrás. Acción de Gracias era mi fiesta predilecta y este año iba a apreciarla más que nunca.

Nos reunimos en el comedor y atacamos el enorme menú que mi madre había encargado, su tradicional versión judía del banquete de la víspera de Acción de Gracias. Bollitos, *lox*, queso cremoso, pescado blanco y *latkes*, todo dispuesto por profesionales en bandejas de usar y tirar a la espera de ser trasladado a platos de papel y consumido con tenedores y cuchillos de plástico. Mi madre sonreía con orgullo mientras nos servíamos, como si se hubiera pasado una semana entera cocinando para alimentar a su prole.

Les hablé de mi nuevo empleo y me esforcé por describir un trabajo que ni yo misma comprendía aún del todo. Por un breve instante me pregunté si no sonaba ridículo lo de las faldas, lo de las horas que me había pasado envolviendo y enviando regalos, y lo de la tarjeta de identificación electrónica que permitía seguir la pista de todo lo que hacías. Era difícil expresar con palabras el carácter urgente que había tenido cada una de esas cosas en su momento, el hecho de que cuando estaba en la oficina mi empleo parecía necesario, incluso importante. Hablé por los codos, si bien no sabía cómo explicar ese mundo que estaba a solo una hora de Avon pero se hallaba, en realidad, en otro sistema solar. Todos asentían, sonreían y hacían preguntas con fingido interés, pero yo sabía que el tema era demasiado ajeno, demasiado extravagante y diferente para que pudiera comprenderlo gente que —como yo hasta hacía una semana— nunca había oído el nombre de Miranda Priestly. Yo tampoco lo entendía muy bien; mi entorno de trabajo se me antojaba a veces excesivamente teatral y hasta un poco dictatorial, pero era estimulante. Y genial. Era, sin lugar a dudas, un lugar genial en el que trabajar. ¿A que sí?

—¿Crees que te conformarás con un año, Andy? Tal vez te apetezca quedarte más tiempo —dijo mamá mientras untaba crema de queso en su bollito.

Al firmar el contrato con Elias-Clark había aceptado permanecer con Miranda un año si no me despedían antes, algo que, en esos momentos, parecía bastante probable. Si desempeñaba mis funciones con clase, entusiasmo y cierto grado de competencia

—esta parte no estaba escrita, pero así lo habían insinuado algunos miembros de recursos humanos, además de Emily y Allison—, estaría en condiciones de elegir el trabajo que deseaba realizar a continuación. Se esperaba, naturalmente, que dicho trabajo fuera en *Runway* o, como mínimo, en Elias-Clark, pero podía pedir lo que quisiera, desde escribir críticas de libros en el departamento de crónicas hasta hacer de enlace entre las celebridades de Hollywood y *Runway*. De las últimas diez ayudantes que habían conseguido completar un año en el despacho de Miranda, todas habían elegido el departamento de moda de *Runway* o de otra revista de Elias-Clark. Un año en el despacho de Miranda se consideraba la forma idónea de ahorrarse de tres a cinco años de afrenta como ayudante y de pasar directamente a trabajos de peso en lugares prestigiosos.

—Desde luego. Hasta ahora todo el mundo me ha caído muy bien. Emily parece que se entrega demasiado, pero aparte de eso lo demás es estupendo. No sé, cuando oigo a Lily hablar de sus exámenes o a Alex de los problemas que plantea su trabajo, pienso que he tenido mucha suerte. ¿Quién más dispone de un chófer que le pasee en coche el primer día de trabajo? Es una pasada. Sí, presiento que será un gran año y estoy deseando que regrese Miranda. Creo que estoy preparada.

Jill puso los ojos en blanco y me lanzó una mirada que daba a entender: «Corta el rollo, Andy, todos sabemos que probablemente trabajas para una bruja psicópata rodeada de niñas anoréxicas y que intentas darnos una imagen idílica porque te preocupa no saber qué haces ahí». En lugar de eso dijo:

—Es magnífico, Andy, de veras. Una oportunidad fantástica.

Jill era la única de la mesa que podía entenderlo porque, antes de mudarse al tercer mundo, había trabajado un año en un pequeño museo privado de París y desarrollado su interés por la alta costura. La suya era una afición artística y estética más que consumista, pero el caso es que mantenía cierto contacto con el mundo de la moda.

—Nosotros también tenemos buenas noticias —prosiguió Jill buscando las manos de Kyle, sentado al otro lado de la mesa.

—¡Gracias a Dios! —exclamó mi madre dando un brinco como si alguien le hubiera retirado al fin la pesa de cien kilos que había descansado sobre sus hombros durante las dos últimas décadas—. Ya era hora.

—¡Felicidades! Debo deciros que vuestra madre estaba muy preocupada. Ya no sois unos recién casados y empezábamos a preguntarnos... —Papá enarcó las cejas desde el otro extremo de la mesa.

—Es genial, muchachos. Ya era hora de que me hicierais tía. ¿Cuánto falta?

Kyle y Jill nos miraron con cara de pasmo y por un instante temí que hubiéramos metido la pata, que la «buena» noticia fuera que se estaban construyendo una casa más grande en ese pantano en el que vivían, o que Kyle había decidido al fin dejar el bufete de su padre y abrir con mi hermana la galería con la que ella siempre había soñado. Tal vez nos hubiéramos precipitado llevados por el ansia de escuchar que había una sobrina o un nieto en camino. Últimamente mis padres no hacían otra cosa que dar vueltas a las posibles razones por las que mi hermana y Kyle —ambos en la treintena y con cuatro años de matrimonio a la espalda— todavía no se habían reproducido. En los últimos seis meses el tema había pasado de la categoría de obsesión a la de crisis familiar.

Mi hermana parecía preocupada y Kyle frunció el entrecejo. Temí que mis padres fueran a desmayarse a causa del largo silencio. La tensión era palpable.

Jill se levantó, caminó hasta Kyle y se desplomó en su regazo. Le rodeó el cuello con un brazo y le susurró algo al oído. Miré a mi madre, que estaba a diez segundos de perder el conocimiento. La angustia había convertido las pequeñas arrugas de sus ojos en trincheras.

Por fin, por fin, Jill y Kyle soltaron una risita, se volvieron hacia la mesa y anunciaron al unísono:

—Vamos a tener un hijo.

Y se hizo la luz. Y hubo chillidos. Y abrazos. Y mi madre se levantó de la silla con tanto entusiasmo que la derribó, provocando que volcara el cactus situado junto a la puerta corredera de cristal. Mi padre besó a Jill en las mejillas y la coronilla, y por primera vez desde la boda también besó a Kyle.

Golpeé mi lata de Dr. Brown's Black Cherry con un tenedor de plástico y anuncié que la noticia requería un brindis.

—Por favor, arriba esos vasos, que todo el mundo brinde por el nuevo bebé Sachs que pronto se unirá a esta familia. —Kyle y Jill me miraron—. Bien, teóricamente será un Harrison, pero de corazón será Sachs. Por Kyle y Jill, futuros padres perfectos para el niño más perfecto del mundo.

Entrechocamos latas de refrescos y tazas de café y brindamos por la sonriente pareja y la cintura de sesenta centímetros de mi hermana. Luego recogí la mesa arrojando todo el contenido directamente a la basura mientras mamá presionaba a Jill para que pusiera al bebé el nombre de algún pariente difunto. Kyle bebía café con cara de satisfacción, y poco antes de medianoche papá y yo nos colamos en el despacho para una partida.

Encendió la máquina de sonido uniforme que utilizaba cuando tenía pacientes con el fin de amortiguar los ruidos de la casa e impedir que desde fuera se oyera lo que se hablaba en el despacho. Como todo buen psiquiatra, había colocado en un rincón un sofá de cuero gris, tan blando que yo adoraba descansar la cabeza sobre el brazo, y tres butacas delante que mantenían a la persona en una especie de honda. Como una matriz, aseguraba papá. Su mesa, negra y lustrosa, sostenía una pantalla de ordenador plana, y la butaca, de piel y también negra, tenía el respaldo elevado y era muy elegante. Una pared de libros de psicología tras puertas de cristal, una colección de troncos de bambú dentro de un jarrón de cristal muy alto colocado en el suelo y algunas fotos enmarcadas —el único toque de color— completaban la decoración futurista. Me derrumbé en el suelo, entre el sillón y la mesa, y papá hizo otro tanto.

—Andy, cuéntame cómo te sientes realmente —dijo mientras me tendía un soporte de madera para las fichas—. Seguro que ahora mismo estás abrumada.

Cogí mis siete fichas y las ordené con detenimiento.

—La verdad es que han sido dos semanas muy locas. Primero

la mudanza y luego el trabajo. Es un lugar extraño, difícil de describir. Todos son guapos y delgados y visten ropa bonita. Parecen muy simpáticos, de veras, han sido muy cordiales conmigo. Casi se diría que toman algún tipo de droga. El caso es que...

—¿Qué? ¿Qué ibas a decir?

—No sé muy bien por qué, pero tengo la sensación de que estoy en un castillo de naipes que está a punto de desmoronarse. No puedo quitarme de encima la impresión de que es ridículo trabajar para una revista de moda. Hasta ahora las tareas han sido un poco tontas, pero en realidad no me importa. Todo es tan nuevo que no deja de ser un reto.

Mi padre asintió con la cabeza.

—Sé que es un buen empleo, pero todavía me pregunto de qué modo me está preparando para el *New Yorker*. Es posible que simplemente esté esperando que algo salga mal porque hasta ahora me parece demasiado bueno para ser verdad. Con suerte, puede que solo esté loca.

—Yo no creo que estés loca, cariño, creo que eres una chica sensata, pero estoy de acuerdo contigo en que te ha tocado la lotería. Hay gente que en su vida llega a ver las cosas que tú verás este año. ¡Piénsalo! Recién salida del *college* y ya estás trabajando con la mujer más importante de la revista más rentable del mayor grupo editorial del mundo entero. Verás cómo funciona todo desde lo más alto hasta lo más bajo. Si mantienes los ojos bien abiertos y tus prioridades en orden, aprenderás más en un año de lo que aprende la mayoría de la gente en toda su vida profesional.

Colocó su primera palabra en el centro del tablero, SALTO.

—No está mal para empezar —observé.

Calculé los puntos, los dupliqué porque la primera palabra siempre cae en una estrella rosa e inicié el marcador. Papá: 22 puntos. Andy: 0. Mis letras no prometían mucho hasta que caí en la cuenta de que si tuviera otra O podría formar «Choo», como en Jimmy Choo. De todos modos los nombres propios no valían, así que añadí a la L una E, una M y una A y acepté mis miserables seis puntos.

—Solo quiero asegurarme de que le sacas todo el jugo posible —comentó, moviendo las fichas sobre su soporte—. Cuanto más lo pienso, más convencido estoy de que esta oportunidad te traerá grandes cosas.

—Espero que tengas razón, porque me he hecho cortes para dar y regalar con el papel de envolver. Confío en que mi trabajo consista en algo más que eso.

—Seguro que sí, cariño, ya lo verás. Quizá te parezca que estás haciendo cosas absurdas, pero no es cierto. Intuyo que es el comienzo de algo fabuloso. Y he meditado sobre tu jefa. Esa tal Miranda parece una mujer dura, eso está claro, pero creo que te gustará. Y creo que tú le gustarás a ella.

Formó la palabra TOALLA utilizando mi A y sonrió satisfecho.

—Espero que tengas razón, papá.

—Es la directora de *Runway*, ya sabes, la revista de moda —susurré al auricular en un esfuerzo por mantener la calma.

—¡Ah, ya caigo! —exclamó Julia, ayudante de publicidad de Scholastic Books—. Es una gran revista. Me encantan todas esas cartas donde las chicas cuentan historias embarazosas sobre sus períodos. ¿Son auténticas? ¿Recuerdas aquella sobre...?

—No, no es una revista para adolescentes, es una revista para mujeres adultas. —Al menos en teoría—. ¿De veras que nunca has leído *Runway*? —¿Era eso humanamente posible?, me pregunté—. En cualquier caso, se escribe P-R-I-E-S-T-L-Y. Miranda, sí —dije con infinita paciencia. Me pregunté cómo reaccionaría Miranda si supiera que tenía alguien al teléfono que nunca había oído hablar de ella. Probablemente mal—. Te agradecería que me dijeras algo lo antes posible. Y si entretanto aparece por ahí alguna jefa de publicidad, dile que me llame, por favor.

Era un viernes de diciembre por la mañana y la dulce, dulce libertad del fin de semana se hallaba a solo diez horas. Estaba intentando convencer a Julia, persona totalmente ajena al mundo de la moda, de que Miranda Priestly era alguien muy importante, alguien por quien valía la pena hacer excepciones y dejarse de razonamientos. Y resultaba mucho más difícil de lo que había previsto. ¿Cómo iba a saber yo que tendría que explicar la importancia del cargo de Miranda para influir en alguien que jamás había oído hablar de la revista de moda más prestigiosa de la tierra ni de su célebre directora? En las tres semanas que llevaba como ayudante de Miranda ya me había percatado de que esa pesada tarea y la búsqueda de favores constituían una parte más de mi trabajo, pero generalmente la persona a la que trataba de persuadir, intimidar o presionar cedía en cuanto mencionaba el nombre de mi infame jefa.

Desafortunadamente para mí, Julia trabajaba en una agencia de publicidad donde Nora Ephron o Wendy Wasserstein recibirían el mismo trato VIP que alguien conocido por su impecable gusto con los abrigos de pieles. Yo, en el fondo, lo entendía. Traté de evocar aquellos tiempos en que aún no había oído hablar de Miranda Priestly —cinco semanas atrás— y no fui capaz, pero sabía que ese tiempo mágico había existido. Envidiaba la indiferencia de Julia, mas yo tenía un trabajo que hacer y ella no me estaba ayudando.

La distribución comercial del cuarto libro de la serie de Harry Potter estaba prevista para el día siguiente, sábado, y las hijas de Miranda, las gemelas de ocho años, querían sendos ejemplares. Los primeros libros no aparecerían en las tiendas hasta el lunes, pero yo debía tener dos en mi poder el sábado por la mañana, en cuanto salieran del almacén. Después de todo, Harry y su banda tenían que embarcar en un avión privado con destino a París.

El teléfono interrumpió mis pensamientos. Contesté, como solía hacer ahora que Emily confiaba lo bastante en mí para dejarme hablar con Miranda. Y vaya si hablábamos, probablemente más de veinte veces al día. Incluso desde lejos, Miranda había conseguido filtrarse en mi vida y hacerse con el timón ladrando órdenes con la rapidez de una ametralladora desde las siete de la mañana hasta que se me permitía irme, o sea, las nueve de la noche.

—¿An-dre-aaa? ¿Hola? ¿Hay alguien ahí? ¡An-dre-aaa!

Salté de la silla en cuanto la oí pronunciar mi nombre y tardé unos segundos en recordar que ella no estaba en la oficina, de hecho ni siquiera en el país, y que, por el momento, me encontraba a salvo. Emily me había asegurado que Miranda no era consciente de que Allison había sido ascendida y yo contratada, que eso eran detalles insignificantes que su mente no retenía. Con tal de que alguien contestara al teléfono y le consiguiera lo que pedía, la identidad de la persona carecía de importancia.

—No entiendo por qué tardas tanto en hablar después de descolgar el auricular —dijo con una voz que sonaba fría e implacable, tal como ella era—. Por si todavía no te has dado cuenta, cuando yo llamo, tú respondes. En realidad es muy fácil. Yo llamo, tú respondes. ¿Crees que puedes hacerlo, An-dre-aaa?

Aunque no podía verme, asentí como una niña a la que acaban de regañar por lanzar los espaguetis al techo. Me concentré en no llamarla «señora», error que había cometido la semana anterior y casi me costó el empleo.

—Sí, Miranda, lo siento —dije con suavidad, la cabeza gacha.

En ese momento lo sentía de veras, sentía que mi cerebro no hubiera registrado sus palabras tres décimas de segundo antes, sentía haber tardado un segundo más de lo estrictamente necesario en decir «despacho de Miranda Priestly». Su tiempo era, como no se cansaba de recordarme, mucho más importante que el mío.

—Bien. Y ahora, después de haber perdido tanto tiempo, ¿podemos empezar? ¿Has confirmado la reserva del señor Tomlinson? —preguntó.

—Sí, Miranda, he hecho una reserva para el señor Tomlinson en el Four Seasons a la una.

Entonces la vi venir. Diez minutos antes, me había telefoneado para ordenarme que hiciera una reserva en el Four Seasons y llamara al señor Tomlinson, al chófer y a la niñera para informarles del plan, y seguro que ahora quería cambiarlo.

—Pues he cambiado de parecer. El Four Seasons no es el lugar adecuado para su comida con Irv. Reserva una mesa en Le Cirque y no olvides decir al gerente que querrán sentarse al fondo del restaurante. No delante, a la vista de todos, sino al fondo. Eso es todo.

La primera vez que hablé con Miranda por teléfono me convencí de que, cuando decía «eso es todo», en realidad quería decir «gracias». A la semana siguiente cambié de opinión.

—Muy bien, Miranda, y gracias —repuse con una sonrisa.

Noté que hacía una pausa al otro lado de la línea mientras se preguntaba qué debía decir. ¿Sabía que yo estaba subrayando su renuncia a dar las gracias? ¿Le parecía extraño que yo le diera las gracias por darme órdenes? Últimamente le daba las gracias después de cada comentario sarcástico u orden desagradable, táctica que me resultaba extrañamente reconfortante. Miranda sabía que me estaba mofando de ella, pero ¿qué podía decir? «An-dreaaa, no quiero que vuelvas a darme las gracias. Te prohíbo que expreses tu gratitud de ese modo.» Ahora que lo pienso, sería capaz.

Le Cirque, Le Cirque, Le Cirque, me repetí, decidida a hacer esa reserva en cuanto colgara y así poder volver al asunto de Harry Potter, desafío mucho más complejo. El encargado de reservas de Le Cirque enseguida me confirmó una mesa para Miranda y el señor Tomlinson, llegaran a la hora que llegaran.

Emily regresó después de darse una vuelta por la oficina y me preguntó si Miranda había llamado.

—Solo tres veces y en ninguna de ellas me ha amenazado con despedirme —respondí con orgullo—. Bueno, lo ha insinuado, pero no ha sido una amenaza en toda regla. Voy progresando, ¿no te parece?

Emily rió de esa manera que solo utilizaba cuando me mofaba de mí misma y me preguntó qué quería Miranda, su gurú.

—Cambiar la reserva de la comida de MUSYC. No entiendo por qué he de hacerlo yo cuando él tiene su propia ayudante, pero no me está permitido hacer preguntas.

El acrónico de Mudo, Sordo y Ciego era el apodo que empleábamos para referirnos al tercer marido de Miranda. Aunque para el público en general no parecía ninguna de esas tres cosas, quienes estábamos al tanto teníamos la certeza de que lo era. Sencillamente no había otra explicación para que un tipo tan agradable como él soportara vivir con ella.

Luego me tocaba llamar a MUSYC. Si no lo hacía pronto, me

arriesgaba a que no pudiera llegar al restaurante a tiempo. Había interrumpido sus vacaciones para dedicar un par de días a reuniones de trabajo y esa comida con Irv Ravitz, director general de Elias-Clark, estaba entre las prioridades. Miranda no quería un solo fallo, como si eso fuera una novedad. El verdadero nombre de MUSYC era Hunter Tomlinson. Él y Miranda se habían casado el verano previo a mi incorporación a la empresa, después, según me contaron, de un cortejo bastante singular: ella era la que insistía, y él, el que vacilaba. De acuerdo con Emily, lo persiguió implacablemente hasta que el hombre, agotado de darle largas, cedió. Miranda dejó a su segundo esposo (el cantante de uno de los grupos más famosos de finales de los sesenta y padre de las gemelas), que se enteró de la noticia cuando el abogado le entregó los papeles, y contrajo matrimonio de nuevo exactamente doce días después de obtener el divorcio. El señor Tomlinson, obedeciendo órdenes de su nueva esposa, se mudó al ático de la Quinta Avenida. Yo solo había visto a Miranda una vez y jamás había visto a su nuevo marido, pero había pasado suficientes horas al teléfono con ambos para sentirlos, desafortunadamente, como si fueran de la familia.

Tres tonos, cuatro tonos, cinco tonos... mmm, me pregunto dónde está la ayudante de MUSYC. Recé para que saliera el contestador, pues no estaba de humor para esas charlas ligeras y afables a las que MUSYC era tan aficionado, pero me atendió la secretaria.

—Despacho del señor Tomlinson —aulló con su fuerte acento sureño—. ¿En qué puedo ayudarle hoy?

—Hola, Martha, soy Andrea. Oye, no necesito hablar con el señor Tomlinson, solo quiero que le des un mensaje de mi parte. He hecho una reserva para...

—Querida, sabes que el señor T. siempre quiere hablar contigo. Espera.

Antes de que pudiera protestar me encontré oyendo la versión melódica de «Don't worry, be happy», de Bobby McFerrin. Genial. Era muy propio de MUSYC elegir la canción más irritantemente optimista jamás escrita para entretener a quienes llamaban.

—Andy, ¿eres tú, cielo? —preguntó tranquilamente con su voz

profunda y distinguida—. El señor Tomlinson va a pensar que le estás evitando. Hace siglos que no tiene el placer de hablar contigo.

Una semana y media, para ser exactos. Además de mudo, sordo y ciego, el señor Tomlinson tenía la irritante costumbre de referirse a sí mismo en tercera persona.

Respiré hondo.

—Hola, señor Tomlinson. Miranda me ha pedido que le informe de que la comida de hoy será a la una en Le Cirque. Ha dicho que usted...

—Cielo —me interrumpió lenta, serenamente—, olvida toda esa planificación por un minuto. Concede a un viejo un instante de placer y cuéntale todo sobre tu vida. ¿Harás eso por el señor Tomlinson? Dime, querida, ¿estás contenta trabajando para mi esposa?

¿Estaba contenta trabajando para su esposa? Mmm, veamos. ¿Aúlla de dicha una cría de mamífero cuando un depredador la devora? Claro que sí, capullo, estoy supercontenta de trabajar para tu esposa. Cuando no tenemos nada que hacer, nos untamos mutuamente mascarillas de arcilla y hablamos de nuestra vida amorosa. Se parece mucho a las fiestas de pijamas con amigas. Nos mondamos.

—Señor Tomlinson, me gusta mi trabajo y adoro trabajar para Miranda. —Contuve la respiración y recé para que no siguiera.

—El señor T. está encantado de que las cosas te vayan bien.

Muy bien, gilipollas, pero, y tú, ¿estás encantado?

—Me alegro, señor Tomlinson, y disfrute de la comida —me apresuré a decir para evitar que me preguntara por mis planes para el fin de semana, y colgué.

Me recosté en mi asiento y posé la mirada al frente. Emily estaba enfrascada haciendo cuadrar otra cuenta de American Express de veinte mil dólares de Miranda y tenía las cejas, densas pero perfectamente depiladas a la cera, arrugadas de tanta concentración. El proyecto Harry Potter seguía pendiente y tenía que encarrilarlo ya si quería disfrutar de mi fin de semana.

Lily y yo habíamos planeado una maratón de cine. Yo estaba agotada por el trabajo y ella, agobiada por las clases, así que habíamos prometido pasarnos todo el fin de semana apalancadas en su sofá y subsistir exclusivamente a base de cerveza y Doritos. Nada de Snackwells ni de Diet Coke. Y, por supuesto, nada de hombres. Aunque hablábamos mucho, pasábamos muy poco tiempo juntas desde que yo había dejado su apartamento.

Éramos íntimas amigas desde octavo, cuando la vi llorando en una mesa de la cafetería. Acababa de mudarse a casa de su abuela y había ingresado en nuestro colegio después de comprender que sus padres aún tardarían mucho en volver. Estos se habían marchado para seguir a los Dead (habían tenido a Lily con diecinueve años, cuando ambos preferían la hierba a los bebés) y la habían dejado a cargo de sus excéntricos amigos en una comuna de Nuevo México (o el «colectivo», como Lily la llamaba). En vista de que un año después seguían sin regresar, la abuela sacó a Lily de la comuna (o el «culto», como ella prefería llamarla) para llevársela a vivir con ella en Avon. El día que la conocí estaba llorando sola en la cafetería porque su abuela le había obligado a cortarse las mugrientas rastas y ponerse un vestido. Algo en su manera de hablar, de decir «es muy zen de tu parte» o «descomprimámonos», me sedujo, y nos hicimos amigas al instante. Continuamos siendo inseparables hasta el instituto, compartimos habitación durante cuatro años en Brown y conseguimos mudarnos simultáneamente a Nueva York. Lily todavía no había decidido si prefería la barra de labios MAC o los collares de cáñamo, y era todavía una pizca «rara» para hacer cosas que hiciera todo el mundo, pero nos complementábamos. Y la echaba de menos, pues últimamente, hallándose en su primer año de universidad y yo en mi primer año de auténtica esclava, apenas nos veíamos.

Estaba deseando que llegara el fin de semana. Los pies, los brazos y la región lumbar acusaban mis jornadas laborales de catorce horas. Las gafas habían sustituido a las lentillas que había utilizado durante una década porque tenía los ojos demasiado secos y cansados para aceptarlas. Fumaba un paquete al día y sobrevivía exclusivamente a base de cafés de Starbucks (a cargo de la empresa, naturalmente) y sushi (también a cargo de la empresa). Ya había empezado a adelgazar. Algo en el aire, supongo, o quizá esa insistencia con que se evitaba la comida en la oficina. Había capeado una sinusitis y empalidecido notablemente, y todo ello en apenas tres semanas. Tenía veintitrés años. Y Miranda ni siquiera había asomado aún por la oficina. Al cuerno con todo. Me merecía un fin de semana.

A todo eso se había añadido Harry Potter, y no me hacía ninguna gracia. Miranda había llamado esa mañana y tardado unos segundos en explicar lo que quería. Yo, en cambio, había tardado siglos en interpretarlo. Estaba aprendiendo con rapidez que en el mundo de Miranda Priestly era preferible hacer algo mal, e invertir un montón de tiempo y dinero en arreglarlo, a reconocer que no habías entendido sus retorcidas instrucciones y pedir una aclaración. De modo que, cuando farfulló algo sobre conseguir el libro de Harry Potter para las gemelas y enviarlo en avión a París, la intuición me dijo que el asunto iba a interferir en mi fin de semana. Cuando, minutos después, colgó bruscamente, miré aterrada a Emily. «¿Qué... qué ha dicho? —gemí, odiándome por haberme asustado demasiado para pedirle que lo repitiera—. ¿Por qué nunca entiendo una palabra de lo que dice esa mujer? No es culpa mía, Em. Yo hablo el mismo idioma, siempre lo he hablado. Sé que lo hace para volverme loca.»

Emily me miró con su mezcla habitual de asco y pena. «Como el libro sale mañana y no están aquí para comprarlo, Miranda quiere que compres dos ejemplares y los lleves a Teterboro. Una vez allí, el avión los trasladará a París», resumió fríamente, retándome a hacer un solo comentario sobre tan grotescas instrucciones.

Eso me recordó que Emily haría cualquier cosa, absolutamente cualquier cosa, por el bienestar de Miranda. Puse los ojos en blanco y callé. Como no estaba dispuesta a sacrificar un solo segundo de mi fin de semana para cumplir esa orden, y dado que tenía una cantidad ilimitada de dinero y poder (de Miranda) a mi disposición, pasé el resto del día organizando el vuelo de Harry Potter a París. En primer lugar, unas palabras para Julia, de Scholastic.

Queridísima Julia:

Andrea, mi ayudante, me ha contado que eres el encanto a quien debo dirigir mi más sincero agradecimiento. Asegura que tú eres la única persona capaz de conseguirme para mañana dos ejemplares de este maravilloso libro. Quiero que sepas que valoro muchísimo tu trabajo y tu ingenio. No imaginas lo felices que harás a mis dulces hijas. Y no dudes nunca en llamarme si necesitas algo, lo que sea para una chica tan fantástica como tú.

Un abrazo,

MIRANDA PRIESTLY

Falsifiqué su firma a la perfección (las horas de práctica con Emily dirigiéndome por encima del hombro para que hiciera la última «a» un poco más rizada finalmente habían dado su fruto), uní a la nota el último número de *Runway* —todavía no estaba en los quioscos— y llamé a un mensajero para que enviara el paquete a las oficinas de Scholastic. Si esto no funcionaba, nada lo haría. Miranda aceptaba que falsificáramos su firma —le ahorraba tener que ocuparse de nimiedades—, pero seguro que se pondría furiosa si supiera que había escrito algo tan cortés, tan encantador, en su nombre.

Tres semanas antes, no habría dudado en cancelar mis planes si Miranda me hubiera pedido que hiciera algo por ella el fin de semana, pero ahora tenía más experiencia, y estaba más harta, para hacer excepciones. Puesto que Miranda y las chicas no estarían en el aeropuerto de New Jersey cuando Harry llegara por la mañana, no había razón para que tuviera que ser yo quien lo llevara hasta allí. Dando por hecho que Julia me conseguiría un par de ejemplares, y rezando para que así fuera, me puse a trabajar en los pormenores. Marqué varios números de teléfono y al cabo de una hora ya tenía organizado un plan.

Brian, un ayudante de Scholastic de talante servicial que me aseguró que recibiría la autorización de Julia en menos de dos horas, se llevaría esa misma noche a casa dos ejemplares de *Harry* para no tener que regresar a la oficina al día siguiente. Brian dejaría los libros con el conserje de su edificio de apartamentos del

Upper West Side y yo enviaría un coche para que los recogiera el sábado por la mañana a las once. Uri, el chófer de Miranda, me llamaría entonces al móvil para confirmar que había recibido el paquete y que se dirigía al aeropuerto de Teterboro, donde sería trasladado al avión privado del señor Tomlinson y, de ahí, a París. Por un momento consideré la posibilidad de dirigir toda la operación en clave para que pareciera del KGB, pero cambié de opinión cuando recordé que Uri no hablaba el inglés demasiado bien. Antes de elaborar este plan había comprobado la opción más rápida de DHL, pero no me garantizaban la entrega hasta el lunes, lo cual era, evidentemente, inaceptable. De ahí que hubiera optado por el avión privado. Si todo salía según lo previsto, las pequeñas Cassidy y Caroline despertarían el domingo en su suite parisina y disfrutarían de su vaso de leche matutino leyendo las aventuras de Harry un día antes que sus amigos. Enternecedor, realmente enternecedor.

Al rato de haber reservado los coches y avisado a todas las personas implicadas, me llamó Julia. Aunque era una tarea penosa y podía crearle problemas, entregaría a Bill dos ejemplares para la señorita Priestly. Amén.

—¿Puedes creerte que se haya prometido? —preguntó Lily mientras rebobinaba la cinta de *Ferris Bueller* que acabábamos de ver—. Caray, que tenemos veintitrés años, ¿a qué viene tanta prisa?

—Sí, parece extraño —grité desde la cocina—. Quizá mami y papi no tengan intención de dejar que Timmy eche mano de su cuantioso fondo hasta que siente la cabeza. Eso sería un motivo suficiente para ponerle a ella un anillo en el dedo. O puede que simplemente se sienta solo.

Lily me miró y se echó a reír.

—No puede ser que simplemente esté enamorado de ella y quiera pasar el resto de su vida a su lado, ¿verdad? Ya hemos dejado claro que eso es totalmente imposible, ¿verdad?

—Verdad. No es una opción. Prueba otra.

—En ese caso, no me queda más remedio que recurrir a la tercera. Es gay. Al final se ha dado cuenta, aunque yo siempre lo he sabido, y ha decidido ocultarlo casándose con la primera chica que ha encontrado. ¿Qué opinas?

Casablanca era la siguiente de la lista y Lily pasó rápidamente los títulos de crédito mientras yo preparaba dos tazas de chocolate caliente en el microondas de la diminuta cocina de su estudio de Morningside Heights. Holgazaneamos toda la noche del viernes, haciendo descansos únicamente para fumar y realizar otra visita a Blockbuster. La tarde del sábado nos halló especialmente motivadas y nos animamos a pasear por el Soho durante unas horas. Nos compramos sendos *tops* para la fiesta de Fin de Año de Lily y compartimos en un café una taza gigante de ponche de huevo. Cuando regresamos a su apartamento, estábamos agotadas y felices, y pasamos el resto de la velada alternando entre *Cuando Harry encontró a Sally* en TNT y *Saturday Night Live*. Era tan relajante, tan diferente de la porquería en que se había convertido mi vida cotidiana, que había olvidado por completo la misión de Harry Potter hasta que el domingo oí el timbre de un teléfono. ¡Dios mío, era Ella! Oí a Lily hablar en ruso con alguien, probablemente un compañero de clase, desde su móvil. Gracias, gracias, gracias, Señor, por no ser Ella. Sin embargo, no me quedé del todo tranquila. Ya era domingo por la mañana e ignoraba si los estúpidos libros habían llegado a París. Había disfrutado tanto de mi fin de semana —había conseguido relajarme de verdad— que olvidé comprobarlo. Naturalmente, tenía el teléfono conectado y el timbre al máximo volumen, pero no esperaba que nadie me llamara con un problema, sobre todo cuando ya habría sido demasiado tarde para solventarlo. Debí ser previsora y confirmar con los implicados que todos los pasos de nuestro elaborado plan se habían llevado a cabo felizmente.

Enloquecida, busqué en mi bolso de viaje el móvil que me había dado *Runway* para asegurarme de que solo me hallaba a siete números de distancia de Miranda. Lo rescaté de una maraña de ropa interior y caí de espaldas en la cama. La pantallita anunciaba que se había quedado sin batería e instintivamente supe que ella había llamado y que le había salido el buzón de voz. Odié el móvil con toda mi alma. Odié mi teléfono fijo. Odié el teléfono de Lily, los anuncios de teléfonos, las fotos de teléfonos de las revistas, incluso odié a Alexander Graham Bell. Trabajar para Miranda Priestly producía desafortunados efectos secundarios en mi vida cotidiana, pero el más antinatural era mi profundo odio a los teléfonos.

Para la mayoría de la gente el timbre de un teléfono era una señal agradable. Significaba que alguien intentaba localizarles, saludarles, preguntarles qué tal estaban o hacer planes. Para mí era motivo de miedo, angustia y pánico paralizador. Algunas personas veían las numerosas opciones de los teléfonos fijos como algo novedoso, incluso divertido. Para mí era algo indispensable. Aunque antes de Miranda apenas había utilizado la llamada en espera, a los pocos días de entrar en *Runway* solicité dicho servicio (para que ella nunca encontrara el teléfono comunicando), el identificador (para poder evitar sus llamadas), las llamadas en espera con identificador (para poder evitar sus llamadas mientras hablaba por la otra línea) y el buzón de voz (para que ella no supiera que estaba evitando sus llamadas porque oiría el mensaje del contestador). Cincuenta dólares al mes por esos servicios —sin contar el de las conferencias— me parecía un precio justo para mi paz mental. Bueno, no exactamente paz mental, pero al menos me ponía sobre aviso.

El móvil, sin embargo, no me permitía tales barreras. Cierto que tenía las mismas funciones que el teléfono fijo, pero para Miranda no existía motivo alguno que justificara tenerlo apagado. Había que atenderlo siempre. El día que Emily me lo entregó —un objeto de oficina más en *Runway*— y me dijo que atendiera siempre las llamadas, todas mis protestas fueron desestimadas.

—¿Y si estoy durmiendo? —pregunté estúpidamente.

—Te levantas y contestas —respondió ella mientras se limaba una uña.

—¿En una comida elegante?

—Haces como todos los neoyorquinos y hablas en la mesa.

—¿En un reconocimiento pélvico?

—No te estarán mirando los oídos, digo yo.

De acuerdo, lo he pillado.

Detestaba el móvil pero no podía pasar de él. Me mantenía atada a Miranda como un cordón umbilical impidiéndome crecer o escapar de mi fuente de agobios. Me llamaba constantemente y, como un morboso experimento pauloviano fallido, mi cuerpo había empezado a responder visceralmente a su timbre. Rrring-rrring. Aumento del ritmo cardíaco. Rrriiing. Agarrotamiento automático de los dedos y tensión en los hombros. Rrriiiiiiiiing. Oh, por qué no me deja tranquila, por favor, por favor, olvida que existo... mi frente se cubre de sudor. En ningún momento de ese glorioso fin de semana se me ocurrió pensar que el móvil no tenía batería, y había dado por sentado que sonaría si surgía algún problema. Primer error. Me paseé por el apartamento hasta que se cargó la batería, contuve la respiración y entré en mi buzón de voz.

Mamá había dejado un mensaje encantador para desearme que lo pasara en grande con Lily. Un amigo de San Francisco se encontraba esa semana en Nueva York por motivos de trabajo y quería verme. Mi hermana me había llamado para recordarme que enviara una felicitación de cumpleaños a su marido. Y allí estaba, no del todo inesperado, el temido acento británico pitándome en los oídos: «An-dre-aaa, soy Mi-raaan-da. Son las nueve de la mañana del domingo en París y las niñas todavía no han recibido sus libros. Llámame al Ritz para confirmarme que no tardarán en llegar. Eso es todo». Clic.

La bilis empezó a subirme por la garganta. Como siempre, el mensaje estaba exento de cumplidos. Ni hola, ni adiós, ni gracias. Naturalmente. Pero lo peor de todo era que tenía medio día de antigüedad y yo todavía no había contestado. Motivo de despido, lo sabía, y no podía hacer nada al respecto. Como una aficionada, había dado por hecho que mi plan funcionaría y ni siquiera había reparado en que Uri no me había llamado para confirmar la recogida y la entrega del paquete. Busqué en la agenda de mi móvil y marqué su número de móvil, otra adquisición de Miranda para que el hombre estuviera localizable las veinticuatro horas del día, los siete días de la semana.

—Hola, Uri, soy Andrea. Lamento molestarte en domingo, pero quería saber si ayer recogiste los libros en la Ochenta y siete con Amsterdam.

—Hola, Andy, me alegro de oír tu voz —canturreó con ese acento ruso que siempre me resultaba tan tranquilizador. Me llamaba Andy como un viejo tío desde el día que me conoció, y viniendo de él, a diferencia de MUSYC, no me importaba—. Claro que recogí los libros, como me dijiste. ¿Crees que no quiero ayudarte?

—No, claro que no, Uri. Es solo que Miranda me ha dejado un mensaje para decirme que todavía no los han recibido y no sé qué puede haber pasado.

Guardó silencio unos instantes y luego me dio el nombre y el número de teléfono del piloto encargado del vuelo.

—Gracias, gracias, gracias —dije mientras anotaba el número a toda prisa, rezando para que el piloto pudiera ayudarme—. Lo siento, tengo que colgar, pero te deseo un buen fin de semana.

—Y yo a ti, Andy. Estoy seguro de que el piloto te ayudará con lo de los libros. Buena suerte —añadió jovialmente Uri antes de colgar.

Oí a Lily preparar gofres. Deseé con todas mis fuerzas poder echarle una mano, pero tenía que solucionar ese asunto si no quería perder el empleo. Claro que tal vez ya estuviera despedida, me dije, y nadie se había molestado en comunicármelo. No sería algo tan descabellado en *Runway*, ahora que pensaba en la redactora de moda que habían despedido mientras se hallaba en su luna de miel. Se enteró de su nueva situación laboral al abrir un número de *Women's Wear Daily* en Bali. Marqué el número que Uri me había dado y cuando oí el contestador pensé que iba a desmayarme.

—Hola, Jonathan, soy Andrea Sachs, de la revista *Runway*. Soy la ayudante de Miranda y necesitaba preguntarle algo sobre el vuelo de ayer. Oh, ahora que lo pienso, es probable que se encuentre en París o camino de Nueva York. Solo quería saber si el paquete... bueno, y usted, claro, llegaron sanos y salvos a París.

¿Le importaría llamarme al móvil? 917-555-5049. Lo antes posible, se lo ruego. Gracias. Adiós.

Pensé en telefonear al conserje del Ritz para preguntarle si se había presentado el coche que debía trasladar los libros desde el aeropuerto privado de París, pero de pronto me acordé de que mi móvil no permitía llamadas internacionales. Probablemente era la única función para la que no estaba programado y, por supuesto, la única necesaria. En ese momento Lily anunció que tenía un plato de gofres y una taza de café para mí. Entré en la cocina. Ella estaba bebiendo un Bloody Mary. Puaj, un domingo por la mañana. ¿Cómo podía beber a esas horas?

—¿Estás pasando por un momento Miranda? —preguntó con cara de compasión.

Asentí con la cabeza.

—Creo que esta vez he metido la pata de verdad —dije aceptando agradecida el plato—. Es posible que de esta me despidan.

—Cariño, siempre dices lo mismo. Miranda no va a despedirte. En cualquier caso, más vale que no te despida, ¡porque tienes el mejor trabajo del mundo!

La miré con suspicacia y traté de mantener la calma.

—Es cierto —prosiguió—. La tía parece difícil de complacer y un poco pirada, de acuerdo, pero ¿quién no lo está? Aun así, si quisieras podrías conseguir zapatos, cortes de pelo y ropa gratis. ¡Y qué ropa! ¿A quién le dan ropa de marca solo por ir a trabajar cada día? Y trabajas en *Runway*, ¿no lo entiendes? Millones de chicas darían un ojo de la cara por tener tu empleo.

Entonces comprendí. Comprendí que Lily, por primera vez en nueve años, no comprendía nada. A ella, como al resto de mis amigos, le encantaba escuchar las anécdotas de mi trabajo que había acumulado a lo largo de las últimas tres semanas, disfrutaba con los cotilleos y el glamour, pero no comprendía lo duro que era el día a día. No comprendía que la razón por la que seguía yendo cada mañana a la oficina no era la posibilidad de conseguir ropa gratis, no comprendía que ni toda la ropa gratuita del mundo haría soportable este trabajo. Había llegado el momento de introducir a una de mis mejores amigas en mi mundo; entonces seguro que me comprendería. Tenía que decírselo. ¡Sí! Había llegado el momento de compartir con alguien qué estaba pasando en realidad. Abrí la boca para hablar, ilusionada ante la idea de tener una aliada, pero en ese instante sonó el teléfono.

¡Maldita sea! Me entraron ganas de estamparlo contra la pared, decir al que llamaba que se fuera al infierno, pero una pequeña parte de mí esperaba que fuera Jonathan. Lily sonrió y me dijo que me tomara mi tiempo. Asentí penosamente y contesté.

—¿Es Andrea? —preguntó una voz masculina.

—Sí. ¿Es usted Jonathan?

—Sí. Acabo de llamar a casa y he oído su mensaje. Ya he salido de París y estoy sobrevolando el Atlántico, pero parecía tan preocupada que he decidido telefonearla enseguida.

—¡Gracias, gracias! No sabe cómo se lo agradezco. La verdad es que estoy algo inquieta porque esta mañana me ha llamado Miranda para decirme que no ha recibido el paquete. Se lo entregó al conductor en París, ¿verdad?

—Desde luego. Verá, señorita, en mi trabajo no hago preguntas. Me limito a volar cuando y adonde me ordenan e intento que todo el mundo llegue a su destino sano y salvo. Pocas veces vuelo al extranjero sin nada a bordo salvo un paquete. Debía de ser algo muy importante, como un órgano para un trasplante o documentos confidenciales. De modo que sí, cuidé muy bien del paquete y se lo di al conductor, tal como me ordenaron. Un buen tipo del hotel Ritz. Ningún problema.

Le di las gracias y colgué. El conserje del Ritz había enviado un chófer al aeropuerto privado de París para recibir el avión privado del señor Tomlinson y trasladar a Harry al hotel. Si todo había salido según lo previsto, Miranda debería de haber recibido los libros a las siete de la mañana, hora parisina, y teniendo en cuenta que para ella ya era por la tarde, no alcanzaba a imaginar qué había salido mal. No me quedaba más remedio que telefonear al conserje pero, como mi móvil no aceptaba llamadas internacionales, tenía que buscar otro teléfono.

Me llevé el plato de gofres fríos a la cocina y los tiré a la basura. Lily estaba tumbada en el sofá medio adormilada. Le di un abrazo, le dije que la llamaría más tarde y salí para buscar un taxi que me llevara a la oficina.

—¿Y qué pasa hoy? —gimoteó—. Tengo *El Presidente y Miss Wade* preparado. ¡No puedes irte, nuestro fin de semana no ha terminado!

—Lo sé, Lil, y lo siento, pero he de resolver este asunto. No hay nada que me apetezca más que quedarme, pero Miranda me tiene ahora mismo entre la espada y la pared. Te llamaré luego.

En la oficina, lógicamente, no había un alma. Seguro que todas estaban desayunando en Pastis con sus novios inversores. Me senté a mi mesa, respiré hondo y marqué. Por fortuna monsieur Renuad, el conserje, estaba disponible.

—Andrea, querida, ¿cómo le va? Estamos encantados de tener a Miranda y a las gemelas otra vez con nosotros —mintió. Emily me contó que Miranda se alojaba en el Ritz con tal frecuencia que todo el personal del hotel las conocía, a ella y a las chicas, por sus nombres.

—Claro, monsieur Renuad, y sé que ella está encantada de estar de nuevo con ustedes —mentí a mi vez. Pese a ser un conserje de lo más complaciente, Miranda siempre encontraba defectos a todo lo que hacía. El hombre, sin embargo, seguía intentándolo y jamás dejaba de mentir sobre lo mucho que apreciaba a Miranda—. Oiga, deseaba saber si el coche que envió al aeropuerto privado ha vuelto ya.

—Por supuesto, querida. Hace horas. El chófer regresó antes de las ocho de la mañana. Envié al mejor de la plantilla —añadió con orgullo.

Si supiera lo que su mejor chófer había tenido que pasear por la ciudad.

—Qué extraño, porque he recibido un mensaje de Miranda en el que me dice que no ha recibido el paquete, pero he hablado con el chófer de Nueva York y jura que lo dejó en el aeropuerto, el piloto jura que lo llevó a París y lo entregó al conductor, y usted dice que lo vio regresar con el paquete. ¿Cómo es posible que Miranda no lo haya recibido?

—Creo que la única manera de averiguarlo es preguntárselo

a ella personalmente —propuso el hombre con fingida alegría—. ¿Por qué no se la paso?

Había esperado contra toda esperanza que no llegara ese momento, que hubiera sido capaz de identificar y solucionar el problema sin tener que hablar con Miranda. ¿Qué podía decirle si todavía insistía en que no había recibido el paquete? ¿Debía aconsejarle que mirara en la mesa de su suite, donde seguro que se lo habían dejado unas horas antes? ¿O debía organizarlo todo otra vez, el avión privado y lo demás, y conseguir que le llegaran otros dos ejemplares antes de que terminara el día? Quizá la próxima vez debería contratar a un agente secreto que no se separara de los libros en todo el viaje para que nada impidiera su llegada. Algo que debía tener en cuenta.

—Claro, monsieur Renuad. Y gracias por su ayuda.

Unos cuantos clics y el teléfono empezó a sonar. Estaba sudando ligeramente. Me sequé la palma de la mano en los pantalones de chándal y traté de no pensar en qué ocurriría si Miranda descubriera que llevaba pantalones de chándal en su oficina. Mantén la calma y la confianza en ti misma, me dije. Ella no puede destriparte por teléfono.

—¿Sí? —oí a lo lejos.

La voz me sacó de mis pensamientos de autoayuda. Era Caroline, quien, con apenas ocho años, había asimilado a la perfección el brusco estilo telefónico de su madre.

—Hola, cariño —canturreé mientras me odiaba por hacerle la pelota a una niña—. Soy Andrea, de la oficina. ¿Está tu mamá?

—Querrás decir mi madre —me corrigió, como siempre hacía cuando preguntaba por su «mamá»—. Voy a avisarla.

Instantes después oí la voz de Miranda.

—¿Qué pasa, An-dre-aaa? Más vale que sea importante. Ya sabes lo que opino de que me interrumpan cuando estoy con las niñas —declaró con su tono frío y cortante.

¿Ya sabes lo que opino de que me interrumpan cuando estoy con las niñas? ¿Me tomas el pelo? ¿Crees que llamo por gusto? ¿Porque no soportaba pasar un solo fin de semana sin escuchar tu repugnante voz? ¿Y qué hay de mí cuando estoy con mis chicas? Pensaba que iba a desmayarme de rabia, pero respiré hondo y me lancé.

—Miranda, lamento que sea un mal momento, pero llamo para comprobar si has recibido los libros de Harry Potter. He oído el mensaje en el que decías que todavía no te habían llegado, pero he hablado con todo el mundo y...

Me interrumpió a media frase y habló despacio y con firmeza.

—An-dre-aaa, tendrías que escuchar con más atención. Yo no dije tal cosa. Recibimos el paquete esta mañana temprano. De hecho, tan temprano que nos despertaron a todos por esa tontería.

No podía creer lo que estaba oyendo. No había soñado que ella dejara un mensaje, ¿verdad? Aún era demasiado joven incluso para un Alzheimer prematuro, ¿o no?

—Lo que dije fue que no recibimos dos ejemplares del libro, como había ordenado. El paquete solo contenía uno y sin duda imaginas la desilusión que se llevaron las niñas. Estaban deseando tener cada una su libro, tal como había indicado. Necesito que me expliques por qué no se han cumplido mis órdenes.

Eso no estaba ocurriendo. No podía estar ocurriendo. Decididamente estaba soñando, viviendo una existencia en otro universo donde todo lo que rozaba la lógica quedaba suspendido indefinidamente. No quería ni permitirme reflexionar sobre la absurda situación en que me encontraba.

—Miranda, recuerdo que solicitaste dos ejemplares y pedí dos ejemplares —tartamudeé, y una vez más me odié por ser tan complaciente—. Hablé con la chica de Scholastic y estoy segura de que comprendió que querías dos libros, de modo que no consigo entender...

—An-dre-aaa, sabes lo que opino de las excusas. Ahora mismo no tengo especial interés en oír las tuyas. Espero que no vuelva a ocurrir, ¿entendido? Eso es todo. —Y colgó.

Permanecí cinco minutos con el auricular pegado a la oreja, oyendo los pitidos. La mente se me disparó. ¿Tenía alguna posibilidad de matarla?, me pregunté mientras calculaba las probabilidades de que me descubrieran. ¿Sabrían de inmediato que había sido yo? Qué va, me dije, todo el mundo, cuando menos en *Run-*

way, tenía algún motivo. ¿Poseía entereza emocional suficiente para verla morir lenta y dolorosamente? Sí, al menos de eso estaba segura... ¿Cuál sería la forma más placentera de acabar con su despreciable existencia?

Colgué lentamente el auricular. ¿Era posible que hubiera entendido mal su mensaje? Cogí rápidamente mi móvil y lo pasé de nuevo. «An-dre-aaa, soy Mi-raaan-da. Son las nueve de la mañana del domingo en París y las niñas todavía no han recibido sus libros. Llámame al Ritz para confirmarme que no tardarán en llegar. Eso es todo.» No había ningún error. Miranda había recibido un ejemplar en lugar de dos, pero quiso deliberadamente darme la impresión de que yo había cometido un tremendo error que podía terminar con mi carrera. Había telefoneado a las nueve de la mañana, hora parisina, sin importarle que para mí fueran las tres de la noche de mi mejor fin de semana del año. Había llamado para sacarme un poco más de quicio, para apretarme un poco más las tuercas. Había llamado para retarme a desafiarla. Había llamado para hacer que la odiara todavía más.

7

La fiesta de Fin de Año en casa de Lily fue agradable y discreta, un montón de vasos de papel con champán y un montón de gente del *college* más los que lograron colarse. A mí nunca me ha entusiasmado la Nochevieja. No recuerdo quién la llamó por primera vez Noche de Aficionados (creo que fue Hugh Hefner), refiriéndose a que él salía los otros 364 días del año, pero estoy de acuerdo. Tanta bebida y tanta juerga forzada no te garantizaban que fueras a pasártelo bien. Así pues, Lily había decidido ofrecer una fiestecita para ahorrarnos a todos los ciento cincuenta dólares que costaba entrar en las discotecas o, peor aún, congelarnos en Times Square. Cada uno llevó una botella de algo no demasiado venenoso, ella repartió matracas y diademas brillantes y nos emborrachamos y brindamos por el Año Nuevo en su azotea con vistas al Harlem hispánico. Aunque todos bebimos más de la cuenta, para cuando la gente se hubo marchado Lily estaba para el arrastre. Ya había vomitado dos veces y me preocupaba dejarla sola en su apartamento, así que Alex y yo le preparamos una bolsa y la subimos a un taxi con nosotros. Dormimos todos en mi casa, Lily en el futón de la sala, y al día siguiente desayunamos en un bufet libre.

Me alegraba que se hubieran acabado las fiestas. Había llegado la hora de proseguir con mi vida y ponerme en serio con mi trabajo. Aunque tenía la sensación de que llevaba trabajando una década, de hecho estaba empezando. Abrigaba la esperanza de que las cosas cambiaran cuando comenzara a trabajar con Miranda cara a cara. Por teléfono todo el mundo podía ser un monstruo sin corazón, sobre todo si esa persona se sentía incómoda estando de vacaciones y alejada del trabajo. Yo estaba convencida de que las penalidades de ese primer mes darían paso a una situación totalmente nueva y estaba impaciente por vivir el proceso.

Eran poco más de las diez de la mañana de un frío 5 de enero y estaba, de hecho, contenta de hallarme en el trabajo. ¡Contenta! Emily hablaba efusivamente de un tipo que había conocido en una fiesta de Fin de Año en Los Ángeles, un «compositor de canciones con mogollón de futuro», que había prometido ir a verla a Nueva York en las siguientes dos semanas. Yo charlaba con un ayudante de belleza que se sentaba al final del pasillo, un chico encantador que acababa de diplomarse por Vassar y cuyos padres todavía no sabían —pese al *college* que había elegido y pese a ser ayudante de belleza de una revista de moda— que se acostaba con hombres.

—Por favor, ven conmigo, te prometo que será muy divertido. Te presentaré a tíos buenos, Andy. Tengo algunos amigos hetero impresionantes. Además, es la fiesta de Marshall, seguro que será genial —canturreó James, inclinado sobre mi mesa mientras yo consultaba mi correo electrónico.

Emily seguía describiendo por teléfono su encuentro con el cantante melenudo.

—Iría, te aseguro que iría, pero quedé en salir con mi novio esta noche antes de Navidad —expliqué—. Hace semanas que queremos salir solos a cenar y la última vez tuve que anular la cita.

—¡Pues queda con él después! Venga ya, no todos los días tienes la oportunidad de conocer al especialista en tintes con más talento del mundo civilizado. Y habrá un montón de gente famosa y todos estarán guapísimos y... ¡en fin, solo sé que será la fiesta más glamourosa de la semana! La organización corre a cargo de Harrison y Shriftman, ¿qué más quieres? Di que sí.

Puso ojitos de cachorro y me eché a reír.

—James, me encantaría ir, de veras, ¡si nunca he estado en el Plaza! Pero no puedo cambiar mis planes. Alex ha hecho una reserva en un pequeño restaurante italiano cerca de su casa y es imposible cambiarla.

Sabía que no podía anular la cita y tampoco quería. Deseaba pasar la velada a solas con Alex y enterarme de cómo le iba con su nuevo programa extraescolar, aunque lamentaba que coincidiera con la noche de la fiesta. Llevaba toda la semana leyendo sobre ella en los periódicos; por lo visto todo Manhattan esperaba con impaciencia que Marshall Madden, extraordinario especialista en tintes capilares, celebrara su acostumbrada superfiesta post-Año Nuevo. Aseguraban que ese año sería aún más sonora porque acababa de publicar un nuevo libro, *Tíñeme, Marshall*. Yo no iba a dejar plantado a mi novio por una fiesta de famosos.

—Muy bien, pero luego no digas que nunca te invito a ningún sitio. Y mañana no me vengas llorando cuando leas en *Page Six* que me vieron con Mariah o J-Lo.

Se alejó resoplando, fingiendo indignación, aunque siempre parecía estar amoscado.

Hasta el momento, la semana posterior a Año Nuevo había transcurrido con tranquilidad. Seguíamos abriendo y clasificando regalos —esa mañana me había tocado desenvolver unos impresionantes Jimmy Choo de tacón de aguja con incrustaciones de Swarovski—, pero ya no quedaba ninguno por enviar y los teléfonos permanecían silenciosos porque todavía había mucha gente fuera de la ciudad. Miranda tenía previsto regresar de París a finales de semana, pero no aparecería por la oficina hasta el lunes. Emily opinaba que yo ya estaba preparada para tratarla, y yo también. Habíamos repasado hasta el último detalle y yo tenía un bloc entero lleno de notas. Le eché otra ojeada confiando en recordarlo todo. Café: solo Starbucks, grande y con leche, dos terrones de azúcar sin refinar, dos servilletas, un agitador. Desayuno: de Mangia, 555-3948, un brioche con queso cremoso, cuatro lonjas de beicon y dos salchichas. Periódicos: quiosco del vestíbulo, *New York Times*, *Daily News*, *New York Post*, *The Financial Times*, *The Washington Post*, *USA Today*, *The Wall Street Journal*, *Women's Wear Daily* y, los miércoles, *New York Observer*. Semanarios, disponibles los lunes: *Time*, *Newsweek*, *U.S. News*, *The New Yorker* (!), *Time Out New York*, *New York Magazine*, *The Economist*. Y así todo. Las flores que adoraba y las que detestaba; el nombre, la dirección y el teléfono personal de sus médicos y servicio doméstico; sus tentempiés favoritos; su agua mineral favorita; sus tallas en todas las prendas de vestir, desde la ropa interior hasta las botas de esquiar. Hice una lista de la gente con la que quería hablar siempre, y otra con las personas con quienes no quería hablar nunca. Yo escribía, escribía y escribía mientras Emily desvelaba información a lo largo de nuestras semanas juntas, y cuando terminamos tuve la sensación de que no había nada que no supiera de Miranda Priestly. Salvo, naturalmente, qué era eso que la hacía tan importante como para que yo hubiera llenado un bloc entero con sus gustos y aversiones. ¿Por qué debía importarme todo eso?

—Es un tipo increíble —aseguró Emily con un suspiro retorciendo el cable del teléfono con el dedo índice—. Ha sido el fin de semana más romántico de mi vida.

¡Ping! «Tiene un mensaje de Alexander Fineman. Para abrirlo, haga clic aquí.» Oooh, genial. Elias-Clark había anulado el mensajero instantáneo, pero por alguna razón yo todavía recibía al instante la notificación de que me había llegado un nuevo correo electrónico.

> Hola, nena, ¿cómo te va el día? Por aquí, una locura, como siempre. ¿Recuerdas que te conté que Jeremiah había amenazado a todas las niñas con un cúter que trajo de su casa? Pues bien, no bromeaba, porque hoy ha traído otro, y ha hecho un corte en el brazo a una niña y la ha llamado zorra. La herida no era profunda, pero cuando el profesor le preguntó por qué lo había hecho, dijo que había visto al novio de su mamá hacerle lo mismo a esta. Tiene seis años, Andy, ¿puedes creerlo? El caso es que el director ha convocado una reunión extraordinaria esta noche y me temo que no podré cenar contigo. ¡Lo siento muchísimo! De todos modos, debo confesar que me alegro de que estén reaccionando, es más de lo que esperaba. Lo comprendes, ¿verdad? No te enfades, te lo ruego. Te llamaré más tarde y prometo compensarte. Te quiero, A.

¿No te enfades, te lo ruego? ¿Espero que lo comprendas? ¿Uno de sus alumnos de segundo había acuchillado a otro y esperaba que no me enfadara porque anulara la cena? Yo, que una noche le había plantado porque pensaba que todo un día dando vueltas en una limusina y envolviendo regalos era demasiado agotador. Quería echarme a llorar, telefonearle y decirle que no solo no estaba enfadada, sino orgullosa de él por preocuparse por esos chicos, por dar prioridad a su trabajo. Pulsé «responder» y me dispuse a escribir todo eso cuando oí mi nombre.

—¡Andrea, viene hacia aquí! Llegará dentro de diez minutos —anunció Emily en voz alta, esforzándose por no perder la calma.

—¿Eh? Lo siento, no he oído lo que...

—Miranda viene hacia aquí. Tenemos que prepararnos.

—¿Que viene hacia aquí? Pensaba que ni siquiera tenía pensado regresar al país antes del sábado...

—Pues está claro que ha cambiado de parecer. ¡Y ahora muévete! Ve al quiosco, recoge sus periódicos y colócalos exactamente como te he enseñado. Cuando hayas terminado, pasa un trapo por la mesa y deja un vaso de Pellegrino con hielo y lima en el lado izquierdo. Y asegúrate de que no falte nada en el cuarto de baño, ¿entendido? ¡Venga! Ya está en el coche, así que llegará en menos de diez minutos dependiendo del tráfico.

Mientras salía de la oficina oí a Emily marcar extensiones como una posesa y exclamar: «Viene hacia aquí, avisa a todo el mundo». Apenas tardé tres segundos en salvar los pasillos y cruzar el departamento de moda, pero ya oía gritos de pánico: «Emily dice que viene hacia aquí», «¡Miranda está a punto de llegar!», además de un chillido especialmente espeluznante de «¡Ha vueeelto!». Los ayudantes corrían a enderezar la ropa de los percheros que flanqueaban los pasillos y las redactoras entraban a toda prisa en sus despachos. Vi a una cambiarse los zapatos bajos por unos de tacón de aguja de diez centímetros, mientras otra se pintaba los labios, se rizaba las pestañas y se ajustaba la tira del sujetador sin detenerse a respirar. Cuando un editor salió del lavabo de caballeros, divisé detrás de él a James, que comprobaba muy nervioso si su jersey de cachemir negro tenía pelusa mientras se metía un Altoids en la boca. Ignoraba cómo se había enterado de que Miranda estaba en camino, a menos que el lavabo de caballeros contara con altavoces para esa clase de emergencias.

Me habría encantado detenerme a observar el desarrollo de la escena, pero disponía de menos de diez minutos para causar una impresión impecable a esa mujer y no tenía intención de estropearlo. Hasta ese momento había tratado de aparentar sosiego pero, en vista de la falta de dignidad de que hacían gala todos los demás, eché a correr.

—¡Andrea! Sabes que Miranda viene hacia aquí, ¿verdad? —exclamó Sophy cuando crucé disparada la recepción.

—Sí, pero ¿cómo lo sabes tú?

—Bomboncito, yo lo sé todo. Te aconsejo que te pongas las pilas. Si hay una cosa clara es esta: a Miranda Priestly no le gusta que le hagan esperar.

Me zambullí en el ascensor y le di las gracias.

—¡Estaré de vuelta con los periódicos en menos de tres minutos!

Las dos mujeres que viajaban en el ascensor me miraron con desdén y me di cuenta de que estaba gritando.

—Lo siento —me disculpé mientras trataba de recuperar el aliento—. Acabamos de enterarnos de que nuestra directora viene hacia aquí y no la esperábamos, así que estamos todos un poco nerviosos.

¿Por qué les estaba dando explicaciones?

—¡Ostras, tú debes de trabajar para Miranda! Espera, déjame adivinar, eres su nueva ayudante. Andrea, ¿verdad?

La morenita de piernas largas me mostró al menos cuatro docenas de dientes radiantes y se acercó como una piraña. A su amiga se le iluminó la cara.

—Sí, soy Andrea —dije, repitiendo mi nombre como si no estuviera totalmente segura de que fuera mío—. Y sí, soy la nueva ayudante de Miranda.

En ese momento las puertas del ascensor se abrieron al deslumbrante mármol blanco del vestíbulo. Me adelanté y salí antes de que las puertas se hubieran abierto del todo. Mientras me alejaba, una de las mujeres vociferó:

—Eres una chica con suerte, Andrea. ¡Miranda es una mujer increíble y millones de chicas darían un ojo de la cara por tener tu empleo!

Evité chocar con un grupo de abogados de aspecto descontento que seguro que salían de una comida de trabajo y casi llegué volando al quiosco situado en un rincón del vestíbulo, donde un hombrecito kuwaití llamado Ahmed presidía una exposición impecable de revistas y un surtido algo escaso de chucherías y refrescos sin azúcar. Emily nos había presentado antes de Navidad como parte de mi proceso de formación y confié en que ahora pudiera echarme una mano.

—¡Detente! —exclamó cuando empecé a coger periódicos de los estantes—. Eres la nueva chica de Miranda, ¿verdad? Ven aquí.

Me volví y vi que Ahmed se agachaba y hurgaba debajo de la caja registradora con la cara roja a causa del esfuerzo.

—¡Ajá! —volvió a exclamar al tiempo que se incorporaba con la agilidad de un viejo con las dos piernas rotas—. Toma. Te los aparto cada día para que no me destroces la parada. Bueno, y puede que para asegurarme de que no te quedes sin ellos.

Me guiñó un ojo.

—Gracias, Ahmed. No imaginas lo mucho que me has ayudado. ¿Crees que debería llevarme también las revistas?

—Claro. Ya es miércoles y salieron el lunes. Probablemente a tu jefa no le haga ninguna gracia —dijo sagazmente.

Hurgó de nuevo debajo de la caja registradora y se levantó con una pila de revistas. Eché una rápida ojeada y comprobé que estaban todas las que tenía anotadas en la lista, ni una más ni una menos.

Identificación, identificación, ¿dónde demonios había metido la maldita tarjeta de identificación? Introduje la mano en mi blusa blanca y encontré el acollador de seda que Emily me había fabricado con un pañuelo Hermès blanco de Miranda. «Jamás lleves la tarjeta de identificación a la vista delante de Miranda —me había advertido— pero, en el caso de que se te olvide quitártela, al menos no la llevarás en una cadena de plástico.» Emily casi había escupido las últimas palabras.

—Toma, Ahmed. Muchísimas gracias por tu ayuda, pero tengo mucha prisa. Miranda viene hacia aquí.

Ahmed deslizó la tarjeta por el lector y devolvió el acollador de seda a mi cuello como si se tratara de una guirnalda de flores.

—¡Y ahora corre!

Cogí la bolsa de plástico y eché a correr mientras volvía a extraer la tarjeta de identificación para pasarla por los torniquetes de seguridad que me permitirían entrar en la zona de los ascensores de Elias-Clark. Nada. La pasé de nuevo y empujé, esta vez con más fuerza. Nada. Desde el mostrador de seguridad, Eduardo, el vigilante rollizo y sudoroso, cantó con voz aguda los dos primeros versos de «Material Girl».

Mierda. Ya sé, sin necesidad de mirar, que su sonrisa conspiradora y enorme me está exigiendo una vez más —tal como ha hecho durante las últimas semanas— que le siga la corriente. Por lo visto posee un repertorio interminable de melodías irritantes que adora cantar, y no me deja cruzar los torniquetes a menos que las represente. Ayer fue «I'm too sexy». Mientras la entonaba, yo tenía que caminar por la pista imaginaria del vestíbulo. Cuando estoy de buen humor puede resultar divertido, a veces hasta me hace sonreír, pero ese era mi primer día con Miranda y tenía que organizar sus cosas sin demora. Me dieron ganas de acogotarlo por tenerme retenida mientras el resto de la gente cruzaba felizmente los torniquetes situados a ambos lados de mi persona.

Canturreé a mi vez la canción alargando y ahogando las palabras, como hacía Madonna.

Eduardo enarcó las cejas.

—¡Un poco más de entusiasmo, muchacha!

Sospechando que podría reaccionar con violencia si volvía a oír su voz, dejé la bolsa sobre el mostrador, elevé los brazos y di un golpe de cadera hacia la izquierda mientras hacia morritos con los labios. Canté a voz en grito. Eduardo rió, aplaudió y silbó. Y me dejó pasar.

Nota recordatoria: discutir con Eduardo cuándo y dónde era aceptable obligarme a hacer el ridículo. Me zambullí en el ascensor y pasé a toda velocidad por delante de Sophy, que tuvo el detalle de abrir las puertas de cristal antes de que yo se lo pidiera. Hasta me acordé de detenerme en una de las minicocinas y poner hielo en uno de los vasos Baccarat que guardábamos en un armario situado sobre el microondas para uso exclusivo de Miranda. Con el vaso en una mano y los periódicos en la otra, doblé la esquina y me di de bruces con Jessica, también conocida como Chica Manicura. Estaba irritada y muerta de miedo.

—Andrea, ¿eres consciente de que Miranda viene hacia aquí? —preguntó mirándome de arriba abajo.

—Claro. Aquí tengo los periódicos y el agua. Ahora solo tengo que llegar a su despacho. Si me disculpas...

—¡Andrea! —exclamó mientras me alejaba corriendo y un cubito de hielo salía volando hacia la sección artística—. ¡No olvides cambiarte de zapatos!

Me detuve en seco y bajé la vista. Calzaba unas zapatillas de deporte de todo trote, de esas que no estaban diseñadas exclusivamente para darte un aire moderno. Las reglas del vestir —tácitas y no tan tácitas— se relajaban cuando Miranda estaba ausente, y aunque los empleados tenían un aspecto fantástico, todos llevaban algo que ni por asomo se hubieran atrevido ponerse delante de Miranda. Mis zapatillas de deporte de rejilla rojas eran un ejemplo.

Cuando llegué a nuestra oficina estaba sudando.

—Hola, traigo todos los periódicos y también he comprado las revistas por si las moscas. El único problema es que me temo que no puedo llevar este calzado. ¿Tú qué opinas?

Emily se arrancó el auricular de la oreja y lo estampó contra la mesa.

—Por supuesto que no. —Cogió el teléfono, marcó cuatro números y dijo—: Jeffy, tráeme unos Jimmy del número... —Me miró.

—Treinta y nueve. —Saqué una botella de Pellegrino del armario y llené el vaso.

—Treinta y nueve. No, ahora. No, Jeff, hablo en serio. Ahora mismo. Maldita sea, Andrea lleva unas deportivas, unas deportivas rojas, y Ella llegará en cualquier momento. Muy bien, gracias.

Fue entonces cuando observé que, en los cuatro minutos que yo había estado ausente, Emily se había cambiado los tejanos gastados por un pantalón de cuero y sus modernas zapatillas de deporte por unas sandalias con tacón de aguja. También había limpiado la oficina, guardado los objetos que había sobre nuestras mesas en cajones y apilado en el armario los regalos que todavía no habían sido enviados a casa de Miranda. Además, se había aplicado una nueva capa de brillo en los labios y colorete en las mejillas, y ahora me indicaba que espabilara.

Llevé los periódicos al despacho y los coloqué sobre una mesa iluminada por debajo donde Emily decía que Miranda se pasaba horas examinando los negativos de las sesiones fotográficas. También era donde quería que le dejaran la prensa, así que volví a consultar el orden correcto en mi bloc. Primero el *New York Times*, seguido del *Wall Street Journal* y el *Washington Post*. Fui colocando cada ejemplar ligeramente desplazado del anterior hasta formar un abanico que abarcaba toda la mesa. *Women's Wear Daily* era la única excepción; había que ponerlo en medio del escritorio.

—¡Ya está aquí! Andrea, sal de ahí, Miranda está subiendo —oí susurrar a Emily desde la oficina—. Uri acaba de llamar para decirme que la ha dejado en la puerta.

Puse *WWD* encima del escritorio, coloqué el vaso de Pellegrino sobre una servilleta de hilo en una esquina (¿qué lado?, no recordaba en qué lado iba) y salí disparada del despacho, no sin antes echar una última ojeada para asegurarme de que todo estaba en orden. Jeff, uno de los asistentes de moda encargados del ropero, me lanzó una caja de zapatos con una goma elástica alrededor y desapareció. La abrí a toda prisa. Dentro encontré unas sandalias Jimmy Choo con tiras de pelo de camello y sendas hebillas en el centro, probablemente de ochocientos dólares. ¡Mierda! Tenía que ponérmelas al instante. Me quité las zapatillas de deporte y los calcetines, ahora sudados, y lo metí todo debajo de mi mesa. El pie derecho entró con facilidad, pero mi rolliza uña no conseguía abrir la hebilla del izquierdo. ¡Por fin! La abrí y deslicé el pie izquierdo, y de inmediato sentí que las tiras me mordían la carne.

Segundos más tarde ya la tenía abrochada y me estaba incorporando cuando entró Miranda.

Paralizada. Quedé paralizada a medio camino mientras mi mente funcionaba con la suficiente agilidad para comprender que mi aspecto debía de ser ridículo, pero no con la suficiente agilidad para hacer que me moviera. Miranda reparó en mí al instante, probablemente porque esperaba ver a Emily sentada frente a su antigua mesa, y se acercó. Se apoyó en el mostrador que había delante de mi escritorio y se asomó poco a poco, hasta que pudo verme al completo mientras yo permanecía inmóvil en mi silla. Sus brillantes ojos azules se desplazaron arriba y abajo, a izquierda y derecha, por mi blusa, mi minifalda roja de pana Gap y mis Jimmy Choo de pelo de camello. Noté que examinaba hasta el último centímetro de mi cuerpo, piel, pelo y ropa, moviendo los ojos con rapidez pero con el semblante inmóvil. Se inclinó un poco más, hasta que tuve su rostro a treinta centímetros del mío y puede aspirar el fabuloso olor a perfume caro y a champú de peluquería. Tan cerca la tenía que advertí las finísimas líneas que le rodeaban la boca y los ojos, inapreciables a una distancia más relajada. No obstante, no fui capaz de mirarle la cara mucho más tiempo porque ella estaba examinando atentamente la mía. No percibí la menor señal de que cayera en la cuenta de que *a*) ya nos conocíamos; *b*) yo era su nueva empleada, o *c*) yo no era Emily.

—Hola, señora Priestly —aullé impulsivamente pese a saber, en algún lugar de mi mente, que ella aún no había abierto la boca. La tensión, no obstante, era insoportable y no pude refrenarme—. Estoy encantada de trabajar para usted. Le agradezco muchísimo la oportunidad que...

¡Calla! ¡Calla, boca estúpida! Hablando de falta de dignidad.

Miranda terminó su repaso y se alejó del mostrador mientras yo seguía tartamudeando. Notaba que el calor me subía por el rostro, un sofoco fruto de la confusión, el dolor y la humillación, y la mirada enfurecida de Emily no me hizo sentir mejor. Levanté con brusquedad mi cara sofocada y comprobé que, efectivamente, Emily me observaba.

—¿Está el Boletín al día? —preguntó Miranda a nadie en particular mientras entraba en su despacho, y advertí con alegría que iba directa a la mesa donde yo había dispuesto los periódicos.

—Sí, Miranda, aquí está —respondió Emily corriendo tras ella y tendiéndole la tablilla sujetapapeles donde colocábamos por orden de llegada todos los mensajes de Miranda.

A través de las fotos enmarcadas que decoraban las paredes pude observar cómo Miranda deambulaba deliberadamente por su despacho; si me concentraba en el cristal en lugar de las fotos, veía su reflejo. Emily comenzó enseguida a trabajar en su mesa y se hizo el silencio. ¿No podemos hablar entre nosotras ni con otras personas cuando ella está en la oficina?, me pregunté. Envié la pregunta por correo electrónico a Emily y vi cómo la recibía y la leía. Su respuesta no se hizo esperar: «Exacto —escribió—. Si tú y yo tenemos que hablar, susurramos. Si no, silencio. Y NUNCA te dirijas a ella a menos que ella se dirija a ti. Y NUNCA la llames señora Priestly, es Miranda, ¿entendido?». Una vez más, tuve la impresión de que me daban un azote, pero levanté la vista y asentí con la cabeza. Fue entonces cuando reparé en el abrigo. Allí estaba, una gran masa de fabulosas pieles sobre la esquina de mi mesa, con una manga colgando. Miré a Emily, que puso los ojos en blanco, señaló el armario con una mano y movió los labios para formar la palabra «¡Cuélgalo!». Pesaba tanto como un edredón recién salido de la lavadora y necesité las dos manos para evitar que barriera el suelo. Lo colgué con cuidado en una percha de seda y cerré sigilosamente el armario.

No había vuelto aún a mi silla cuando Miranda apareció a mi lado, y esta vez sus ojos pudieron abarcar mi cuerpo por entero. Por imposible que pareciera, sentí que cada parte de mi cuerpo ardía en cuanto ella la miraba, pero estaba paralizada, incapaz de regresar a mi asiento. Justo cuando estaba a punto de arderme el pelo, sus implacables ojos azules se detuvieron finalmente en los míos.

—Quiero mi abrigo —dijo con calma, mirándome directamente a los ojos, y me pregunté si se estaba preguntando quién era yo o si, por el contrario, no había notado ni le importaba lo más mínimo que una relativa extraña ejerciera las funciones de su ayudante.

No hubo ni un destello de reconocimiento por su parte, a pesar de que mi entrevista con ella había tenido lugar un mes antes.

—Enseguida —logré farfullar, y procedí a alcanzar el abrigo, lo cual no era fácil porque Miranda se hallaba entre el armario y yo.

Coloqué el cuerpo de canto para no rozarla y abrí la puerta que acababa de cerrar. Ella no se desplazó ni un solo centímetro para dejarme pasar y advertí que sus ojos habían reanudado la inspección. Por fin, afortunadamente, mis manos consiguieron cerrarse en torno al pelaje y saqué el abrigo con cuidado. Me dieron ganas de lanzárselo para ver si lo cogía, pero me contuve y lo abrí como haría un caballero. Miranda se deslizó en su interior con un único y grácil movimiento, y recogió su móvil, el único artículo que había llevado al despacho.

—Quiero el Libro esta noche, Emily —dijo al tiempo que salía de la oficina con paso firme, probablemente sin reparar en las tres mujeres apiñadas en el pasillo que se dispersaron nada más verla, con el mentón pegado al pecho.

—Muy bien, Miranda. Me encargaré de que Andrea te lo lleve.

Y desapareció. Eso fue todo. La visita que había generado pánico, preparativos frenéticos y hasta retoques de maquillaje e indumentaria en toda la oficina había durado menos de cuatro minutos y había tenido lugar —según observaron mis inexpertos ojos— sin motivo aparente.

8

—No te vuelvas —dijo James con la boca tan quieta como la de un ventrílocuo—, pero diviso a Reese Witherspoon a las tres en punto.

Me volví rápidamente mientras James hacía una mueca de dolor. Efectivamente, allí estaba Reese, bebiendo champán y riendo con la cabeza echada hacia atrás. No quería dejarme impresionar, pero no pude evitarlo: era una de mis actrices favoritas.

—James, querido, me alegro tanto de que hayas venido a mi fiestecita —dijo un hombre guapo y delgado que se nos había acercado por detrás—. ¿Y a quién tenemos aquí?

Se besaron.

—Marshall Madden, el gurú del color, Andrea Sachs. Andrea es...

—La nueva ayudante de Miranda —terminó Marshall con una sonrisa—. Lo sé todo sobre ti, pequeña. Bienvenida a la familia. Espero que vengas a verme. Te prometo que juntos conseguiremos suavizar tu aspecto. —Deslizó delicadamente su mano por mi cabellera y alzó las puntas, que enseguida colocó al lado de las raíces—. Sí, un toque de color miel y serás la próxima supermodelo. Pide mi teléfono a James, ¿de acuerdo, encanto?, y ven a verme cuando tengas un momento. Probablemente sea más fácil decirlo que hacerlo —canturreó mientras se alejaba flotando en dirección a Reese.

James suspiró y le miró con admiración.

—Es un genio —afirmó—. Sencillamente el mejor. Lo más. Un hombre entre niños, como mínimo. Y guapísimo.

¿Un hombre entre niños? Qué extraño. Las veces que había oído esa expresión siempre me había imaginado a Shaquille O'Neal avanzando hacia la canasta frente a una pequeña resistencia, no a un experto en tintes.

—Es guapísimo, en eso estoy de acuerdo contigo. ¿Has salido con él?

Parecía la pareja perfecta: el redactor de belleza de *Runway* y el especialista en tintes más codiciado del mundo libre.

—Ojalá. Lleva cuatro años con el mismo tío, ¿puedes creerlo? Cuatro años. ¿Desde cuándo los gays guapos tienen permitido ser monógamos? ¡No es justo!

—Cuánta razón tienes. ¿Desde cuándo los hetero guapos tienen permitido ser monógamos? Claro que, sin son monógamos conmigo, me parece justo.

Di una profunda calada a mi cigarrillo y dibujé un aro de humo casi perfecto.

—Reconócelo, Andy, te alegras de haber venido. Júrame que esta no es la mejor fiesta del mundo —exclamó con una sonrisa.

Había aceptado a regañadientes acompañar a James después de que Alex anulara nuestra cita, más que nada porque me insistió hasta la saciedad. Parecía prácticamente imposible que pudiera haber algo interesante en una fiesta que celebraba la publicación de un libro sobre mechas, pero tenía que reconocer que me había llevado una grata sorpresa. Cuando Johnny Depp se acercó a saludar a James, me sorprendió no solo que pareciera dominar por completo el inglés, sino que hubiera conseguido soltar algunos chistes graciosos. Y me satisfizo enormemente comprobar que Gisele, la más in de todas las chicas in del momento, era decididamente baja. Por supuesto, me habría gustado aún más descubrir que, en realidad, era achaparrada o tenía un problema de acné que le corregían en sus encantadoras fotos de portada, pero me conformaba con lo de la estatura. Hasta el momento, no había sido una mala hora y media.

—Yo no diría tanto —repuse inclinándome hacia él para echar un vistazo a Moby, que estaba en un rincón, cerca de la mesa que exhibía el libro, con la cara larga—. Pero no es tan repugnante como había imaginado. Además, después del día que he tenido me habría apuntado a un bombardeo.

Tras la brusca partida de Miranda, acaecida poco después de su brusca llegada, Emily me había informado de que esa noche sería la primera vez que llevaría el Libro a casa de Miranda. El Libro era un conjunto de hojas unidas por una espiral tan grueso como una guía telefónica donde se maquetaba y componía el número actual de *Runway*. Emily me explicó que en la oficina nadie realizaba ningún trabajo productivo hasta que Miranda se iba a casa, porque todo el personal artístico y editorial se pasaba el día consultándole cosas y ella cambiaba de parecer a cada hora. Por lo tanto, el verdadero trabajo de la jornada comenzaba cuando Miranda se marchaba, en torno a las cinco, para pasar un rato con las gemelas. El departamento artístico creaba su nueva composición e introducía las fotos que acababan de llegar, y el departamento editorial retocaba e imprimía el ejemplar que al fin, al fin, había obtenido la aprobación de Miranda con un enorme y rizado «MP» que cubría toda la portada. Los redactores enviaban los cambios del día al ayudante artístico, quien, horas después de que el resto del personal se hubiera ido, pasaba las imágenes, composiciones y palabras por una pequeña máquina que enceraba el envés de las hojas, y luego las pegaba en la página pertinente del Libro. Terminado el Libro —algo que podía ocurrir en cualquier momento entre las ocho y las once de la noche, según en la fase del proceso de producción en que nos encontráramos—, yo debía llevarlo a casa de Miranda, donde ella lo llenaba de marcas. Al día siguiente lo traía y el personal repetía todo el proceso.

Cuando Emily me oyó decir a James que le acompañaría a la fiesta, enseguida me interrumpió.

—Supongo que sabes que no puedes moverte de aquí hasta que el Libro esté terminado.

La miré sin comprender. Tuve la impresión de que James quería estrangularla.

—Debo decir que esta es la parte de tu trabajo que más me alegro de haberme sacado de encima. A veces se hace tardísimo, pero Miranda necesita verlo cada noche. Trabaja en casa. De todos modos, esta noche esperaré contigo para enseñarte cómo se hace, pero a partir de mañana lo harás sola.

—Gracias. ¿Tienes idea de cuándo estará acabado?

—No, cada noche es diferente. Tendrías que preguntarlo al departamento artístico.

El Libro se terminó a las ocho y media de la noche y, tras recogerlo de las manos de una ayudante artística de aspecto agotado, Emily y yo bajamos juntas hasta la calle Cincuenta y nueve. Ella portaba un montón de perchas con prendas envueltas en plástico recién salidas de la tintorería. Me explicó que la tintorería siempre acompañaba al Libro. Miranda llevaba su ropa sucia a la oficina y a mí me correspondía, qué afortunada, llamar a la tintorería y comunicarles que teníamos mercancía. Sin más tardar, la tintorería enviaba al edificio Elias-Clark un empleado que recogía las prendas y las devolvía en perfectas condiciones al día siguiente. Nosotras la guardábamos en el armario de nuestra oficina hasta que podíamos entregársela a Uri o llevarla personalmente al apartamento de Miranda. Mi trabajo era, intelectualmente, cada vez más estimulante.

—¡Hola, Rich! —exclamó Emily con fingida alegría al tipo de la pipa que yo había conocido el primer día—. Te presento a Andrea. A partir de ahora ella llevará el Libro, así que asegúrate de darle un buen coche, ¿de acuerdo?

—Entendido, pelirroja. —El hombre se sacó la pipa de la boca y caminó hacia mí—. Cuidaré bien de la rubia.

—Genial. Ah, ¿puedes hacer que otro coche nos siga hasta el apartamento de Miranda? Andrea y yo vamos a sitios diferentes después de dejar el Libro.

Dos enormes Town Car aparecieron de la nada. El corpulento conductor del primero se bajó y nos abrió la portezuela. Emily subió primero, abrió de inmediato su móvil y dijo:

—A casa de Miranda Priestly, por favor.

El conductor asintió y partimos.

—¿Es siempre el mismo chófer? —pregunté, intrigada por el hecho de que conociera la dirección.

Emily me indicó que callara mientras dejaba un mensaje a su compañera de piso y luego respondió:

—No, pero la compañía tiene un número limitado de conductores. Cada uno me ha acompañado al menos veinte veces, así que ya conocen el camino. —Y siguió marcando números.

Miré atrás y vi cómo el segundo Town Car imitaba nuestros giros y paradas.

Nos detuvimos delante del típico edificio con conserje de la Quinta Avenida: acera inmaculada, balcones cuidados y lo que se adivinaba como un precioso vestíbulo de iluminación cálida. Un hombre vestido de esmoquin y sombrero se acercó rápidamente al coche y nos abrió la portezuela. Emily bajó. Me pregunté por qué no le dejábamos el Libro y la ropa a ese señor. Según tenía entendido —y no era mucho, sobre todo en lo relativo a esa extraña ciudad—, para eso estaban los conserjes. O sea, que era su trabajo. Pero Emily me tendió un llavero de cuero Louis Vuitton que acababa de sacar de su bolso Gucci.

—Yo esperaré aquí y tú subirás las cosas. Es el ático A. Abre la puerta y deja el Libro sobre la mesita de la entrada y la ropa en los colgadores que hay al lado. No dentro del armario, sino al lado del armario. Luego desaparece. Ni se te ocurra llamar al timbre o golpear la puerta. A Miranda no le gusta que la molesten. Limítate a entrar y salir en silencio.

Emily me entregó las perchas y abrió de nuevo su móvil. Muy bien, seguro que puedo hacerlo. ¿Tanto teatro por un libro y unos pantalones?

El ascensorista me sonrió amablemente y pulsó el botón del ático después de hacer girar una llave. Parecía una esposa apaleada, harta y triste, como si ya no pudiera seguir luchando y se hubiera resignado a su desdicha.

—Esperaré aquí —dijo con voz queda y mirando el suelo—. Será cosa de un minuto.

La alfombra de los pasillos era granate y a punto estuve de caerme cuando un tacón se enganchó en el tejido. Las paredes estaban tapizadas con una tela de color crema de rayitas y contra la pared descansaba un banco de ante del mismo tono. En la doble puerta que tenía justo delante se leía «Ático B»; pero al volverme vi otra idéntica con el rótulo «Ático A». Hice un gran esfuerzo para no llamar al timbre. Recordando la advertencia de Emily introduje la llave en la cerradura. Giró con facilidad y antes de que pudiera arreglarme el pelo o preguntarme qué habría al otro lado me encontré en un espacioso vestíbulo, oliendo las chuletas de cordero más increíbles del mundo. Y allí estaba ella, llevándose delicadamente un tenedor a la boca, mientras dos niñas idénticas se gritaban de un lado al otro de la mesa y un hombre alto de aspecto desabrido, pelo cano y una nariz que le abarcaba toda la cara leía el periódico.

—Mamá, ¡dile que no puede entrar en mi habitación así como así y llevarse mis tejanos! No me hace caso —dijo una chiquilla a Miranda, que había bajado el tenedor y estaba bebiendo un sorbo de lo que supe era Pellegrino con lima, desde el lado izquierdo de la mesa.

—Caroline, Cassidy, ya basta. No quiero volver a oír hablar del tema. Gabriel, traiga más gelatina de menta.

Un hombre que deduje era el cocinero entró en la estancia con un cuenco de plata sobre una bandeja a juego.

Entonces me di cuenta de que llevaba casi treinta segundos observando cómo cenaban. Todavía no me habían visto, pero lo harían en cuanto me dirigiera a la mesita del vestíbulo. Aunque lo hice con cautela, noté que todos se volvían. Justo cuando me disponía a saludar recordé el ridículo que había hecho ese mismo día, durante mi primer encuentro con Miranda, tartamudeando y balbuceando como una idiota, así que mantuve la boca cerrada. Mesita, mesita, mesita. Ahí estaba. Dejo el Libro en la mesita. Y ahora la ropa. Miré frenéticamente alrededor en busca del lugar donde debía colgar la ropa de la tintorería, pero no lograba concentrarme. En la mesa se había hecho el silencio y notaba que todos me observaban. Nadie me saludó. A las niñas no pareció sorprenderles que hubiera una completa desconocida en su casa. Por fin vi un pequeño armario para abrigos detrás de la puerta y conseguí encajar cada percha en la barra.

—Dentro del armario no, Emily —oí decir a Miranda lenta y deliberadamente—. En los colgadores dispuestos para ese uso preciso.

—Oh... esto, hola. —¡Idiota! ¡Cierra el pico! Miranda no quiere que digas nada. ¡Limítate a hacer lo que te dice! Pero era superior a mí. Resultaba demasiado extraño que nadie hubiera dicho hola, que nadie se hubiera preguntado quién era yo o, por lo menos, hubiera dado muestras de haber notado que alguien acababa de entrar en su apartamento. ¿Y lo de Emily? ¿Bromeaba? ¿Estaba ciega? ¿Era posible que no distinguiera que yo no era la chica que llevaba casi dos años trabajando para ella?—. Soy Andrea, Miranda, tu nueva ayudante.

Silencio. Un silencio omnipresente, insoportable, interminable, ensordecedor, debilitador.

Sabía que no debía seguir hablando, sabía que estaba cavando mi propia tumba, pero no podía contenerme.

—Estooo, lamento la confusión. La colocaré en los colgadores, como has dicho, y me iré. —¡Deja de dar explicaciones! A ella le importa un pimiento lo que estés haciendo, simplemente hazlo y lárgate—. Ya está. Que aproveche. Ha sido un placer conocerles.

Me volví para irme y caí en la cuenta de que no solo estaba haciendo el ridículo, sino que además decía estupideces. ¿Un placer conocerles? Si ni siquiera me habían presentado.

—¡Emily! —oí justo cuando mi mano alcanzaba el pomo de la puerta—. Emily, que esto no vuelva a suceder. No nos gustan las interrupciones.

El pomo giró solo y por fin me encontré en el rellano. La escena había durado menos de un minuto, pero tenía la sensación de haber cruzado el largo de una piscina olímpica buceando.

Me derrumbé en el banco y respiré hondo varias veces. ¡La muy bruja! La primera vez que me llamó Emily pudo ser un error, pero la segunda lo había hecho, sin duda, a propósito. ¿Qué mejor manera de humillar y marginar a alguien que insistir en llamarla por otro nombre después de haberse negado a advertir su presencia en su propia casa? Y puesto que yo ya era el ser vivo de menor rango en la revista, como Emily no había dejado de recordarme, ¿era realmente necesario que Miranda me lo recordase también?

Pensé en quedarme allí y pasarme la noche disparando balas mentales a las puertas del ático A, pero oí un carraspeo y al levantar la cabeza vi al triste ascensorista mirando el suelo y esperando pacientemente a que me uniera a él.

—Lo siento —dije, y entré en el ascensor arrastrando los pies.

—No se preocupe —susurró estudiando detenidamente el suelo de madera—. Se acostumbrará.

—¿Qué? Perdone, no he oído lo que...

—Nada, nada. Ya hemos llegado, señorita. Buenas noches.

La puerta se abrió al vestíbulo, donde encontré a Emily hablando a voz en grito por el móvil. Al verme lo cerró.

—¿Cómo ha ido? Supongo que bien.

Pensé en contarle lo ocurrido, deseé con todas mis fuerzas que fuera una compañera solidaria, que formáramos un equipo, pero sabía que solo podía esperar otro rapapolvo. Y en ese momento era lo último que me apetecía.

—Todo ha ido como la seda. Estaban cenando y me limité a dejar las cosas exactamente donde me dijiste.

—Bien. Harás eso cada noche. Luego el coche te llevará a casa. En fin, pásalo bien en la fiesta de Marshall. Me encantaría ir, pero tengo hora para depilarme las ingles y no puedo anularla. ¿Puedes creer que están a tope hasta dentro de dos meses? ¡En pleno invierno! Será por toda esa gente que hace vacaciones en esta época del año, ¿no crees? No entiendo por qué todas las mujeres de Nueva York necesitan que les depilen las ingles justo ahora. Es bien raro, pero qué se le va a hacer.

La cabeza me palpitaba al ritmo de su voz y tuve la impresión de que, independientemente de lo que hiciera o dijera, estaba condenada de por vida a oír hablar a Emily de la depilación de las ingles. Casi hubiera preferido que me gritara por haber interrumpido la cena de Miranda.

—Exacto, qué se le va a hacer. Bueno, debo irme. He quedado con James a las nueve y ya pasan diez minutos. ¿Nos vemos mañana?

—Sí. Ah, por cierto, ahora que ya te he formado, tú seguirás llegando a las siete, pero yo no entraré hasta las ocho. Miranda ya lo sabe. Se da por hecho que la primera ayudante llega más tarde porque trabaja mucho más. —Estuve en un tris de abalanzarme sobre su garganta—. Así pues, sigue la rutina de la mañana tal como te he enseñado. Llámame si es necesario, pero a estas alturas ya deberías saberlo todo. ¡Adiós!

Se subió al segundo coche que esperaba delante del edificio.

—¡Adiós! —triné con una enorme y falsa sonrisa. El conductor hizo ademán de bajar del automóvil para abrirme la portezuela, pero le dije que podía entrar sola—. Al Plaza, por favor.

James me esperaba en las escaleras exteriores a pesar de que estábamos, como mucho, a seis grados bajo cero. Se había ido a casa para cambiarse de ropa y parecía muy delgado con sus pantalones de ante negro y una camiseta blanca de cordoncillo sin mangas que realzaba su moreno de bote.

—Hola, Andy. ¿Cómo ha ido la entrega del Libro?

Estábamos en la cola para dejar los abrigos y yo acababa de divisar a Brad Pitt.

—¡Dios mío, no puedo creerlo! ¿Brad Pitt está aquí?

—Sí, porque Marshall se encarga del pelo de Jennifer, por lo que ella también debe de andar por aquí. Caray, Andy, la próxima vez deberás creerme cuando te diga que no debes separarte de mí. Vamos a pedir una copa.

Los descubrimientos de Reese se sucedieron. A la una ya me había tomado cuatro copas y estaba de palique con una ayudante de moda de *Vogue*. Hablábamos de la depilación de las ingles. Apasionadamente. Y no me molestaba. Caramba, me dije mientras sorteaba a la gente en busca de James y dirigía una enorme sonrisa a Jennifer Aniston al pasar a su lado. La fiesta no estaba nada mal, pero me notaba achispada, tenía que estar de vuelta en el trabajo en menos de seis horas y hacía casi veinticuatro que no pisaba mi casa. Así pues, cuando divisé a James ligando con uno de los encargados del tinte del salón de Marshall, me dispuse a desaparecer, pero entonces noté una mano en la cintura.

—Hola —dijo uno de los tíos más guapos que había visto en mi vida. Esperé a que se diera cuenta de que había abordado a la chica equivocada, que por detrás debía de parecerme a su novia, pero se limitó a sonreír todavía más—. No eres muy habladora que digamos.

—Ja, y supongo que decir «hola» te convierte a ti en un tipo elocuente.

¡Andy! Cierra el pico, me ordené para mis adentros. ¿Un hombre de lo más atractivo se te acerca en una fiesta llena de celebridades y lo espantas sin más? Sin embargo, no se mostró ofendido y, por imposible que pareciera, su sonrisa ganó en amplitud.

—Lo siento —añadí examinando mi copa casi vacía—. Me llamo Andrea. Sí, me parece un comienzo mucho mejor.

Tendí una mano y me pregunté qué quería.

—En realidad tu entrada me ha gustado. Yo soy Christian. Me alegro de conocerte, Andy.

Se apartó un rizo negro del ojo izquierdo y bebió un trago de su botella de Budweiser. Su rostro me sonaba vagamente, pensé, pero no sabía de qué.

—¿Bud? —pregunté señalando su mano—. Ignoraba que sirvieran algo tan vulgar en una fiesta como esta.

Christian soltó una carcajada campechana cuando yo solo había esperado una risita.

—Siempre dices lo que piensas, ¿eh? —Debí de mirarle con cara de apuro, porque volvió a sonreír y añadió—: No, no, es una virtud. Y una virtud que escasea, sobre todo en esta industria. No podía resignarme a beber champán de una minibotella con una pajita. Me resultaba un poco castrante. Así que el camarero me consiguió una de estas de la cocina.

Se apartó otro rizo, el cual volvió a cubrirle el ojo en cuanto retiró la mano. Sacó una cajetilla de cigarrillos del bolsillo de su americana negra y me ofreció uno. Acepté y procedí a dejarlo caer con el fin de examinarle mientras me agachaba a recogerlo.

El cigarrillo aterrizó a unos centímetros de sus lustrosos mocasines de punta cuadrada con la inconfundible borla Gucci, y al subir observé que sus tejanos Diesel estaban perfectamente gastados y eran lo bastante largos y anchos por abajo para arrastrar un poco por la parte posterior del calzado, con el borde algo deshilachado por el roce continuo contra las suelas. Un cinturón negro, probablemente Gucci pero, por fortuna, no reconocible, sostenía los tejanos a la altura perfecta, o sea, justo por debajo de la cintura, y una sencilla camiseta blanca que, aunque podría haber sido Hanes, era sin lugar a dudas Armani o Hugo Boss resaltaba su hermosa piel bronceada. La americana negra parecía igual de cara y distinguida, puede que incluso confeccionada a medida para ajustarse a esa estructura de tamaño medio pero inexplicablemente sexy, pero eran sus ojos verdes lo que más llamaba la atención. Espuma de mar, pensé, recordando los viejos colores J. Crew que tanto nos gustaban en el instituto, o quizá, simplemente, verdiazul. La altura, la constitución, todo el conjunto me recordaba vagamente a Alex, solo que con mucho más estilo europeo y mucho menos Abercrombie. Un poco más moderno, un poco más guapo. Sin duda mayor, quizá unos treinta. Y probablemente demasiado astuto.

Extrajo un mechero y se acercó para asegurarse de que mi cigarrillo se encendía.

—¿Y qué te trae a una fiesta como esta, Andrea? ¿Estás entre las pocas afortunadas que se ponen en manos de Marshall Madden?

—Me temo que no. Al menos por ahora, porque no se anduvo con rodeos cuando me insinuó que debería. —Me eché a reír y al momento comprendí que ansiaba desesperadamente impresionar a ese desconocido—. Trabajo en *Runway* y he venido con otro ayudante.

—¿La revista *Runway*? Es un buen lugar para trabajar si te va el sadomasoquismo. ¿Te gusta?

No sabía si se refería al sadomasoquismo o al trabajo, pero consideré la posibilidad de que conociera ese mundillo lo bastante para saber que no era exactamente como parecía desde fuera. ¿Debería seducirle con la pesadilla de mi primera entrega del Libro? Ni hablar, no tenía ni idea de quién era ese tipo... Quizá trabajaba en algún departamento remoto de *Runway* que yo todavía no había visto, o tal vez para otra revista de Elias-Clark. O quizá, solo quizá, fuera uno de esos reporteros rastreros de *Page Six* contra los que Emily tanto me había prevenido. «Aparecen de repente —me había explicado con inquietud—, y tratan de hacerte decir algo jugoso sobre Miranda o *Runway*. Ten cuidado.» El Giro Paranoico de *Runway* volvió a asomar la cabeza.

—Sí. —Me eché a reír tratando de mostrarme natural y despreocupada—. Es un lugar extraño. No me va mucho la moda. En realidad preferiría escribir, pero supongo que no es un mal comienzo. ¿A qué te dedicas tú?

—Soy escritor.

—¿De veras? Qué bien. —Confié en no haber expresado toda la condescendencia que sentía, pero resultaba muy irritante que todo el mundo en Nueva York se dijera escritor, actor, poeta o artista. Yo solía escribir en el periódico del *college*, pensé, y una vez, durante el bachillerato, hasta me publicaron un ensayo en la revista nacional de Hadassah. ¿Me convertía eso en escritora?—. ¿Qué escribes?

—Principalmente ficción, pero ahora mismo estoy trabajando en mi primera novela histórica. —Bebió otro trago y se apartó una vez más el maldito y adorable rizo.

«Primera» novela histórica implicaba que había otras novelas no históricas. Interesante.

—¿De qué trata?

Christian se detuvo a pensar y finalmente respondió:

—Es un relato contado desde el punto de vista de una joven ficticia sobre la vida en este país durante la Segunda Guerra Mundial. Todavía estoy investigando, transcribiendo entrevistas y cosas así, pero lo que he escrito hasta ahora no está mal. Creo que...

Siguió hablando, pero para entonces yo ya había desconectado. ¡Ostras! Había reconocido la descripción del libro al instante por un artículo del *New Yorker* que acababa de leer. Al parecer el mundo literario aguardaba con impaciencia su próxima aportación y no podía dejar de hablar del realismo con que describía a su protagonista. Por lo tanto, me hallaba en una fiesta charlando animadamente con Christian Collinsworth, el joven genio literario que había publicado su primer libro a los veinte años desde un cubículo de la biblioteca de Yale. Enloquecidos, los críticos habían asegurado que era uno de los logros literarios más trascendentales del siglo XX, y después escribió dos obras más, cada una de las cuales superó a la anterior en el tiempo de permanencia en la lista de libros más vendidos. El artículo del *New Yorker* incluía una entrevista donde el entrevistador aseguraba que Christian era «no solo una fuerza con muchos años por delante» en la industria literaria, sino una fuerza «poseedora de un tremendo atractivo, un estilo arrollador y un encanto tan natural que le garantizarían (ante la improbabilidad de que no lo hiciera su triunfo literario) una vida de éxito con las damas».

—Es genial —dije, de repente demasiado cansada para mostrarme aguda, divertida o adorable.

Ese tipo era un escritor famoso. ¿Qué demonios quería de mí? Probablemente matar el tiempo antes de que su novia llegara de un reportaje fotográfico por el que cobraba diez mil dólares al día. En cualquier caso, ¿qué importaba eso?, me pregunté con dureza. Por si lo has olvidado, Andrea, tienes un novio increíblemente bueno, compasivo y adorable. ¡Ya basta! Me inventé que tenía que llegar a casa cuanto antes y Christian me miró con regocijo.

—Te doy miedo —declaró con una sonrisa burlona.

—¿Miedo? ¿Por qué ibas a darme miedo? A menos que haya alguna razón para tenerlo... —No pude evitar flirtear yo también. Me lo había puesto demasiado fácil.

Me cogió del codo y me hizo dar media vuelta con habilidad.

—Vamos, te dejaré en un taxi.

Antes de que pudiera decir que era capaz de llegar sola a casa, que me alegraba de conocerle pero que se olvidara si pensaba que podría subir a mi apartamento, me encontré a su lado en la escalinata enmoquetada del Plaza.

—¿Necesitan un coche? —preguntó el portero cuando salíamos.

—Sí, por favor, para la señorita —respondió Christian.

—Ya tengo coche, está allí —dije señalando el tramo de la Cincuenta y ocho correspondiente al Paris Theatre, donde los Town Car estaban alineados.

No le miré, pero noté que esbozaba otra sonrisa. Una de esas sonrisas. Me acompañó hasta el automóvil, abrió la portezuela y columpió el brazo galantemente hacia el asiento.

—Gracias —dije, y le tendí la mano—. Ha sido un placer conocerte, Christian.

—Lo mismo digo, Andrea. —Entonces tomó la mano que yo había esperado que estrechara y la apretó contra sus labios, donde la dejó una fracción de segundo más de lo debido—. Espero que volvamos a vernos pronto.

Para entonces yo había conseguido sentarme sin tropezar ni humillarme de otras maneras y procuraba no sonrojarme pese a notar que ya era demasiado tarde. Christian cerró la portezuela y observó cómo se alejaba mi coche.

Esta vez no me pareció extraño que, aunque hasta hacía unas pocas semanas jamás había visto el interior de un Town Car, hubiese tenido uno a mi disposición durante las últimas seis horas, y que, a pesar de no haber conocido a nadie realmente famoso hasta la fecha, acabara de codearme con celebridades de Hollywood y el soltero literario más deseado de Nueva York me hubiera hocicado —eso era, hocicado— la mano. No, nada de eso importaba en realidad, me dije una y otra vez. Todo forma parte de ese mundillo, un mundillo al que no quieres pertenecer. No obstante, me miré fijamente la mano tratando de recordar al milímetro el modo en que me la había besado. Acto seguido metí el ofensivo miembro en el bolso y saqué el móvil. Mientras marcaba el número de Alex, me pregunté qué iba a decirle.

9

Tardé doce semanas en rendirme al interminable surtido de prendas de diseño que *Runway* se empeñaba en proporcionarme. Doce larguísimas semanas de catorce horas diarias de trabajo y nunca más de cinco horas seguidas de sueño. Doce miserables semanas sintiéndome diariamente observada de los pies a la cabeza, sin recibir jamás un cumplido o como mínimo la impresión de que estaba aprobada. Doce semanas horriblemente largas sintiéndome como una estúpida y una incompetente. Así que decidí comenzar mi cuarto mes en *Runway* (¡solo ocho meses más!) como una mujer nueva y vestirme de acuerdo con mi papel.

Despertarme, vestirme y salir por la puerta durante esas doce reveladoras semanas me habían minado por completo. Hasta yo tenía que reconocer que sería más fácil poseer un armario lleno de ropa «adecuada». Hasta ese momento, vestirme había sido la parte más estresante de una rutina matinal ya de por sí horrible. El despertador sonaba tan temprano que no me atrevía a contárselo a nadie, como si la mera mención de la hora produjera dolor físico. Entrar a trabajar a las siete de la mañana era tan duro que rayaba en lo absurdo. Yo había estado levantada a las siete de la mañana en otras ocasiones de mi vida, por ejemplo aguardando en un aeropuerto a coger un vuelo temprano o terminando de estudiar para un examen programado ese mismo día, pero la mayoría de las veces que había visto esa hora despierta era porque había salido y aún no me había acostado, y nunca me pareció una hora horrible porque tenía todo el día por delante para dormir. Esto, sin embargo, era diferente. Esto era una privación de sueño constante, implacable e inhumana, y por mucho que intentara acostarme antes de la medianoche nunca lo conseguía. Las últimas dos semanas habían sido especialmente duras porque se estaban cerrando los números de primavera, de modo que a veces tenía que esperar el Libro hasta cerca de las once. Para cuando llegaba a casa después de entregarlo, ya era medianoche y todavía tenía que cenar y quitarme la ropa antes de caer desmayada.

Las estruendosas interferencias de mi radiodespertador —el único ruido del que no podía pasar— empezaban exactamente a las cinco y media de la madrugada. Entonces me obligaba a asomar un pie por debajo del edredón, estiraba la pierna en la dirección aproximada del radiodespertador (estratégicamente colocado al otro lado de la habitación para que exigiera cierto movimiento) y la desplazaba hasta que lo tocaba y las interferencias cesaban. Esto sucedía regularmente cada siete minutos, hasta las 6.04. Lily, que apenas sabía de moda, siempre ataviada con su uniforme estudiantil compuesto de tejanos, jerseys L.L. Bean y collares de cáñamo, me comentaba cada vez que nos veíamos: «Todavía no entiendo qué te pones para trabajar. Oye, que estamos hablando de *Runway*. Tu ropa es tan mona como la de cualquier otra chica, pero nada de lo que tienes es materia *Runway*».

Yo no le contaba que desde hacía semanas me levantaba antes de la hora con la firme determinación de imitar el estilo *Runway* a partir de mi ropero de república bananera. Cada mañana, acompañada de una taza de café, me pasaba media hora angustiándome entre botas, cinturones, lanas y microfibras. Me cambiaba de medias cinco veces hasta que por fin daba con el color, para luego acordarme de que las medias, del color y el estilo que fueran, no estaban bien vistas. Los tacones de mis zapatos eran siempre demasiado bajos, demasiado anchos, demasiado gruesos. No podía permitirme el cachemir. Todavía no había oído hablar del tanga (!) y, por consiguiente, me obsesionaba encontrar una forma de disimular la marca de las braguitas, objeto de cuchicheo de muchos descansos. Y por muchas veces que me los probara, no acababa de atreverme a llevar al trabajo un *top* ceñido o una blusa que dejara al descubierto el ombligo.

Así que al cabo de cuatro meses me rendí. Estaba demasiado agotada. Emocional, física, mentalmente. La prueba del ropero me había chupado toda la energía. Esto es, hasta que el día que cumplía cuatro meses en mi puesto tiré la toalla. Era un día como otro cualquiera. Estaba con mi taza amarilla «I love Providence» rebuscando entre mis Abercrombie favoritos. ¿Por qué resistirme?, me pregunté. Vestir su ropa no significaba que me estuviera traicionando a mí misma, ¿cierto? Además, los comentarios sobre mi atuendo eran cada vez más frecuentes y perversos, y hasta había empezado a preguntarme si mi trabajo corría, de hecho, peligro. Me miré en el espejo y no tuve más remedio que echarme a reír: ¿la chica con sujetador Maidenform (¡ay!) y bragas de algodón Jockey (otro ¡ay!) quería parecer una *Runway*? Ja, con esas porquerías seguro que no. Maldita sea, trabajaba en la revista *Runway*. El simple hecho de ponerme algo que no estuviera deshilachado, raído, manchado o pasado ya no colaba. Aparté mis blusas genéricas y saqué la falda Prada de tweed, el jersey Prada de cuello alto negro y las botas Prada a media pantorrilla que Jeffy me había entregado una noche mientras yo esperaba el Libro.

—¿Qué es esto? —le había preguntado mientras bajaba la cremallera del guardapolvo.

—Esto, Andy, es lo que deberías vestir si no quieres que te despidan. —Sonrió pero no me miró a los ojos.

—¿Cómo dices?

—Mira, creo que deberías saber que tu... tu estilo no encaja demasiado con el de la gente de por aquí. Sé que estas cosas son caras, pero eso tiene solución. Tengo tantas prendas en el ropero que nadie notará si tomas algo prestado de vez en cuando. —Acompañó la palabra «prestado» con el gesto de las comillas—. También deberías telefonear a los relaciones públicas de todos los diseñadores y pedir tu tarjeta de descuento. A mí solo me hacen el treinta por ciento pero, como tú trabajas para Miranda, me sorprendería que te cobraran siquiera. No hay razón para que, ejem, esta cosa Gap continúe.

No le expliqué que llevar Nine West en lugar de Manolo, o tejanos que vendían en la sección juvenil de Macy's pero no en el paraíso vaquero de la planta octava de Barney's, había sido mi intento deliberado de mostrar a todo el mundo que el estilo *Runway* no era santo de mi devoción. Así pues, me limité a asentir con la cabeza, consciente de que a Jeffy le violentaba tener que decirme que me ponía en ridículo cada día. Me pregunté quién le había dado el soplo. ¿Emily? ¿La propia Miranda? En realidad no importaba. Caramba, había sobrevivido cuatro meses enteros. Si vestir un jersey de cuello alto de Prada en lugar de uno de Urban Outfitters iba a ayudarme a sobrevivir los otros ocho, adelante. Así fue como tomé la decisión de empezar a crearme un nuevo vestuario.

Salí de casa a las 6.50 sintiéndome de maravilla con mi aspecto. El tipo del carrito del desayuno próximo a mi apartamento hasta me silbó, y una mujer me detuvo cuando aún no había dado diez pasos para decirme que llevaba tres meses admirando esas botas. Procediendo como ya era mi costumbre, caminé hasta la esquina de la Tercera Avenida, detuve un taxi y me derrumbé en el cálido asiento trasero, demasiado cansada para alegrarme de no tener que compartir el metro con la plebe, y gruñí:

—Madison, 640. Deprisa, por favor.

El taxista me miró por el retrovisor —juro que con cierta compasión— y dijo:

—Ah, sí, el edificio Elias-Clark.

Giramos por la Noventa y cinco y luego por Lex, pasamos a toda pastilla los semáforos hasta la Cincuenta y nueve y doblamos por Madison en dirección oeste. A los seis minutos exactos, pues no había tráfico alguno, nos detuvimos delante del alto y esbelto monolito de Elias-Clark, excelente modelo físico para tantos de sus residentes. La tarifa ascendió, como cada mañana, a seis dólares con cuarenta y, como cada mañana, entregué al taxista un billete de diez dólares.

—Quédese el cambio —triné con la misma dicha que experimentaba cada mañana cuando veía la expresión de sorpresa y felicidad del taxista—. Paga *Runway*.

Apenas había tardado una semana en percatarme de que la contabilidad no era precisamente el punto fuerte de Elias, y tampoco una prioridad. Cargar cada día diez dólares de taxis no representaba ningún problema. Otra empresa se habría preguntado qué derecho tenía el empleado a ir al trabajo en taxi; Elias-Clark se preguntaba por qué te resignabas a coger un taxi cuando disponías de un servicio de coches privado. El hecho de timar diez dólares diarios a la compañía —aunque dudaba mucho que alguien padeciera directamente mis derroches— me hacía sentir mucho mejor. Algunos llamarían a eso rebelión pasiva agresiva. Yo lo llamaba desquite.

Me apeé del taxi, feliz de haber alegrado el día a alguien, y me dirigí hacia el 640 de Madison. El edificio era elegante y chic, como todos sus residentes. Aunque lo llamaban Elias-Clark, JS Bergman, uno de los bancos más prestigiosos de la ciudad (cómo no), tenía alquilado la mitad del edificio. No compartíamos nada con ellos, ni siquiera los ascensores, pero eso no impedía que sus ricos banqueros y nuestras bellas modelos se echaran el ojo en el vestíbulo.

—¡Eh, Andy! ¿Qué tal? Cuánto tiempo sin verte.

La voz que oí a mis espaldas sonaba tímida y reticente, y me pregunté por qué esa persona, quienquiera que fuera, no me dejaba en paz.

Me había estado preparando mentalmente para iniciar mi rutina matinal con Eduardo cuando oí mi nombre, y al volverme vi a Benjamin, uno de los muchos ex novios de Lily del *college*, apoyado contra la pared del edificio, junto a la entrada, aparentemente ajeno al hecho de que estaba sentado sobre la acera. Aunque uno más de muchos, había sido el primer chico que a Lily le había gustado de verdad. Yo no hablaba con el bueno de Benji (detestaba que lo llamaran así) desde que Lily lo había pillado montándoselo con dos chicas de la coral donde ella cantaba. Había entrado sin avisar en su apartamento del campus y lo había encontrado despatarrado en la sala de estar, como una estrella del porno, en compañía de una soprano y una contralto, un par de simplonas que nunca volvieron a mirar a Lily a la cara. Traté de convencerla de que solo era una travesura de estudiantes, pero no lo aceptó. Lloró durante días y me hizo prometer que no le contaría a nadie lo sucedido. Tampoco hizo falta, pues Benji fue fardando por ahí de que se lo había «montado con dos cantantes mientras una tercera miraba». Lo explicaba de manera que parecía que Lily hubiera estado allí todo el rato, observando de buena gana cómo su novio se comportaba como un verdadero hombre. Lily prometió que no volvería a enamorarse y hasta la fecha había mantenido su promesa. Se acostaba con muchos hombres, pero se cuidaba mucho de dejar que la rondaran el tiempo suficiente para descubrir que tenían algo que pudiera gustarle.

Volví a mirarle a la cara y traté de encontrar en ella al viejo Benji. Había sido un chico mono y atlético. Un chico normal. Bergman, no obstante, lo había convertido en la carcasa de un ser humano. Vestía un traje grande y arrugado, y fumaba su Marlboro como si esperara aspirar cocaína. Aunque solo eran las siete de la mañana, parecía agotado, y eso me hizo sentir mejor. Por haberse portado tan mal con Lily y porque eso significaba que yo no era la única persona que se arrastraba hasta el trabajo a una hora tan obscena. Probablemente él cobraba 150.000 dólares al año por ser tan desdichado, pero al menos no estaba sola.

Benji me saludó agitando el cigarrillo, que brillaba siniestramente en esa mañana de invierno todavía sin luz, y me hizo señas para que me acercara. Yo temía retrasarme, pero Eduardo me lanzó su mirada «no te preocupes, todavía no ha llegado» y me acerqué a Benji. Tenía cara de sueño y aspecto desamparado. Probablemente pensaba que tenía un jefe tiránico. ¡Ja! Si conociera a mi jefa. Me entraron ganas de soltar una carcajada.

—He observado que eres la única que llega cada día a estas horas —murmuró mientras yo buscaba en mi bolso la barra de labios antes de poner rumbo a los ascensores—. ¿Por qué?

Era corpulento y rubio, y parecía tan cansado, tan molido, que experimenté un arrebato de compasión. Entonces noté que mis piernas estaban a punto de ceder de puro agotamiento, luego recordé la cara de Lily cuando uno de los estúpidos compañeros de lacrosse de Benji le preguntó si le había gustado mirar o hubiera preferido participar y perdí la templanza.

—¿Por qué? Pues porque trabajo para una mujer muy exigente y tengo que estar aquí dos horas y media antes que el resto del personal de la maldita revista a fin de estar disponible para mi jefa —dije con un tono impregnado de rabia y sarcasmo.

—Vaya... solo era una pregunta. Pero lo siento, porque suena horrible. ¿Para quién trabajas?

—Para Miranda Priestly —contesté, y recé para que no reaccionara.

El hecho de que un profesional aparentemente culto y triunfador no tuviera ni idea de quién era Miranda me hacía muy, muy feliz. Con un poco de suerte, Benji no me defraudaría. Se encogió de hombros, dio una calada a su cigarrillo y me miró con expectación.

—Es la directora de *Runway*. —Bajé la voz y añadí con regocijo—: Y la peor hija de puta que he conocido en mi vida. En serio, nunca he conocido a nadie como ella; en realidad no es humana.

Tenía una letanía de quejas que me habría encantado volcar en Benji, pero el Giro Paranoico de *Runway* irrumpió con toda su fuerza. De repente me puse nerviosa, casi paranoica, convencida de que tenía delante un lacayo de Miranda enviado para espiarme desde el *Observer* o *Page Six*. Sabía que eso era ridículo, totalmente absurdo. Después de todo, conocía a Benji desde hacía años y estaba bastante segura de que no trabajaba para Miranda en calidad de nada. Pero no del todo. En realidad, ¿cómo podía estar segura del todo? Y a saber quién podía estar en ese preciso instante detrás de mí, escuchando cada una de mis desagradables palabras. Era preciso corregir el daño.

—Claro que es la mujer más poderosa del mundo editorial y de la moda, y no se puede llegar a la cima de dos importantes industrias de Nueva York repartiendo caramelos todo el día. Es comprensible que sea un poco dura en el trabajo. Yo también lo sería. Sí, en fin, ahora tengo que irme. Me alegro de haberte visto.

Y desaparecí tal como había hecho durante las últimas semanas cada vez que me descubría despotricando contra la bruja delante de alguien que no fuera Lily, Alex o mis padres.

—Bueno, no te desanimes —exclamó Benji mientras me dirigía hacia los ascensores—. Yo llevo aquí desde el jueves por la mañana.

Y dicho eso, aplastó desganadamente la colilla contra el cemento.

—Buenos días, Eduardo —dije mirándole con mis patéticos y exhaustos ojos—. Odio los putos lunes.

—Eh, levanta ese ánimo, al menos esta mañana la has ganado —repuso con una sonrisa.

Se refería, cómo no, a esas horribles mañanas en que Miranda aparecía a las cinco y había que acompañarla hasta arriba porque se negaba a llevar tarjeta de identificación. Acto seguido se paseaba por su despacho telefoneándonos a Emily y a mí hasta que una u otra conseguía despertarse, vestirse y personarse en la oficina como si se tratara de una emergencia nacional.

Empujé el torniquete, rezando para que ese lunes fuera diferente, para que Eduardo me dejara pasar sin necesidad de hacer el numerito. Negativo. Eduardo canturreó «Wanna be» con su enorme, dentuda sonrisa y su fuerte acento español.

El placer de haber hecho feliz al taxista y haber descubierto que había llegado antes que Miranda se evaporó. Como cada mañana, me asaltaron las ganas de abalanzarme sobre el mostrador y arrancarle la piel de la cara. Sin embargo, como era buena perdedora y Eduardo era mi único amigo en ese lugar, acepté la situación.

Respondí cantando mansamente en un tributo penoso al éxito de los noventa de las Spice Girls. Y una vez más Eduardo sonrió y me dejó pasar.

—Oye, y no lo olvides, ¡16 de julio! —exclamó.

—Lo sé, 16 de julio... —dije. Ese era el día de nuestro cumpleaños.

No recuerdo cómo o por qué Eduardo había descubierto la fecha de mi cumpleaños, pero le encantaba que coincidiera con el suyo. Y por alguna razón inexplicable, se convirtió en una parte de nuestro ritual matutino. Cada puñetero día.

En el lado de Elias-Clark había ocho ascensores, la mitad para las primeras diez plantas, la otra mitad para la planta décima en adelante. En realidad solo importaba la primera sección, pues casi todas las grandes firmas se hallaban en las primeras diez plantas. Anunciaban su presencia con paneles luminosos sobre las puertas de los ascensores. En el segundo piso había un gimnasio modernísimo, y gratuito, para los empleados que contaba con un circuito Nautilus completo y unas cien máquinas escaladoras, elípticas y de correr. Los vestuarios tenían saunas, jacuzzis, baños turcos y ayudantes con uniforme de criada. Un salón de belleza ofrecía servicios de manicura, pedicura y limpieza facial de emergencia. También había servicio de toallas, o eso me habían contado, pues no solo no tenía tiempo de ir, sino que el lugar permanecía abarrotado entre las seis de la mañana y las diez de la noche. Escritores, redactores y asistentes de ventas llamaban con tres días de antelación para reservar una plaza en las clases de yoga o de *kickboxing*, e incluso entonces, si no llegaban quince minutos antes, perdían la reserva. Como todo lo demás en Elias-Clark destinado a hacer más agradable la vida de sus empleados, me estresaba.

Había oído el rumor de que existía un centro de guardería en el sótano pero, como no conocía a nadie que tuviera hijos, no estaba del todo segura. La verdadera acción empezaba en la tercera planta, en el comedor, en el que Miranda se negaba a comer con los obreros a menos que almorzara con Irv Ravitz, director general de Elias, que acostumbraba comer allí para mostrar cuán unido estaba a los empleados.

Subí dejando atrás las demás firmas famosas. La mayoría tenía que compartir planta con otra. Separadas por el mostrador de recepción, se miraban cara a cara tras unas puertas de cristal. Bajé en la décima planta y observé el reflejo de mi trasero en el cristal. El arquitecto, en un arrebato de genio y compasión, había tenido la delicadeza de no poner espejos en los ascensores. Como de costumbre, había olvidado mi tarjeta de identificación electrónica —la misma que seguía la pista de todos nuestros movimientos, compras y ausencias dentro del edificio— y tuve que forzar la entrada. Como la recepcionista no llegaba hasta las nueve, tenía que meterme debajo de su mesa, buscar el botón que desbloqueaba las puertas de cristal, echar a correr hasta ellas y abrirlas antes de que volvieran a bloquearse. A veces no lo conseguía hasta el tercer o cuarto intento, pero esta vez lo logré al segundo.

La planta siempre estaba a oscuras cuando yo llegaba, y cada mañana hacía el mismo trayecto hasta mi mesa. A mi izquierda, nada más entrar, estaba el departamento de publicidad, las chicas que adoraban vestirse con camisetas Chloe y tacones de aguja Jimmy Choo mientras repartían tarjetas de *Runway*. Estaban totalmente alejadas de cuanto tenía lugar en la sección editorial, que era la encargada de elegir la ropa para los anuncios de moda, cortejar a los escritores buenos, buscar los complementos para los conjuntos, entrevistar a los modelos, diseñar la composición del número y contratar a los fotógrafos. El departamento editorial viajaba a los lugares de moda del planeta para hacer los reportajes fotográficos, recibía regalos y descuentos de todos los diseñadores, iba a la caza de tendencias y asistía a fiestas en Pastis y Float porque «tenían que comprobar qué llevaba la gente».

El departamento comercial se encargaba de vender espacios publicitarios. A veces celebraban fiestas de promoción pero, como no asistía gente famosa, eran un aburrimiento (o eso me contó desdeñosamente Emily). Los días que el departamento comercial de *Runway* ofrecía una fiesta, mi teléfono no paraba de sonar con llamadas de personas a quienes apenas conocía que querían una invitación. «He oído que *Runway* da una fiesta esta noche. ¿Por qué no me han invitado?» Yo siempre me enteraba de que esa noche había una fiesta por alguien de fuera; el departamento editorial nunca estaba invitado porque, de todas formas, no iría. Como si no fuera suficiente que las chicas de *Runway* se burlaran, aterrorizaran y condenaran al ostracismo a todo aquel que no era una de ellas, también tenían que crear diferencias de clase internas.

Del departamento comercial partía un pasillo largo y angosto que se hacía eterno antes de llegar a la diminuta cocina situada en el lado izquierdo. En ella había un surtido de tés y cafés, así como una nevera con cajas de almuerzos, material superfluo porque

Starbucks tenía el monopolio de las dosis diarias de cafeína de los empleados y todos los almuerzos se seleccionaban cuidadosamente en el comedor o se pedían a uno de los miles de puestos de comida por encargo de los alrededores. Con todo, era un toque agradable, casi simpático; era como decir: «Eh, miradnos, tenemos bolsas Lipton, sacarina y hasta un microondas por si queréis calentaros las sobras de la cena de anoche. Somos como todo el mundo».

Por fin llegué al enclave de Miranda. Eran las 7.05 y estaba tan cansada que apenas podía moverme. Sin embargo, como ocurría con todo lo demás, había una tarea que jamás cuestionaba ni alteraba. Abrí su despacho y entré para encender todas las luces. En la calle todavía era de noche y me encantaba el dramatismo de permanecer en la oscuridad del despacho de la poderosa, contemplando un Nueva York centelleante e incansable, e imaginarme en una película (tú eliges, cualquiera que tenga unos amantes abrazándose en la espaciosa terraza de su apartamento de seis millones de dólares con vistas al río), sintiéndome en la cresta del mundo. Entonces las luces se encendían y mi fantasía se apagaba. La visión de un Nueva York al amanecer, donde todo era posible, se desvanecía y me topaba con las caras idénticas y sonrientes de Caroline y Cassidy.

A continuación abrí el armario de nuestra oficina, el lugar donde colgaba el abrigo de ella (y el mío si ese día Miranda no traía uno de pieles, pues no le gustaba que nuestra vulgar lana, mía y de Emily, se codeara con sus zorros) y guardábamos algunas provisiones: chaquetas y prendas desechadas valoradas en decenas de miles de dólares, la ropa de la tintorería pendiente de ser trasladada a casa de Miranda y unos doscientos pañuelos Hermès de color blanco. Me habían contado que Hermès había decidido acabar con la fabricación de ese modelo, un sencillo y elegante recuadro de seda blanco. Alguien de la compañía pensó que debía una explicación a Miranda y la telefoneó para disculparse. Como era de esperar, ella le comunicó fríamente su decepción y compró todas las existencias que quedaban de ese modelo. Dos años antes de mi incorporación a la empresa llegaron a la oficina quinientos pañuelos, y ahora quedaban menos de la mitad. Miranda se los dejaba por todas partes: restaurantes, cines, desfiles, reuniones, taxis. Se los dejaba en los aviones, en el colegio de sus hijas, en la pista de tenis. Sin embargo, siempre llevaba uno incorporado elegantemente a su atuendo. Todavía no la había visto fuera de casa sin el pañuelo. Pero eso no era razón para que faltaran tantos. Tal vez Miranda pensaba que eran pañuelos de nariz, o gustaba de hacer anotaciones sobre seda en lugar de papel. Sea como fuere, daba la impresión de que realmente creía que eran de usar y tirar, y nadie sabía cómo sacarla de su error. Elias-Clark había pagado doscientos dólares por cada uno de ellos, pero qué importaba eso; nosotras se los pasábamos como si fueran Kleenex. Al ritmo que iba, en dos años ya no quedaría ninguno.

Yo había colocado las cajas naranjas de los pañuelos en el estante del armario destinado a repartos inmediatos, de donde salían con rapidez. Cada tres o cuatro días, Miranda se preparaba para salir a comer y decía con un suspiro: «An-dre-aaa, tráeme un pañuelo».

Me consolaba pensar que me marcharía de allí mucho antes de que se le acabaran. Quienquiera que tuviera la mala suerte de estar ocupando mi lugar ese día estaría obligado a comunicar a Miranda que ya no le quedaban pañuelos Hermès y que no era posible confeccionarlos, importarlos, crearlos, encargarlos o exigirlos. Solo de pensarlo se me erizaba la piel.

Acababa de abrir el armario cuando Uri telefoneó.

—¿Andrea? Hola, hola, soy Uri. ¿Puedes bajar, por favor? Estoy en la Cincuenta y ocho, junto a Park Avenue, delante del New York Sports Club. Tengo algunas cosas para ti.

La llamada era una forma válida, aunque imperfecta, de decirme que Miranda estaba en camino. Quizá. Casi todas las mañanas Miranda enviaba a Uri por delante con un montón de ropa sucia para la tintorería, los números que se había llevado a casa para leer, zapatos o bolsos que era preciso reparar y el Libro. De ese modo yo podía ir a su encuentro, subir todas esas cosas indeseables y encargarme de ellas antes de que Miranda llegara a la oficina. Esto último ocurría media hora más tarde, cuando Uri, después de descargar las cosas, iba a buscarla allí donde se hubiera escondido.

Miranda podía estar en cualquier parte, pues, según Emily, nunca dormía. No la creí hasta el día que empecé a llegar a la oficina antes que ella y a ser la primera en escuchar el buzón de voz. Todas las noches sin excepción Miranda nos dejaba de ocho a diez mensajes ambiguos entre la una y las seis de la madrugada. Cosas como: «Cassidy quiere una de esas bolsas de nailon que llevan todas las niñas. Encarga una de tamaño mediano y de un color que le guste», o «Necesitaré la dirección y el teléfono de ese anticuario situado en las setenta, donde vi la cómoda antigua». Como si nosotras supiéramos qué bolsas de nailon eran el último grito entre las niñas de ocho años o en cuál de los cuatrocientos anticuarios de las setenta —por cierto, ¿Este u Oeste?— vio algo que le gustaba en un momento dado de los últimos quince años. Con todo, cada mañana yo escuchaba y transcribía fielmente los mensajes, pulsando «rebobinar» una y otra vez y esforzándome por comprender el acento e interpretar las pistas para no tener que pedir más información a Miranda.

En una ocasión que insinué esa posibilidad tropecé con una de esas miradas fulminantes de Emily. Preguntar a Miranda estaba, por lo visto, prohibido. Era preferible salir del paso y que luego te dijeran lo mucho que te habías desviado del blanco. Para localizar la cómoda antigua tuve que pasarme dos días y medio a bordo de una limusina —cortesía de Elias-Clark— recorriendo las setenta de Manhattan a ambos lados del parque. Tras descartar York Avenue (demasiado residencial), subí por la Primera, bajé por la Segunda, subí por la Tercera y bajé por Lex. Me salté Park (también demasiado residencial) y subí por Madison, y repetí el proceso por el lado oeste, bolígrafo en mano, ojo avizor, guía telefónica sobre el regazo y lista para saltar del coche a la primera tienda que atisbara con antigüedades. Honré a cada anticuario —e incluso algunas tiendas de muebles normales— con una visita personal. Cuando entré en la cuarta, ya era toda una experta.

«Hola, ¿venden cómodas antiguas?», casi grité ante la segunda que me abrió la puerta.

A partir de la sexta tienda ya no me molestaba ni en cruzar el umbral. Algún dependiente altivo me miraba de arriba abajo —¡y yo a callar!— para decidir si era alguien con quien merecía la pena esforzarse. La mayoría reparaba entonces en el Town Car y contestaba de mala gana sí o no, aunque algunos me pedían una descripción detallada de la cómoda en cuestión.

Si reconocían tener a la venta algo que encajaba con mis dos palabras, preguntaba de inmediato: «¿Ha estado Miranda Priestly aquí últimamente?». Los que no me habían tomado ya por loca ahora se mostraban dispuestos a llamar a seguridad. Algunos, muy pocos, jamás habían oído ese nombre, lo cual me encantaba, pues resultaba refrescante descubrir que todavía había seres humanos normales cuyas vidas no estaban dominadas por ella, y me marchaba sin más demora. La patética mayoría que reconocía el nombre se volvía súbitamente curiosa. Algunos se preguntaban para qué columna de sociedad escribía yo. Pero, al margen de las historias que me inventara, nadie la había visto en su tienda (con excepción de tres anticuarios que «hacía meses que no veían a la señorita Priestly y ¡oh, cómo la echamos de menos! Por favor, dígale que Franck/Charlotte/Sarabeth le envía recuerdos»).

En vista de que a las doce del tercer día aún no había encontrado la tienda, Emily me dio luz verde para regresar a la oficina y pedir más detalles a Miranda. En cuanto el coche se detuvo delante del edificio, empecé a sudar. Amenacé con saltar el torniquete si Eduardo no me dejaba pasar sin numerito. Cuando llegué a nuestra planta, el sudor ya me había traspasado la blusa. Las manos empezaron a temblarme en cuanto entré en la oficina, y el discurso (Hola, Miranda. Estoy bien, gracias por preguntar. ¿Cómo estás tú? Oye, solo quiero que sepas que he hecho lo posible por dar con el anticuario que me describiste, pero no he tenido demasiada suerte. ¿Crees que podrías decirme si está en el lado este u oeste de Manhattan? ¿O crees que podrías recordar el nombre?) que había ensayado una docena de veces simplemente desapareció en las regiones veleidosas de mi nervioso cerebro. Sin respetar el protocolo, en lugar de introducir la pregunta en el Boletín solicité permiso a Miranda para acercarme a su mesa.

Probablemente porque no daba crédito a que hubiera osado hablar sin que ella me hubiera hablado primero, me lo concedió. Resumiendo: Miranda suspiró, condescendió y me insultó de todas sus encantadoras maneras posibles, pero al final abrió su agenda Hermès de cuero negro (cerrada incómoda pero elegantemente con un pañuelo Hermès blanco) y extrajo... la tarjeta de la tienda. «Te dejé esta información en la grabadora, An-dre-aaa. Supongo que hubiera sido demasiado pedir que la anotaras.»

Aunque el deseo de hacerle cortes decorativos por toda la cara con la mencionada tarjeta invadió todo mi cuerpo, asentí con la cabeza. Entonces miré la tarjeta y reparé en la dirección: calle Sesenta y ocho Este, 244. Cómo no. Lo mismo daba este u oeste, Primera Avenida o Madison, pues la tienda que me había dedicado a buscar durante las últimas treinta y tres horas laborales ni siquiera estaba en las setenta.

Pensé en ello mientras anotaba la última petición nocturna de Miranda y corría a encontrarme con Uri en el punto convenido. Cada mañana me describía minuciosamente dónde se hallaba estacionado el coche pero, cada mañana, por mucha prisa que me diera en bajar, Uri lo entraba todo en el edificio para evitarme tener que ir de un lado a otro buscándolo. Y me alegré de que ese día no fuera una excepción: Uri estaba apoyado en un torniquete del vestíbulo con los brazos llenos de bolsas, ropa y libros, como un abuelo benévolo y generoso.

—No corras, ¿me oyes? —dijo con su fuerte acento ruso—. Siempre estás corre que te corre. Ella te hace trabajar mucho, mucho, por eso te traigo las cosas —prosiguió mientras me ayudaba a coger las bolsas—. Pórtate bien, ¿me oyes?, y pasa un buen día.

Le sonreí agradecida. Luego lancé una mirada guasona a Eduardo —mi forma de decirle: «Te mataré si se te ocurre pedirme siquiera que te haga el numerito»— y me ablandé ligeramente cuando abrió el torniquete sin hacer comentarios. Milagrosamente, me acordé de pasar por el quiosco, donde cada día Ahmed, el propietario, apilaba en mis brazos los periódicos matutinos solicitados por Miranda. Aunque el servicio de reparto los enviaba cada mañana a la mesa de Miranda a las nueve, yo tenía que comprar un segundo juego para minimizar el riesgo de que Miranda pasara un solo segundo en el despacho sin sus periódicos. Y lo mismo ocurría con los semanarios. A nadie parecía importarle que anotáramos en la cuenta nueve periódicos al día y siete revistas a la semana para alguien que solo leía las páginas de moda y sociedad.

Dejé las cosas en el suelo, debajo de mi mesa. Había llegado el momento de la primera ronda de encargos. Marqué el número, memorizado mucho tiempo atrás, de Mangia, una charcutería del centro, y, como siempre, contestó Jorge.

—Hola, corazón, soy yo —dije, como de costumbre, colocándome el auricular en el hombro para poder entrar en Hotmail—. Vamos allá.

Jorge y yo éramos amigos. Hablar tres, cuatro y hasta cinco veces cada mañana era un medio curioso de unir rápidamente a dos personas.

—Hola, nena, ahora mismo te envío a uno de los chicos. ¿Ya ha llegado? —preguntó, como de costumbre, refiriéndose a mi jefa. Sabía que era una lunática y que trabajaba para *Runway*, pero ignoraba quién iba a consumir el desayuno que yo acababa de encargarle.

Jorge era uno de mis hombres de la mañana, tal como me gustaba llamarlos. Eduardo, Uri, Jorge y Ahmed daban un comienzo decente a mi día. Estaban maravillosamente desligados de *Runway* aun cuando sus respectivas presencias en mi vida tenían como único objetivo hacer que la existencia de su directora fuera lo más perfecta posible. Ninguno era realmente consciente del poder y el prestigio de Miranda.

El primer desayuno llegaría al 640 de Madison en cuestión de segundos y probablemente tendría que tirarlo. Miranda desayunaba cada mañana cuatro lonjas de beicon grasiento, dos salchichas y un brioche con queso cremoso, y lo bajaba todo con un café con leche grande de Starbucks (con dos terrones de azúcar sin refinar, ¡no lo olvides!). En mi opinión, la oficina estaba dividida entre quienes creían que Miranda seguía permanentemente el régimen Atkins y quienes pensaban que poseía un metabolismo sobrehumano resultado de unos genes excepcionales. Sea como fuere, no le parecía en absoluto anormal devorar comida increíblemente grasienta e insana mientras «sus chicas» tenían prohibido ese lujo. Puesto que nada se mantenía caliente más de diez minutos, yo seguía encargando y tirando desayunos hasta que Miranda llegaba. Hubiera podido calentar cada desayuno en el microondas, pero con eso solo ganaba cinco minutos y, además, ella lo notaba («An-dre-aaa, esto es repugnante. Pídeme otro desayuno ahora mismo»). Yo encargaba uno cada veinte minutos hasta que Miranda me llamaba desde su móvil y me ordenaba que le pidiera el desayuno («An-dre-aaa, estoy a punto de llegar a la oficina, pídeme el desayuno»). Lo normal, naturalmente, era que me avisara con solo dos o tres minutos de antelación, por eso los encargos previos eran necesarios, por eso y porque existía la posibilidad de que no se molestara en avisarme siquiera. Si yo había actuado debidamente, cuando Miranda llamaba para pedir su desayuno yo ya tenía dos o tres en camino.

Sonó el teléfono. Tenía que ser ella. Demasiado pronto para que fuera otra persona.

—Despacho de Miranda Priestly —triné preparándome para su frialdad.

—Emily, llegaré dentro de diez minutos y quiero encontrarme el desayuno listo.

Le había dado por llamarnos «Emily» a Emily y a mí, con lo que daba a entender, no sin razón, que éramos indistinguibles y enteramente intercambiables. En algún lugar de mi mente estaba ofendida, pero ya me había acostumbrado a la situación. Además, estaba demasiado cansada para preocuparme por algo tan accesorio como mi nombre.

—Cómo no, Miranda, enseguida.

Pero ella ya había colgado. En ese momento entró en la oficina la Emily auténtica.

—¿Ha llegado? —susurró mirando furtivamente en dirección al despacho de Miranda, como siempre hacía, sin un hola ni un buenos días, igualita que su mentora.

—No, pero acaba de llamar y estará aquí dentro de diez minutos. Vuelvo enseguida.

Traspasé raudamente mis cigarrillos y mi móvil al bolsillo del abrigo y eché a correr. Solo disponía de unos minutos para bajar, cruzar Madison, saltarme la cola de Starbucks y, por el camino, aspirar mi adorado primer cigarrillo del día. Tras aplastar la colilla entré a trompicones en el Starbucks de la Cincuenta y siete con la Quinta Avenida y examiné la cola. Cuando había menos de ocho personas prefería esperar como un ser normal, pero la mayoría de los días había veinte o más profesionales aguardando su carísima dosis de cafeína y yo no tenía más remedio que colarme. No me hacía ninguna gracia, pero Miranda no comprendía que el capuchino que le ponía delante cada mañana no solo no podía encargarlo por teléfono, sino que podía tardar fácilmente media hora en comprarlo. Después de dos semanas de llamadas iracundas a mi móvil («An-dre-aaa, la verdad es que no lo entiendo, te llamé hace veinticinco minutos para decirte que me hallaba en camino y mi desayuno todavía no está listo. Esto es inaceptable»), decidí hablar con la gerente de la franquicia. «Hola, gracias por dedicarme unos minutos —dije a una mujer negra y menuda—. Sé que le parecerá una locura, pero me estaba preguntando si podríamos llegar a un acuerdo para que yo no tenga que hacer cola.»

Le expliqué como mejor pude que trabajaba para una persona importante y poco razonable que se negaba a tener que esperar su café de la mañana. ¿Existía alguna posibilidad de que se me permitiera saltarme la cola, sutilmente, claro, y alguien me preparara el café sin demora? Por algún golpe de suerte incomprensible Marion, la gerente, asistía por las noches al FIT para obtener un título de comercial de moda.

«¡Dios mío, no puedo creerlo! ¿Trabajas para Miranda Priestly? ¿Y ella toma nuestro café con leche? ¿Grande? ¿Cada mañana? Increíble. ¡Claro, claro, por supuesto! Diré a todo el mundo que te lo sirvan en cuanto te vean. No te preocupes. ¡Miranda es la persona más influyente en el mundo de la moda!», había exclamado Marion mientras yo me obligaba a asentir con entusiasmo.

Así fue como conseguí saltarme una larga cola de neoyorquinos cansados, agresivos y farisaicos que llevaban muchísimos minutos esperando. Eso no me hacía sentir bien ni importante, y siempre temía el día que me tocaba hacerlo. Cuando la cola era tan larga como la de ese día —bordeaba todo el mostrador y llegaba hasta la puerta—, me sentía aún peor y sabía que iba a marcharme entre abucheos. La cabeza me palpitaba y notaba los ojos secos y pesados. Traté de olvidar que así era mi vida, la razón por la que me había pasado cuatro años memorizando poemas y estudiando prosa, el resultado de unas buenas calificaciones y un montón de peloteo. Pedí el café con leche grande de Miranda además de algunas consumiciones personales. Un capuchino amaretto grande, un frapuchino moka y un machiato con caramelo aterrizaron en mi bandeja de cuatro tazas junto con media docena de madalenas y cruasanes. El total ascendió a 28,83 dólares y me aseguré de añadir el recibo a la hinchada sección de facturas de mi billetero que más adelante me reembolsaría el siempre cumplidor Elias-Clark.

Tenía que apresurarme, pues ya habían pasado doce minutos desde la llamada de Miranda y probablemente estaría sentada a su mesa, enfurecida, preguntándose dónde me metía cada mañana; la taza con el logo de Starbucks nunca conseguía despejar sus dudas. En el momento en que me disponía a levantar la bandeja del mostrador sonó el móvil. Como siempre, el corazón me dio un vuelco. Sabía que era ella, lo sabía con certeza, pero nunca dejaba de sobresaltarme. El identificador de llamadas confirmó mis sospechas y me sorprendió oír la voz de Emily por la línea de Miranda.

—Está aquí y está cabreada —susurró—. Ven ahora mismo.

—Hago lo que puedo —gruñí mientras hacía equilibrios para sostener la bandeja y los cruasanes con una mano y el móvil con la otra.

He ahí la razón fundamental del odio que existía entre Emily y yo. Puesto que ella era la «primera» ayudante, yo era más bien la ayudante personal de Miranda, encargada de recoger los cafés y las comidas, ayudar a sus hijas con los deberes y correr por toda la ciudad con el objetivo de encontrar la vajilla perfecta para sus cenas sociales. Emily llevaba la cuenta de sus gastos, le organizaba los viajes y —lo más trabajoso de todo— le hacía el pedido de ropa personal cada determinados meses. Por lo tanto, cuando yo salía cada mañana en busca de golosinas, Emily se quedaba sola atendiendo el teléfono y las exigencias de una Miranda alerta y madrugadora. Yo la odiaba porque, como no tenía que dejar el agradable calor de la oficina seis veces al día para recorrer Nueva York buscando, encargando y recogiendo cosas, podía llevar *tops.* Ella me odiaba porque carecía de razones para salir de la oficina y sabía que yo siempre me tomaba mi tiempo para hablar por teléfono y fumar.

La vuelta desde Starbucks generalmente duraba más que la ida, pues tenía que repartir los cafés y las pastas. Siempre elegía a los indigentes, una pequeña pandilla que rondaba por los pórticos y dormía en los portales de la Cincuenta y siete burlando los esfuerzos de la ciudad por «acabar con ellos». La policía los echaba a empujones antes de que comenzara la hora punta, pero todavía estaban allí cuando yo hacía la primera ronda de cafés del día. Me encantaba, incluso estimulaba, que esos carísimos cafés pagados por Elias llegaran a manos de la gente más indeseable de la ciudad.

Al hombre empapado de orina que dormía fuera de Banana Republic le tocaba cada mañana el frapuchino moka. Nunca se despertaba para recibirlo, pero yo se lo dejaba (con pajita incluida, naturalmente) junto al codo izquierdo y ya no estaba —tampoco él— horas más tarde, cuando regresaba para mi siguiente ronda cafetera.

La anciana que se subía a su carrito y sacaba un cartón que rezaba «Sin casa/puedo limpiar/necesito comida» se llevaba el machiato con caramelo líquido. Pronto me enteré de que se llamaba Theresa, y al principio solía comprarle un capuchino como el de Miranda. Siempre me daba las gracias, pero nunca hacía ademán de probarlo en mi presencia. Cuando un día le pregunté si quería que no le llevara más café, negó enérgicamente con la cabeza y farfulló que no quería parecer quisquillosa, pero que preferiría algo más dulce, menos fuerte. Al día siguiente hice que al capuchino le pusieran aroma de vainilla y lo cubrieran de nata. ¿Mejor? Oh, sí, mucho, mucho mejor, pero quizá ahora era una pizca demasiado dulce. Pasó otro día y por fin di en el clavo: por lo visto a Theresa le gustaba el café sin aromas y cubierto de nata y caramelo líquido. Esbozó una amplia sonrisa desdentada y a partir de ese día lo engullía en cuanto se lo entregaba.

El tercer café era para Rio, el nigeriano que vendía discos en una manta delante de una torre Trump. No parecía un indigente, pero una mañana se me acercó mientras tendía a Theresa su dosis de cafeína y dijo, o más bien trinó: «¿Eres, eres, eres el hada madrina de Starbucks o qué? ¿Dónde está el mío?».

Al día siguiente le entregué un capuchino amaretto grande y desde entonces somos amigos.

Cada día me gastaba 24 dólares de más en cafés (el capuchino de Miranda solo costaba cuatro) a fin de propinar otro golpe pasivo agresivo a la compañía, mi reprimenda personal por el reinado sin límites de Miranda Priestly. Y se los daba a los locos y malolientes porque sabía que era eso —no el gasto— lo que realmente les cabrearía.

Cuando llegué al vestíbulo, Pedro, el chico de los repartos de Mangia, de acento mexicano, estaba al lado de los ascensores hablando en español con Eduardo.

—Eh, aquí está nuestra chica —dijo mientras algunas ayudantes de moda nos miraban de hito en hito—. Tengo el beicon, las salchichas y una cosa asquerosa de queso. ¡Hoy solo has pedido un desayuno! No entiendo cómo puedes comerte esta porquería y estar tan flaca, chica. —Sonrió.

Reprimí el deseo de decirle que él no tenía ni idea de lo que era una chica flaca. Pedro sabía muy bien que no era yo quien daba cuenta de sus desayunos pero, al igual que la docena restante de personas con las que hablaba cada día antes de las ocho de la mañana, ignoraba los detalles. Le entregué, como siempre, un billete de diez por el desayuno de 3,99 y subí.

Cuando entré en la oficina Miranda estaba al teléfono y su guerrera Gucci de piel de serpiente, desparramada sobre mi mesa. El pulso se me disparó. ¿Tanto le costaba dar los dos pasos que había hasta el armario, abrirlo y colgarse el abrigo? ¿Por qué tenía que arrojarlo sobre mi mesa? Dejé el capuchino, miré a Emily, que estaba demasiado ocupada atendiendo el teléfono para reparar en mí, y colgué la piel de serpiente. Me quité el abrigo y me agaché para guardarlo debajo de mi mesa, pues si lo dejaba en el armario podría infectar al de Miranda.

Cogí dos terrones de azúcar sin refinar y un agitador de las provisiones que guardaba en un cajón de mi mesa y lo envolví todo en una servilleta. Se me ocurrió escupir en el café, pero logré contenerme. Saqué un plato pequeño de porcelana de otro cajón, vertí en él la carne grasienta y el brioche legamoso, y me limpié las manos en la ropa sucia de Miranda que tenía escondida debajo de la mesa para que no descubriera que todavía no había sido recogida. En teoría debía lavar el plato cada día en el fregadero de uno de nuestros simulacros de cocina, pero no me hacía ninguna gracia. La humillación de fregar el plato de Miranda delante de todo el mundo me impulsaba a limpiarlo con pañuelos de papel después de cada comida y rascar los restos de huevo y queso con las uñas. Si estaba muy sucio o llevaba mucho tiempo sin lavar, abría una botella del Pellegrino que guardábamos por cajas y le echaba un chorrito. Tenía la sospecha de que había caído muy bajo, pero lo más preocupante era la naturalidad con que lo había hecho.

—Recuerda que quiero a mis chicas sonrientes —decía Miranda por teléfono. Por el tono supe que hablaba con Lucía, la redactora de moda a cargo de las fotos de Brasil, sobre las modelos—. Chicas felices, limpias, sanas, que enseñen muchos dientes. No quiero caras tristes, ni ceños ni maquillajes oscuros. Las quiero radiantes. Hablo en serio, Lucía, no aceptaré otra cosa.

Coloqué el plato con el desayuno en el borde de su mesa y, al lado, el capuchino y la servilleta con los demás accesorios. Miranda no me miró. Aguardé unos instantes para ver si me entregaba algo, ya fuera una pila de periódicos o cosas que archivar o enviar por fax, pero como no me prestaba atención me marché. Ocho y media. Llevaba tres horas despierta, tenía la sensación de que ya había trabajado doce y al fin conseguía sentarme por primera vez en toda la mañana. Justo cuando me estaba conectando a Hotmail con la esperanza de encontrar mensajes divertidos de gente del exterior, apareció Miranda. El cinturón de la chaqueta de tweed ceñía una cintura ya de por sí diminuta y hacía juego con la impecable falda de tubo. Estaba impresionante.

—An-dre-aaa, el café está helado. ¡No lo entiendo, no has estado fuera tanto tiempo! Tráeme otro.

Respiré hondo y me concentré en mantener la expresión de odio apartada de mi cara. Miranda dejó el ofensivo capuchino sobre mi escritorio y hojeó el nuevo número de *Vanity Fair*, que un empleado había dejado en la mesa para ella. Noté que Emily me observaba y supe que su mirada era de compasión y rabia; le sabía mal que tuviera que repetir el infernal recado, pero me odiaba por que osara enfadarme. ¿Acaso no había millones de chicas que darían un ojo de la cara por tener mi empleo?

Con un suspiro que había perfeccionado últimamente —lo bastante alto para que Miranda lo oyera pero no lo suficiente para que me lo afeara— me puse el abrigo y obligué a mis piernas a avanzar hacia los ascensores. Me esperaba otro larguísimo día.

La segunda ronda en menos de veinte minutos transcurrió con mucha más suavidad. La cola en Starbucks había disminuido y Marion estaba de servicio. En cuanto me vio entrar por la puerta, procedió a preparar un capuchino grande. Esta vez, no me molesté en hacer un pedido mayor porque estaba deseando volver a la oficina y sentarme, pero sí añadí capuchinos para Emily y para mí. Justo cuando me disponía a pagar, sonó mi móvil. Maldita sea, esta mujer es imposible. Insaciable, impaciente, imposible. Solo llevaba ausente cuatro minutos, no era posible que ya estuviera histérica. Haciendo equilibrios una vez más, sostuve la bandeja con una mano y con la otra saqué el móvil del bolsillo. Ya había decidido que semejante actitud por parte de Miranda justificaba otro cigarrillo —aunque solo fuera para retenerle el café unos minutos más—, cuando vi que era Lily quien telefoneaba, y desde casa.

—Hola, ¿llamo en un mal momento? —preguntó con cierto nerviosismo.

Consulté el reloj y me extrañó que no estuviera en clase.

—Un poco. Estoy en mi segunda ronda de cafés y, por si lo dudabas, me lo estoy pasando pipa. ¿Qué ocurre? ¿No tienes clase?

—Sí, pero anoche salí otra vez con Chico de la Camisa Rosa y bebimos algunos margaritas de más. Unos ocho de más. Todavía lo tengo aquí medio desmayado, así que no puedo irme. Pero no te llamo por eso.

—¿No?

Apenas le prestaba atención, pues uno de los capuchinos había empezado a derramarse y tenía el teléfono entre el cuello y el hombro mientras con la otra mano sacaba un cigarrillo de la cajetilla y lo encendía.

—Mi casero ha tenido la desfachatez de llamar a mi puerta a las ocho de la mañana para decirme que van a echarme —explicó sin el menor regocijo.

—¿Echarte? ¿Por qué, Lil? ¿Qué piensas hacer?

—Por lo visto ya se han enterado de que no soy Sandra Gers y que ella hace seis meses que no vive aquí. Como no soy pariente, no puede cederme el apartamento. Yo ya lo sabía y siempre decía que era ella. No sé cómo lo han averiguado. Aunque tampoco me importa, ¡porque ahora tú y yo podremos vivir juntas! Tu contrato con Shanti y Kendra es mensual, ¿verdad? Realquilaste la habitación porque no tenías donde vivir, ¿verdad?

—Sí.

—¡Pues ahora podremos alquilar un piso donde queramos!

—¡Es genial! —Pese a la ilusión que me hacía, las palabras sonaron falsas en mis oídos.

—¿Te apetece? —preguntó Lily con el entusiasmo algo apagado.

—Por supuesto, Lil. De veras, es una idea fabulosa. No quiero parecer negativa, pero es que chispea y estoy en medio de la calle con un café hirviendo cayéndome por el brazo izquierdo...

Bip-bip, sonó la otra línea. Aunque estuve en un tris de quemarme el cuello con la punta del cigarillo al intentar apartarme el teléfono del oído, conseguí ver que era Emily.

—Mierda, Lil, es Miranda. Tengo que darme prisa. Felicidades por la expulsión. Me alegro mucho por nosotras. Te llamaré luego, ¿de acuerdo?

—De acuerdo. Hablaremos de...

Colgué antes de que acabara la frase y me preparé para el bombardeo.

—Otra vez yo —dijo Emily con voz tirante—. ¿Qué coño está pasando? Joder, que es solo un café. Olvidas que antes yo hacía tu trabajo y sé que no se tarda tanto en...

—¿Qué? —exclamé tapando el auricular con los dedos—. ¿Qué has dicho? No te oigo. Si puedes oírme, no tardo ni un minuto.

Cerré el móvil y lo enterré en el bolsillo. Aunque todavía me quedaba medio Marlboro, lo arrojé a la acera y puse rumbo a la oficina.

Miranda se dignó aceptar ese capuchino algo más caliente y hasta nos concedió un respiro entre las diez y las once, tiempo que pasó en su despacho con la puerta cerrada, ronroneando con MUSYC como una recién casada. Yo había conocido oficialmente a MUSYC el miércoles de la semana anterior, cuando entré en su casa en torno a las nueve para dejar el Libro. Él estaba descolgando el abrigo del armario del vestíbulo y se pasó diez minutos hablando de sí mismo en tercera persona. Desde aquel encuentro me prestaba especial atención y dedicaba siempre unos minutos a preguntarme cómo me iba el día o a elogiar mi trabajo. Era evidente que su afabilidad no parecía influir en su esposa, pero era agradable tenerlo cerca.

Había decidido empezar a telefonear a algunos relaciones públicas a fin de conseguir ropa decente para mi trabajo cuando la voz de Miranda me sacó bruscamente de mi ensimismamiento.

—Emily, me gustaría tomar el almuerzo —dijo desde su despacho a nadie en particular, pues Emily podía significar cualquiera de nosotras.

La verdadera Emily me miró, asintió con la cabeza y entonces supe que podía moverme. El teléfono de mi mesa tenía memorizado el número de Smith and Wollensky, y enseguida reconocí la voz de la chica nueva al otro lado de la línea.

—Hola, Kim, soy Andrea, del despacho de Miranda Priestly. ¿Está Sebastian?

—Hola, mmm, ¿cómo has dicho que te llamas?

Aunque telefoneaba exactamente a la misma hora dos veces por semana, ella siempre actuaba como si no me conociera.

—Llamo del despacho de Miranda Priestly, de *Runway*. Oye,

no quiero parecer grosera... —Sí, en realidad sí quiero—. Pero tengo un poco de prisa. ¿Puedes pasarme con Sebastian?

Si me hubiese atendido otra persona le habría encargado el almuerzo habitual de Miranda, pero como esa chica era demasiado boba me había acostumbrado a preguntar directamente por el gerente.

—Bueno, espera que compruebe si está disponible.

Créeme, Kim, está disponible. Miranda Priestly es su vida.

—Andy, querida, ¿cómo estás? —dijo Sebastian entre jadeos por el teléfono—. Espero que llames porque nuestra directora de moda predilecta quiere su almuerzo.

Me pregunté cómo reaccionaría si por una vez le dijera que no era Miranda quien quería almorzar, sino yo. El caso es que el restaurante no servía comida para llevar, pero hacía una excepción con la reina.

—Por supuesto. Me acaba de comentar lo mucho que le apetecía un delicioso plato de vuestro restaurante. Además, te envía un abrazo.

Ni bajo amenaza de muerte o mutilación habría sido capaz Miranda de acertar el nombre del restaurante que le preparaba el almuerzo cada día, no digamos el nombre de su gerente. Con todo, Sebastian se ponía muy contento cuando le decía esas cosas. Ese día, se emocionó tanto que soltó una risita ahogada.

—Fantástico, fantástico. Lo tendremos listo para cuando llegues —aseguró con un entusiasmo renovado en la voz—. ¡Estoy impaciente! Y, naturalmente, yo también le envío un abrazo.

—Naturalmente. Hasta luego.

Me resultaba agotador hincharle el ego de ese modo, pero Sebastian me facilitaba tanto el trabajo que valía la pena. Los días que Miranda no comía fuera, yo le servía siempre el mismo menú, que ella engullía relajadamente en su despacho, con las puertas cerradas. Guardaba un surtido de platos en los compartimientos situados detrás de mi mesa para ese fin. La mayoría eran muestras enviadas por diseñadores que acababan de lanzar su nueva línea del «hogar», pero otros los había cogido directamente del comedor. Habría sido un engorro tener que guardar también artículos como salseras, cuchillos y servilletas de tela, de modo que Sebastian los proporcionaba con la comida.

Volví a meterme en mi abrigo negro, me guardé los cigarrillos y el móvil en el bolsillo y salí a un día de marzo cada vez más gris. Aunque el restaurante de la Cuarenta y nueve con la Tercera se hallaba a un paseo de quince minutos, me dispuse a pedir un coche, pero al notar el aire limpio en los pulmones cambié de parecer. Encendí un cigarrillo y aspiré el humo. Al expulsarlo no supe si era humo, vaho o irritación, pero estaba delicioso.

Cada vez se me daba mejor sortear a los boquiabiertos turistas. Antes miraba con desprecio a los peatones que hablaban por el móvil, pero con lo ajetreados que eran mis días me había convertido en una habladora andante. Lo saqué y llamé al colegio de Alex, quien a esas horas, según mi borrosa memoria, estaría comiendo en la sala de profesores.

A los dos tonos oí la voz aguda de una mujer.

—Hola, ha llamado a la escuela pública 277 y le atiende la señora Whitmore. ¿En qué puedo ayudarle?

—¿Está Alex Fineman?

—¿Y con quién tengo el gusto de hablar?

—Soy Andrea Sachs, su novia.

—¡Oh, Andrea, hemos oído hablar tanto de ti! —Hablaba de forma tan entrecortada que parecía que fuera a atragantarse en cualquier momento.

—¿De veras? Eso... eso es genial. Yo también he oído hablar de usted, claro. Alex cuenta maravillas de toda la gente del colegio.

—Qué encanto. Parece que tienes un empleo estupendo, Andrea. En serio. Qué interesante trabajar para una mujer de tanto talento. Eres una chica afortunada.

Oh, sí, señora Whitmore, soy una chica muy afortunada. No se hace una idea de lo afortunada que soy. No imagina lo afortunada que me sentí ayer por la tarde, cuando me enviaron a comprar tampones para mi jefa, para que luego me dijera que no había comprado los que debía y me preguntara por qué no hacía nada bien. Y afortunada sea probablemente la única palabra para describir el hecho de que cada mañana, antes de las ocho, me toque asegurarme de que la tintorería lave la ropa sudada y manchada de otra persona. ¡Eh, un momento! Creo que lo que en realidad me hace más afortunada es poder hablar con los criadores de perros de todo el estado durante tres semanas seguidas a fin de dar con el cocker perfecto para dos niñas increíblemente mimadas y antipáticas. ¡Sí, eso es!

—Oh, sí, es una oportunidad fantástica —dije mecánicamente—. Un trabajo por el que darían un ojo de la cara millones de chicas.

—¡Y que lo digas, querida! ¿Adivina qué? Alex acaba de entrar. Te lo pasaré.

—Hola, Andy, ¿qué tal? ¿Cómo te va el día?

—No me preguntes. Voy camino de recogerle el almuerzo. ¿Qué tal tú?

—Por ahora bien. A mi clase le toca música después de comer, así que tengo una hora y media libre. Y luego, más ejercicios de fonética —explicó con cierto tono derrotado—, aunque tengo la sensación de que nunca aprenderán a leer como es debido.

—¿Algún navajazo hoy?

—No.

—Entonces ¿qué más puedes pedir? Has tenido un día sin sangre. Disfrútalo y deja el concepto de lectura para mañana. Lily me ha llamado esta mañana. Van a echarla de su estudio de Harlem, así que nos iremos a vivir juntas. ¿No es genial?

—¡Desde luego! El momento no podría haber sido más oportuno. Lo pasaréis muy bien juntas. Ahora que lo pienso, asusta un poco tener que tratar todos los días con Lily... y con sus ligues... ¿Prometes que pasaremos mucho tiempo en mi apartamento?

—Por supuesto. Pero seguro que te sentirás como en casa, será como volver a la universidad.

—Lamento que Lily pierda un piso tan barato, pero por lo demás es una gran noticia.

—Lo sé, estoy muy contenta. Shanti y Kendra me caen bien, pero estoy harta de vivir con desconocidos. —Y el olor a curry, aunque me encanta la comida india, había impregnado todas mis cosas—. Le preguntaré a Lil si quiere tomar una copa esta noche para celebrarlo. ¿Te apuntas? Podríamos vernos en el East Village para que no te quede muy lejos.

—Claro, me encantaría. Esta tarde iré a Larchmont para cuidar de Joey, pero volveré a las ocho. Como todavía no habrás salido del trabajo, quedaré con Max y luego podremos reunirnos todos. Oye, ¿Lily está saliendo con alguien? A Max no le iría mal un... bueno...

—¿Un qué? —Me eché a reír—. Venga, dilo. ¿Crees que mi amiga es una zorra? No es más que un espíritu libre, eso es todo. ¿Está saliendo con alguien? ¿Qué clase de pregunta es esa? Un tal Chico con Camisa Rosa pasó la noche de ayer en su casa, pero ignoro cómo se llama.

—No importa. Bueno, acaba de sonar la campana. Llámame cuando hayas dejado el Libro.

—Lo haré. Adiós.

Me disponía a guardar el móvil cuando volvió a sonar. El número no me era familiar y respondí por el puro placer de que no fuera Miranda ni Emily.

—Desp... mmm, ¿diga?

Me había acostumbrado a responder a mi móvil y al teléfono de casa con la frase «Despacho de Miranda Priestly», lo cual era bochornoso cuando no se trataba de Lily o mis padres. Tenía que cambiar eso.

—¿Estoy hablando con la encantadora Andrea Sachs a la que asusté sin querer en la fiesta de Marshall? —preguntó una voz algo ronca y muy sensual.

¡Christian! Casi me había alegrado de que no hubiera dado señales de vida después de masajearme la mano con los labios. No obstante, el deseo de impresionarle con mi ingenio y encanto me asaltó de nuevo y decidí actuar con frialdad.

—La misma. ¿Puedo preguntar con quién hablo? Aquella noche me asustaron varios hombres por docenas de razones diferentes.

Por ahora bien. Tranquila, respira hondo.

—No me percaté de que tenía tanta competencia —repuso él con suavidad—. De todos modos no debería sorprenderme. ¿Cómo estás, Andrea?

—Bien. En realidad, muy bien —me apresuré a mentir, recordando un artículo de *Cosmo* que aconsejaba mostrarse «alegre y frívola» cuando hablabas con un tío nuevo, porque la mayoría de los tíos «normales» no recibían bien el exceso de cinismo—. El trabajo me va estupendamente. De hecho, ¡me encanta! Últimamente ha sido muy interesante. Hay mucho que aprender y pasan un montón de cosas. Sí, es genial. ¿Y tú?

No hables demasiado de ti, no domines la conversación, consigue que esté lo bastante cómodo para charlar del tema que más le gusta y conoce: él.

—Mientes muy bien, Andrea. Para un oído inexperto habría sonado creíble, aunque ya conoces el dicho. No puedes timar a un timador. Pero no te preocupes, por esta vez no lo tendré en cuenta. —Abrí la boca para rechazar la acusación, pero en lugar de hablar me eché a reír. Muy perceptivo—. Y ahora iré al grano porque estoy a punto de tomar un avión con destino a Washington y a los agentes de seguridad no les está haciendo ninguna gracia que pase por el detector de metales mientras hablo por teléfono. ¿Tienes plan para el sábado por la noche?

Detestaba que la gente planteara las preguntas de ese modo, o sea, que te preguntara si tenías plan antes de contarte el suyo. ¿Quería meter a la hija de su vecino en *Runway* y que yo pasara su currículum? ¿O quería que alguien le paseara el perro mientras él concedía otra entrevista de ocho horas al *New Yorker*? Estaba buscando una respuesta evasiva cuando añadió:

—Tengo una reserva en Babbo para este sábado a las nueve. Vendrán algunos amigos, la mayoría redactores y gente bastante interesante. Una mujer del *Buzz* y un par del *New Yorker*. ¿Te apetece?

En ese momento pasó una ambulancia con la sirena a todo volumen y las luces centelleando, esforzándose por sortear el denso tráfico. Los conductores, como siempre, ni se inmutaron, y la ambulancia tuvo que esperar como todos los demás a que el semáforo se pusiera verde.

¿Acababa de proponerme una cita? Sí, creo que eso era exactamente lo que había hecho. ¡Me había propuesto una cita! Christian Collinsworth me había pedido que saliera con él, un sábado por la noche para ser precisos, y al Babbo, donde había reservado una mesa para cenar con un grupo de gente inteligente e interesante, gente como él. ¡Lo del *New Yorker* era lo de menos! Me devané los sesos tratando de recordar si en la fiesta le había mencionado que el Babbo era el restaurante de Nueva York que más ganas tenía de conocer, que me encantaba la comida italiana y sabía que Miranda adoraba ese lugar. En una ocasión hasta decidí pulirme el salario de una semana en una cena y llamé a fin de reservar una mesa para Alex y para mí, pero tenían los siguientes cinco meses completos. Durante los últimos dos años y medio nadie me había invitado a salir salvo Alex.

—Córcholis, Christian, me encantaría —comencé, y al instante traté de olvidar que acababa de decir «córcholis». ¡Córcholis! La escena donde Baby anuncia orgullosamente a Johnny que ha transportado una sandía me vino a la mente, pero enseguida la aparté y me obligué a seguir hablando pese a la vergüenza—. Me encantaría, de veras... —Eso ya lo has dicho, boba, trata de decir algo más—. Pero no puedo. Ya... ya tengo planes para el sábado.

En general, una buena respuesta, pensé. Aunque había hablado a gritos para que se me oyera por encima de la sirena, creo que soné bastante digna. No tenía por qué estar libre para una cita dentro de dos días, ni tenía por qué revelar la existencia de un novio... después de todo, no era asunto suyo. ¿Cierto?

—¿De veras tienes planes, Andrea, o crees que a tu novio no le gustaría que salieras con otro hombre?

Quería sonsacármelo, lo sabía.

—Sea lo que sea, no es asunto tuyo —respondí remilgadamente, como la telefonista del colegio de Alex, y hasta puse los ojos en blanco.

Crucé la Tercera Avenida sin advertir que el semáforo estaba en rojo y una camioneta casi se me llevó por delante.

—De acuerdo, esta vez te perdono, pero volveré a intentarlo. Y sospecho que la próxima vez aceptarás.

—¿No me digas? ¿Y qué te hace pensar eso?

La seguridad que al principio me había parecido tan atractiva empezó a resultarme sumamente arrogante. Por desgracia, eso le hacía aún más atractivo.

—Una corazonada, Andrea, solo una corazonada. Y no hace falta que tu preciosa cabecita se preocupe, y tampoco la de tu novio. Solo era una invitación amistosa para una buena comida con una buena compañía. Quizá le gustaría apuntarse, Andrea. Me refiero a tu novio. Debe de ser un gran tipo. Me encantaría conocerle.

¡No!, estuve a punto de gritar, horrorizada ante la idea de tener a los dos sentados a una mesa frente a frente, ambos sorprendentes de formas tan radicalmente distintas. Me daría vergüenza que Christian viera la integridad y el carácter bonachón de Alex. A los ojos de Christian, Alex sería un paleto ingenuo. Y más vergüenza me daría que Alex viera, con sus propios ojos, todas las cosas feas que tanto me atraían de Christian: la elegancia, el descaro y esa seguridad en sí mismo tan firme que parecía imposible poder ofenderle.

—No —dije entre risas o más bien obligándome a reír para tratar de parecer despreocupada—. No creo que sea una buena idea, aunque estoy segura de que a él también le encantaría conocerte.

Christian rió conmigo, pero su risa se había vuelto burlona y condescendiente.

—Lo decía en broma, Andrea. Ignoro si tu novio es un gran tipo o no, pero no tengo especial interés en conocerle.

—No, claro, te había entendido...

—Oye, tengo que colgar. ¿Por qué no me llamas si cambias de opinión... o de planes? La oferta sigue en pie. Ah, y que tengas un buen día. Adiós.

Y colgó sin darme tiempo a contestar.

¿Qué demonios acababa de ocurrir? Rebobiné: Escritor Inteligente e Impresionante había dado con mi número de móvil, había llamado y me había propuesto una cita para el sábado por la noche en un Restaurante Moderno e Impresionante. No estaba segura de si él sabía de antemano que tenía novio, pero el dato no pareció desalentarle. De lo único que estaba segura era de que había pasado demasiado tiempo al teléfono, hecho que constaté cuando eché un vistazo al reloj. Habían transcurrido 22 minutos desde que abandoné la oficina, más de lo que solía tardar en ir y volver.

Guardé el móvil y me di cuenta de que ya estaba en el restaurante. Abrí la puerta de madera y entré en el oscuro y silencioso comedor. Aunque todas las mesas estaban ocupadas por banqueros y abogados que roían sus filetes favoritos, el silencio era casi absoluto, como si cada una hubiera sido hábilmente insonorizada y la lujosa moqueta y la combinación de colores masculinos absorbieran el ruido.

—¡Andrea! —oí gritar a Sebastian desde el atril de recepción. Vino derecho mí como si yo portara algún medicamento vital—. ¡Estamos tan felices de tenerte aquí!

Dos chicas de traje gris que tenía detrás asintieron con la cabeza.

—¿De veras? ¿Por qué?

Nunca podía evitar jugar un poco con Sebastian. Era un pelota difícil de creer. Se inclinó hacia mí con actitud conspiradora. Su emoción era palpable.

—En fin, ya sabes lo que siente todo el personal de Smith and Wollensky por la señorita Priestly, ¿verdad? *Runway* es una revista tan bonita, con esas fotos tan bellas, esos estilos sorprendentes y, naturalmente, esos relatos literarios fascinantes. ¡Todos la adoramos!

—Relatos literarios, ¿eh? —dije reprimiendo una carcajada.

Sebastian asintió y se volvió cuando una de sus ayudantes le dio un golpecito en el hombro para entregarle una bolsa.

—¡Ajá! —gritó de alegría—. Aquí está, una comida preparada a la perfección para una directora perfecta... y una ayudante perfecta —añadió con un guiño.

—Gracias, Sebastian, las dos te estamos muy agradecidas.

Abrí la mochila de algodón natural, parecida a esas bolsas superchulas de Strand que llevaban colgadas del hombro todos los estudiantes de la Universidad de Nueva York pero sin el logo, y me aseguré de que no faltara nada. Una libra y cuarto de bistec tan crudo que era posible que ni siquiera lo hubieran pasado por la plancha. Correcto. Dos patatas asadas, ambas del tamaño de un gatito, y muy calientes. Correcto. Un pequeño recipiente con puré de patatas reblandecido con mucha nata líquida y mantequilla. Correcto. Ocho espárragos perfectos, con las puntas rollizas y jugosas y la base bien afilada. Correcto. Una salsera de metal con mantequilla blanda, una caja con sal gorda *kosher*, un cuchillo de carne con mango de madera y una servilleta blanca de hilo que ese día estaba doblada con la forma de una falda plisada. Adorable. Sebastian aguardaba mi reacción.

—Muy bien, Sebastian —dije como si estuviera felicitando a un cachorro—. Hoy te has superado.

Su rostro se iluminó y dirigió la mirada al suelo con experta humildad.

—Gracias. Ya sabes lo que siento por la señorita Priestly, y es un honor, en fin, ya sabes...

—¿Preparar su almuerzo? —le ayudé.

—Exacto. Tú me entiendes.

—Por supuesto, Sebastian. Estoy segura de que le encantará.

No tuve el coraje de decirle que yo desmontaba toda su creación porque la señorita Priestly, a la que tanto adoraba, sufriría un ataque si tropezara con una servilleta con forma de todo menos de servilleta, tanto si parecía una bolsa de bolos como un tacón de aguja. Me coloqué la mochila bajo el brazo para irme, y en ese momento sonó el teléfono.

Sebastian me miró expectante, deseoso de que la voz al otro lado de la línea fuera la de su amada, su razón de vivir. No le defraudó.

—¿Eres Emily? ¿Emily, eres tú? Casi no te oigo —dijo la voz de Miranda en un colérico estacato.

—Hola, Miranda. Sí, soy Andrea —repuse con calma mientras Sebastian se desvanecía al oír su nombre.

—¿Acaso estás preparando tú la comida, Andrea? Porque, según mi reloj, la pedí hace más de veinte minutos. No se me ocurre razón alguna, si estuvieras haciendo tu trabajo como es debido, para que la comida no esté aún sobre mi mesa. ¿Y a ti?

¡Me había llamado por mi nombre! Una pequeña victoria, pero no tenía tiempo de celebrarla.

—Lamento la tardanza, pero ha habido una pequeña confusión con...

—Ya sabes lo poco que me interesan los detalles.

—Sí, lo sé, y no tardaré en...

—Te llamo para decirte que quiero la comida, y ahora mismo. No hay lugar para matices, Emily. Quiero. Mi. Comida. ¡Ya!

Y colgó. Las manos me temblaban tanto que el teléfono, como si estuviera cubierto de arsénico abrasador, se me cayó al suelo. Sebastian, que parecía al borde del desmayo, se agachó para recogerlo y me lo tendió.

—¿Está enfadada con nosotros, Andrea? ¡Espero que no piense que la hemos defraudado! ¿Lo piensa? ¿Piensa eso?

Su boca formó un óvalo apretado y las venas de la frente, ya marcadas de por sí, le palpitaban con fuerza. Deseé odiarle tanto como la odiaba a ella, pero solo me inspiró pena. ¿Por qué a ese hombre, que parecía extraordinario únicamente por lo poco mediocre que era, le importaba tanto Miranda Priestly? ¿Por qué estaba tan empeñado en complacerla, impresionarla, atenderla? Quizá debería ocupar mi puesto, pensé, porque yo dimitía. Sí, se acabó. Regresaría a la oficina y dimitiría. ¿Por qué tenía que aguantar las gilipolleces de Miranda? ¿Qué le daba derecho a hablarnos a mí y a los demás de ese modo? ¿El cargo? ¿El poder? ¿El prestigio? ¿La maldita Prada? ¿Desde cuándo, en un universo justo, se consideraba eso una conducta aceptable?

El recibo de la comida de 95 dólares que debía cargar a Elias-Clark descansaba sobre el atril, y lo firmé con un garabato ilegible. En esos momentos ya no sabía si la firma era de Miranda, de Emily o de Mahatma Gandhi, pero tampoco me importaba. Cogí la bolsa y me marché, dejando al frágil Sebastian con su angustia. En cuanto alcancé la calle subí a un taxi y a punto estuve de derribar a un anciano en el proceso. No disponía de tiempo para ocuparme de él. Tenía un empleo que dejar. Pese al tráfico del mediodía, recorrimos el puñado de manzanas en cinco minutos y di al taxista un billete de veinte. Le habría dado uno de cincuenta de haberlo tenido y haber concebido la forma de recuperarlo de Elias, pero no llevaba ninguno en la cartera. El hombre se puso a contar el cambio, pero cerré la portezuela y eché a correr. Deja que esos veinte alimenten a una niñita o reparen un calentador de agua, pensé. O compren unas cervezas después del trabajo en las cocheras de Queens. Hiciera lo que hiciera el taxista con ellos, sería más noble que comprar otra taza de Starbucks.

Llena de indignación farisaica, entré en tromba en el edificio y no hice caso de las miradas de desaprobación del pequeño grupo de ayudantes de moda que había en un rincón. Vi a Benjamin salir de los ascensores de Bergman, pero me desvié rápidamente para no perder tiempo, deslicé la tarjeta y apreté la cadera contra el torniquete. ¡Mierda! La barra metálica chocó contra el hueso de la pelvis y supe que iba a salirme un moretón. Levanté la vista para ver las dos filas de dientes deslumbrantes y la cara rolliza y sudorosa que los enmarcaba. Eduardo. Quería gastarme una broma. Seguro.

Le lancé mi mirada más malévola, esa que expresaba simplemente «¡Muérete!», pero no funcionó. Sin apartar la vista de él corrí hacia el siguiente torniquete, deslicé la tarjeta a toda velocidad y me abalancé sobre la barra. Eduardo había conseguido bloquearla justo a tiempo, y me quedé allí quieta mientras él dejaba pasar a las ayudantes de moda por el primer torniquete, una a una. Seis en total, y allí seguía yo, tan impotente que pensé que iba a echarme a llorar. Eduardo no tuvo compasión.

—Amiga, no pongas esa cara. Esto no es una tortura, sino un pasatiempo. Ahora, por favor, presta atención, porque... —arrancó con los primeros versos de «I think we are alone now».

—¡Eduardo! ¿Cómo quieres que represente eso? ¡Ahora mismo no tengo tiempo para esa gilipollez!

—De acuerdo, por esta vez no actúes, solo canta. Yo empiezo y tú acabas.

Supuse que tendría que dimitir si conseguía llegar arriba porque de todos modos iban a despedirme. No perdía nada por alegrar el día a alguien, así que continué cantando sin perder un solo compás.

Me incliné al percatarme de que Mickey, el capullo del primer día, estaba intentando escuchar, y Eduardo terminó por mí. Después soltó una carcajada y lanzó una mano al aire. Choqué con él esos cinco y oí el clic que hacía la barra metálica al desbloquearse.

—¡Disfruta de tu almuerzo, Andy! —exclamó sin dejar de sonreír.

—Tú también, Eduardo, tú también.

El viaje en ascensor transcurrió, por fortuna, sin incidentes, y hasta que tuve delante las puertas de nuestra oficina no comprendí que no podía dimitir. Aparte de una razón obvia —sería demasiado aterrador hacerlo sin una preparación previa, pues ella probablemente se limitaría a mirarme y decir «No, no te permito que dimitas», y entonces ¿qué diría yo?—, no debía olvidar que era únicamente un año de mi vida. Un solo año a fin de evitar muchos más años de desdicha. Un año, 365 días soportando esta basura para hacer lo que en realidad quería hacer. No era mucho pedir y, además, estaba demasiado cansada para ponerme a buscar otro trabajo. Demasiado cansada.

Emily levantó la vista cuando entré.

—Miranda volverá enseguida. El señor Ravitz acaba de convocarla en su despacho. En serio, Andrea, ¿por qué has tardado tanto? Ya sabes cómo se pone cuando te retrasas. ¿Y qué se supone que debo decirle? ¿Qué estás fumando en lugar de estar comprando su café, o hablando con tu novio en lugar de estar recogiendo su almuerzo? No es justo, no lo es.

Emily devolvió su atención al ordenador con cara de resignación.

Tenía razón, desde luego. No era justo. Ni para mí, ni para ella, ni para ningún ser humano semicivilizado. Me sentí mal por ponerle las cosas aún más difíciles, cosa que hacía cada vez que pasaba unos minutos de más fuera de la oficina para despejarme. Porque cada segundo que yo estaba fuera era otro segundo que la atención implacable de Miranda se concentraba en Emily. Juré que me esforzaría por hacerlo mejor.

—Tienes toda la razón, Em, y lo siento. Me esforzaré más.

Emily pareció asombrada y complacida.

—Te lo agradecería, Andrea. Verás, yo he hecho tu trabajo y sé lo asqueroso que es. Créeme, había días que tenía que salir cinco, seis y hasta siete veces, nevase o tronase, para comprarle el café. Estaba tan cansada que apenas podía andar. ¡Sé lo que es! A veces me llamaba para preguntarme dónde estaba algo, como el capuchino, la comida o una pasta para dientes sensibles que me había enviado a buscar (me tranquilizaba saber que al menos sus dientes tenían algo de sensibilidad) cuando yo todavía seguía en el edificio. ¡Aún no me había dado tiempo de salir a la calle! Ella es así, Andy. Si sigues rebelándote contra eso, no sobrevivirás. Con su actitud no pretende hacer daño, te lo aseguro. Simplemente es así.

Asentí con la cabeza y lo comprendí, pero no podía aceptarlo. No había trabajado en ningún otro lugar, pero me negaba a creer que todos los jefes se comportaran así. ¿Estaba equivocada?

Dejé la bolsa de la comida sobre mi mesa y me dispuse a servirla. Uno a uno, saqué los recipientes térmicos y dispuse los alimentos (con elegancia, esperaba) en un plato de porcelana. Deteniéndome únicamente para limpiarme las manos grasientas en unos pantalones Versace que aún no había enviado a la tintorería, coloqué el plato en la bandeja de teca y azulejos que guardaba debajo de mi mesa. Al lado puse la salsera llena de mantequilla, la sal y los cubiertos envueltos en una servilleta que ya no parecía una falda plisada. Tras un rápido repaso a mi obra de arte me percaté de que faltaba el Pellegrino. ¡Date prisa, volverá dentro de un minuto! Corrí a una de las minicocinas, cogí un puñado de cubitos de hielo y soplé sobre ellos para que no me quemaran las manos. Soplar estaba solo a un paso, un pasito, de chupar. ¿Lo hago? ¡No! Supérate, elévate. No escupas en su comida ni chupes sus cubitos de hielo, eres una persona demasiado educada para hacer eso.

El despacho de Miranda estaba vacío cuando regresé y lo único que me quedaba por hacer era servir el agua y colocar la bandeja sobre su mesa. Luego Miranda volvería, se sentaría ante su gigantesco escritorio y ordenaría que alguien cerrara las puertas de su despacho. Sería una de las pocas ocasiones en que yo me levantaría gustosamente, porque eso significaría no solo que Miranda pasaría media hora detrás de esas puertas ronroneando con

MUSYC, sino que había llegado la hora de comer también para nosotras. Una podría bajar corriendo hasta el comedor, coger lo primero que viera y regresar corriendo para que entonces pudiera ir la otra, y esconder la comida debajo de la mesa o detrás de la pantalla del ordenador por si ella salía inesperadamente. Si existía una regla tácita pero irrefutable era que el personal de *Runway* no comía delante de Miranda. Punto.

Mi reloj decía que eran las dos y cuarto. Mi estómago decía que era casi de noche. Hacía siete horas que había engullido la madalena de chocolate mientras regresaba de Starbucks. Estaba tan hambrienta que hasta pensé en dar un bocado al bistec.

—Em, tengo tanta hambre que podría desmayarme. Creo que voy a bajar a comprar algo. ¿Quieres que te traiga alguna cosa?

—¿Estás loca? Todavía no le has servido la comida. Volverá en cualquier momento.

—Hablo en serio, no me encuentro bien. No creo que pueda esperar. —Empezaba a sentirme mareada por la falta de sueño y de azúcar en la sangre. Hasta dudaba de mi capacidad para trasladar la bandeja al despacho de Miranda aunque apareciera en ese mismo instante.

—¡Andrea, ten un poco de sentido común! ¿Qué pasaría si te la encontraras en el ascensor o la recepción? Sabría que habías abandonado la oficina y se pondría furiosa. Es demasiado arriesgado. Ya lo tengo, yo misma iré a buscarte algo.

Emily cogió su monedero y salió de la oficina. Cuatro segundos después vi que Miranda se acercaba por el pasillo. En cuanto divisé su rostro ceñudo se me pasó por completo la sensación de mareo, hambre y fatiga, y salté de mi asiento para llevar la bandeja a su mesa antes de que ella la cogiera personalmente.

Regresé a mi silla, con la cabeza dolorida, la boca seca y totalmente aturdida justo cuando su primera Jimmy Choo cruzaba el umbral. Miranda no se dignó mirarme y, por fortuna, no reparó en la ausencia de Emily. Tuve la impresión de que su reunión con el señor Ravitz no había ido demasiado bien, aunque quizá su cara de palo solo se debiera al resentimiento de haber tenido que dejar su despacho para ir al de otra persona. El señor Ravitz era el único ser de todo el edificio al que Miranda se esforzaba por complacer.

—¡An-dre-aaa! ¿Qué es esto? Por favor, dime qué demonios es esto.

Entré corriendo en el despacho, me detuve frente a la mesa y me quedé mirando el menú que Miranda siempre consumía cuando no comía fuera. Tras un rápido repaso mental comprobé que no faltaba nada, no había nada fuera de lugar ni nada mal cocinado. ¿Qué ocurría entonces?

—Tu almuerzo —contesté con calma procurando no parecer sarcástica dado que mi afirmación no podía ser más obvia—. ¿Hay algún poblema?

Creo que Miranda, en honor a la verdad, se limitó a separar los labios, pero en mi estado de semidelirio me pareció que enseñaba unos colmillos afilados.

—¿Hay algún problema? —me imitó con una voz chillona que nada tenía que ver con la mía, una voz que, de hecho, no parecía humana. Entornó los ojos y se inclinó hacia mí, resistiéndose, como siempre, a elevar la voz—. Sí, hay un problema, un problema muy grave. ¿Por qué al regresar a mi despacho tengo que encontrarme esto en mi mesa?

Parecía uno de esos acertijos retorcidos. ¿Por qué al regresar a su despacho tenía que encontrarse eso en su mesa?, me pregunté. Estaba claro que el hecho de que lo hubiera pedido una hora atrás no era la respuesta adecuada, pero no se me ocurría otra. ¿No le gustaba la bandeja? No, eso no era posible, la había visto un millón de veces y jamás se había quejado. ¿Se habían equivocado con la carne? No, tampoco. En una ocasión el restaurante me envió de vuelta con un maravilloso filete pensando que a Miranda le gustaría más eso que el duro bistec, y casi le dio un infarto. Me obligó a telefonear al cocinero y a gritarle mientras ella permanecía a mi lado y me transmitía lo que tenía que decirle. «Lo siento, señorita, lo siento de veras», se disculpó el hombre, que parecía el ser más dulce del mundo. «Pensé que la señora Priestly, como es tan buena clienta, preferiría nuestro mejor plato. No le he cobrado la diferencia, pero no se preocupe, no volverá a ocurrir, se lo prometo.»

Me entraron ganas de llorar cuando Miranda me ordenó que le dijera que solo servía para cocinar en asadores de segunda, pero lo dije. Y él se disculpó y me dio la razón, y a partir de ese día Miranda recibía siempre su maldito bistec. Por lo tanto, el problema tampoco era ese. No supe qué decir.

—An-dre-aaa, ¿no te ha informado la ayudante del señor Ravitz de que él y yo hemos almorzado en ese asqueroso comedor? —me preguntó lentamente, como si intentara no perder el control.

¿Que había qué? Después de las prisas y las tonterías de Sebastian, de las llamadas iracundas y los 95 dólares, de la canción de Tiffany y la preparación de la bandeja, del mareo y la espera para comer hasta que ella regresara, ¿ya había comido?

—No, no me ha llamado. ¿Significa eso que no lo quieres? —pregunté acercándome a la mesa.

Me miró como si acabara de sugerirle que se comiera a sus hijas.

—¿Qué crees que significa, Emily?

¡Mierda, ahora que parecía que había aprendido mi nombre!

—Supongo que... bueno, que no lo quieres.

—Qué perspicaz, Emily, qué suerte tengo de que aprendas tan deprisa. Ahora llévatelo y asegúrate de que no vuelva a repetirse. Eso es todo.

Me asaltó una fantasía. Yo barría la mesa con el brazo, como en las películas, y enviaba la bandeja a la otra punta de la habitación. Ella me miraba y, presa del arrepentimiento, se disculpaba profusamente por haberme hablado así. El martilleo de sus uñas sobre el escritorio me devolvió a la realidad. Recogí apresuradamente la bandeja y me marché.

—¡An-dre-aaa, cierra la puerta! ¡Necesito tranquilidad! —dijo.

Supongo que encontrarse encima de la mesa una comida de gourmet que en aquel momento no le apetecía había sido un momento muy estresante para ella. Emily acababa de regresar con una Diet Coke y un paquete de pasas para mí. Se suponía que ese era mi almuerzo, que por supuesto no contenía ni una sola caloría, ni solo gramo de grasa, ni un solo grano de azúcar. Al oír a Miranda arrojó las cosas sobre su mesa y corrió a cerrar las puertas del despacho.

—¿Qué ha ocurrido? —susurró al verme con la bandeja intacta en las manos.

—Oh, por lo visto nuestra encantadora jefa ya ha comido —dije entre dientes—. Y acaba de echarme la bronca por no haberlo previsto, por no haberlo adivinado, por no ser capaz de ver el interior de su estómago y comprender que no tenía más hambre.

—Me estás tomando el pelo —repuso Emily—. ¿Te ha gritado porque fuiste a buscarle el almuerzo, tal como había pedido, y luego no supiste que ya había comido? ¡Qué hija de puta!

Asentí con la cabeza. Era todo un fenómeno que Emily se pusiera, por una vez, de mi parte, que no me sermoneara sobre Lo Mal Que Lo Hacía Todo. ¡Un momento! Demasiado bueno para ser verdad. Como el sol que desaparece del cielo dejando vetas rosadas y azules donde minutos antes irradiaba su luz, su cara pasó de la rabia a la contrición. ¡El Giro Paranoico de *Runway*!

—Recuerda lo que hablamos, Andrea. —Ya viene, ya viene. GPR, doce en punto—. Miranda no pretende ofenderte, simplemente es demasiado importante para que la molesten con detalles. Así que no te hagas mala sangre. Tira la comida y sigamos con lo nuestro.

Me miró con determinación y se sentó delante de su ordenador. Entonces supe que Emily se estaba preguntando si Miranda tenía micrófonos ocultos en nuestra oficina y lo había oído todo. Estaba roja, nerviosa y visiblemente irritada consigo misma por su falta de autodominio. Yo ignoraba cómo había sobrevivido todo ese tiempo.

Llevé la bandeja a la cocina y la incliné sobre el cubo de la basura para que cada artículo, toda esa comida preparada y sazonada a la perfección, el plato de porcelana, la salsera, la sal, la servilleta, el tenedor, el cuchillo y el vaso Baccarat, cayeran directamente en él. A la basura. Todo a la basura. ¿Qué importaba? Ya conseguiría otro juego al día siguiente o cuando Miranda volviera a tener hambre y pidiera otro almuerzo.

Cuando llegué a Drinkland, Alex parecía molesto y Lily destrozada. Enseguida me pregunté si Alex sabía que ese día me había propuesto una cita un tipo no solo famoso y mayor que él, sino de lo más pedante. ¿Podía intuirlo? ¿Presentirlo? ¿Debía contárselo? No, no tenía sentido contarle algo tan insignificante. No podía decirse que estuviera interesada por otro tío ni que fuera a hacer algo con él. Así pues, de nada serviría mencionarle mi conversación con el escritor.

—Hola, chica moderna —me saludó Lily arrastrando las palabras y alzando su gin-tonic. La bebida le salpicó el jersey pero no pareció notarlo—. ¿O debería decir futura compañera de piso? Pide algo. ¡Tenemos que brindar! —En realidad dijo «ruindá».

Besé a Alex y me senté a su lado.

—¡Estás impresionante! —exclamó admirando mi conjunto Prada—. ¿Desde cuándo vistes así?

—Oh, desde hoy. Alguien me explicó que si no mejoraba mi aspecto podía perder el empleo. Fue bastante humillante, pero he de reconocer que si tengo que vestirme cada día esta ropa no está tan mal. Por cierto, chicos, siento mucho llegar tarde. Esta noche el Libro se ha retrasado mucho, y cuando fui a dejarlo Miranda me envió a comprar albahaca.

—¿No decías que tenía cocinero? —preguntó Alex—. ¿Por qué no fue él?

—Es cierto, tiene cocinero. Y criada y niñera y dos hijas, de modo que ignoro por qué me envió a mí. Pero lo que más me molestó fue que la Quinta Avenida no tiene tiendas de ultramarinos, y tampoco Madison y Park, así que tuve que ir hasta Lex. Como era de esperar, no tenían albahaca, por lo que tuve que caminar nueve manzanas hasta dar con un D'Agostino's abierto. Tardé cuarenta y cinco minutos. Debería comprarme un especiero y viajar con él a todas partes, aunque debo deciros que fueron cuarenta y cinco minutos muy valiosos. Pensad en lo mucho que he aprendido buscando esa albahaca, en lo mucho mejor preparada que estoy ahora para mi futuro en el mundo editorial. ¡Voy camino de convertirme en una gran redactora! —Esbocé una sonrisa triunfal.

—¡Por tu futuro! —exclamó Lily sin detectar el más mínimo sarcasmo en mi diatriba.

—Está muy pasada —me susurró Alex mientras miraba a Lily como quien mira a un pariente enfermo en una cama de hospital—. Llegué a la hora convenida con Max, que ya se ha ido, pero creo que ella llevaba aquí un buen rato. Eso o bebe a una velocidad de vértigo.

Lily siempre había sido una bebedora destacada, lo cual no era de extrañar porque destacaba en todo. Fue la primera que fumó hierba en el bachillerato, la primera que perdió la virginidad en el instituto y la primera que se tiró de un paracaídas en el *college*. Amaba a todo aquel y todo aquello que no le hacía el menor bien, siempre y cuando la hiciera sentirse viva. «No entiendo cómo puedes acostarte con él si sabes que no va a romper con su novia», le había dicho un día acerca de un tipo con el que se veía a escondidas en nuestro último año de bachiller. «No entiendo cómo puedes portarte siempre bien —me replicó—. ¿Qué tiene de divertido tu vida perfectamente planificada y reglamentada? ¡Vive un poco, Andy! ¡Siente! ¡Es bueno estar viva!»

Tal vez últimamente bebiera un poco más de la cuenta, pero yo sabía lo estresante que estaba siendo para ella su primer año de universidad y sabía que sus profesores de Columbia eran más exigentes y menos comprensivos que los de Brown. Quizá no fuera una mala idea, pensé mientras hacía señas a la camarera. Quizá beber fuera la mejor forma de afrontar las dificultades. Pedí un Sprite con Stolichnaya, le di un largo trago y sentí náuseas, pues aún no había comido nada salvo las pasas y la Diet Coke.

—Estoy segura de que las dos últimas semanas en la universidad han sido muy duras para ella —comenté a Alex como si Lily no estuviera presente.

Lily no se había percatado de que estábamos hablando de ella porque estaba lanzando miradas seductoras a un ejecutivo sentado en la barra. Alex me rodeó con un brazo y me acurruqué con él en el sofá. Me producía un gran placer sentirlo de nuevo cerca. Tenía la impresión de que habían pasado semanas desde la última vez.

—Detesto ser un aguafiestas, pero tengo que irme a casa —anunció mientras me ponía un mechón detrás de la oreja—. ¿Podrás con ella?

—¿Tienes que irte? ¿Tan pronto?

—¿Tan pronto? Andy, llevo aquí dos horas viendo beber a tu mejor amiga. Había venido para verte a ti, pero no estabas. Ahora son casi las doce y tengo que corregir unas redacciones.

Lo dijo con calma, pero noté que estaba enfadado.

—Lo sé y lo siento, de veras que lo siento. Sabes que habría venido antes si hubiese dependido de mí. Sabes que...

—Lo sé. No estoy diciendo que hayas hecho algo malo o que podrías haber obrado de otra forma. Te comprendo, pero trata de comprenderme tú a mí, ¿de acuerdo?

Asentí con la cabeza y le di un beso, pero me sentía fatal. Me juré que le compensaría, que elegiría una noche y planearía algo especial para los dos. Lo cierto era que Alex me aguantaba muchas cosas.

—Entonces ¿no vienes a dormir conmigo? —pregunté esperanzada.

—No, a menos que necesites ayuda con Lily. Tengo que irme a casa para corregir esas redacciones. —Me abrazó, besó a Lily en la mejilla y caminó hasta la puerta—. Llámame si me necesitas —añadió antes de salir.

—¿Por qué se ha ido? —preguntó Lily pese a haber presenciado toda la conversación—. ¿Se ha enfadado contigo?

—Eso creo. —Suspiré. Me apreté la bandolera contra el pecho—. Últimamente no me he portado muy bien con él.

Fui a la barra para pedir algo de comer y a mi regreso encontré al ejecutivo acurrucado con Lily en el sofá. Aparentaba unos veintiocho años, pero sus incipientes entradas me impedían asegurarlo.

Cogí el abrigo de Lily y se lo arrojé al regazo.

—Lily, póntelo, nos vamos —dije mientras miraba al tipo.

Era más bien bajo, y sus pantalones caqui no lograban disimular su figura gordinflona. Y el hecho de tuviera la lengua a un par de centímetros de la oreja de mi mejor amiga hizo que me gustara aún menos.

—¿A qué viene tanta prisa? —preguntó con voz nasal—. Tu amiga y yo nos estamos conociendo.

Lily sonrió y asintió con la cabeza antes de llevarse a los labios el vaso, sin percatarse de que estaba vacío.

—Eso es estupendo, pero tenemos que irnos. ¿Cómo te llamas?

—Stuart.

—Me alegro de conocerte, Stuart. ¿Por qué no le das a Lily tu número para que pueda llamarte cuando se encuentre un poco mejor? ¿Qué te parece la idea?

Le lancé mi sonrisa más atractiva.

—Bueno... no importa, no te preocupes. Ya nos veremos.

Se levantó del sofá y volvió a la barra con tal rapidez que Lily no reparó en que ya no estaba.

—Stuart y yo nos estamos conociendo, ¿verdad, Stu...? —Se volvió para mirarle y puso cara de pasmo.

—Stuart ha tenido que irse, Lil. Venga, salgamos de aquí.

Le puse el abrigo verde guisante sobre los hombros y la levanté del sofá. Se tambaleó precariamente hasta que al fin recuperó el equilibrio. El aire de la calle era frío y cortante, y pensé que la despejaría.

—No me encuentro muy bien. —Arrastraba de nuevo las palabras.

—Lo sé, cariño, lo sé. Cogeremos un taxi hasta tu casa, ¿te parece bien?

Lily asintió y, acto seguido, se inclinó y vomitó sobre sus botas marrones, salpicando en el proceso los bajos de los pantalones. Ojalá las chicas de *Runway* pudieran ver ahora a mi mejor amiga, no pude evitar pensar.

La senté sobre el saliente de un escaparate que no parecía tener alarma y le ordené que no se moviera. Al otro lado de la calle había una tienda abierta y mi amiga necesitaba agua. Cuando regresé vi que había vuelto a vomitar —esta vez sobre el pecho—, y los párpados se le cerraban. Había comprado una botella de Poland Spring para que se la bebiera y otra para limpiarle el vómito, pero ahora estaba demasiado sucia. Le vertí una botella entera sobre las botas y la mitad de la otra sobre el abrigo. Mejor empapada de agua que cubierta de vómito. Lily tenía una curda tal que ni se enteró.

Con el aspecto que ofrecía no fue fácil convencer a un taxista de que nos dejara entrar en su vehículo, pero le prometí una propina exorbitante además de lo que a buen seguro sería un precio exorbitante. Teníamos que ir desde la parte baja este hasta la parte alta oeste, y ya estaba pensando en cómo justificaría los veinte dólares que sin duda nos costaría el trayecto. Podría atribuirlos a algún viaje que había tenido que hacer para buscarle algo a Miranda. Sí, eso colaría.

El ascenso a pie hasta la cuarta planta fue aún menos divertido que el trayecto en taxi, si bien en los veinticinco minutos que había durado Lily se había vuelto más colaboradora y hasta fue capaz de ducharse sola después de que yo la desnudara. La coloqué junto a la cama y vi cómo se desplomaba sobre el colchón cuando las rodillas tocaron el somier. Mientras la contemplaba en su estado inconsciente, eché de menos todas las cosas que habíamos hecho juntas en el *college*. Ahora también nos divertíamos, desde luego, pero nunca volveríamos a actuar con semejante despreocupación.

Me pregunté si Lily no bebía demasiado últimamente. Lo cierto era que se emborrachaba con bastante regularidad. Alex había sacado el tema una semana atrás, y yo le había asegurado que Lily bebía así porque todavía era una estudiante, porque no vivía en el mundo real, con las responsabilidades reales de un adulto (¡como, por ejemplo, servir el perfecto Pellegrino!). El caso es que Lily y yo habíamos pillado muchas curdas en el Señor Frog durante las semanas blancas, y en una ocasión nos habíamos pulido tres botellas de vino tinto para celebrar el día en que nos conocimos. Una vez, tras una juerga de final de curso, Lily tuvo que sujetarme el pelo mientras yo descansaba la cabeza en la taza del retrete, y luego se vio obligada a detener el coche cuatro veces cuando nos dirigíamos a mi dormitorio después de una noche que comprendió ocho cubalibres y una interpretación especialmente terrorífica de «Every rose has its thorn». Yo la había arrastrado hasta mi apartamento la noche que cumplió veintiún años, la había metido en mi cama y había comprobado su respiración cada diez minutos, y solo cuando tuve la seguridad de que sobreviviría me acosté en el suelo, a su lado. Esa noche, se despertó dos veces. La primera para vomitar —aunque se esforzó por acertar en el cubo que le había colocado al lado, lo echó todo sobre la pared de lo desorientada que estaba—, y la segunda para disculparse y decirme que me quería y que era la mejor amiga que una chica podía desear. Eso hacían las amigas, emborracharse juntas, hacer tonterías y cuidar la una de la otra. ¿O no eran más que divertidos ritos de iniciación que habían tenido su momento y su lugar? Alex insistía en que lo de ahora era diferente, que Lily estaba distinta, pero yo no lo veía así.

Sabía que esa noche debía quedarme con ella, pero eran casi las dos y tenía que estar de vuelta en el trabajo en cinco horas. La ropa me olía a vómito y las posibilidades de encontrar en el armario de Lily una prenda adecuada para *Runway* eran nulas, y eso a pesar de que mi estilo ya era de por sí corriente. La arropé con una manta y le puse el despertador a las siete para que, si no tenía demasiada resaca, pudiera ir a clase.

—Adiós, Lil, me voy. ¿Estás bien?

Coloqué el teléfono inalámbrico sobre la almohada, junto a la cara. Lily abrió los ojos, me miró y sonrió.

—Gracias —murmuró, y sus párpados volvieron a cerrarse.

No estaba para correr una maratón, ni siquiera para manejar un cortacésped, pero bastaría con que la durmiera.

—Ha sido un placer —alcancé a decir a pesar de que era la primera vez en las últimas 21 horas que dejaba físicamente de correr, recoger, colocar, trasladar, limpiar o atender—. Te llamaré mañana —añadí mientras rezaba para que las piernas no me fallaran—, si alguna de nosotras sigue viva.

Y por fin, por fin, me fui a casa.

10

—Hola, me alegro de dar contigo —dijo Cara al otro lado de la línea.

¿Qué hacía jadeando a las 7.45?

—Oh, oh, nunca llamas tan pronto. ¿Qué ocurre?

Durante los pocos segundos que tardé en pronunciar esas palabras pensé en media docena de cosas que Miranda podría necesitar.

—Nada, solo quería avisarte de que MUSYC va camino de la oficina para verte y hoy está especialmente hablador.

—Vaya, qué gran noticia. ¿Cuánto tiempo ha pasado desde que me interrogó sobre cada aspecto de mi vida? ¿Una semana? Empezaba a preguntarme qué había sido de mi mayor fan. —Terminé de escribir el texto que tenía entre manos y pulsé «imprimir».

—Debo admitir que eres una chica afortunada. MUSYC ha perdido todo el interés por mí. —Cara suspiró con fingido dramatismo—. Solo tiene ojos para ti. Le oí decir que iba a verte para hablar de los detalles de la fiesta del Met.

—Genial. Estoy impaciente por conocer a su hermano. Por ahora solo he hablado con él por teléfono y parece un auténtico capullo. ¿Estás segura de que MUSYC viene hacia aquí? ¿Crees que un espíritu bondadoso podría salvarme hoy de este desdichado encuentro?

—No, hoy no, seguro que va para allá. Miranda tiene hora con el pedicuro a las ocho y media y no creo que llegue con él.

Consulté rápidamente la agenda que descansaba sobre la mesa de Emily y confirmé la cita. Tenía por delante una mañana sin Miranda.

—Qué bien. No se me ocurre nadie mejor con quien intimar esta mañana que con MUSYC. ¿Por qué habla tanto?

—La única respuesta que me viene a la cabeza es que, si se casó con ella, es evidente que le falta un tornillo. Llámame si dice algo especialmente absurdo. Tengo que dejarte. Caroline acaba de aplastar una barra de labios Stila de Miranda contra el espejo del cuarto de baño sin motivo aparente.

—Qué vida tan emocionante la nuestra, ¿no te parece? En fin, gracias por la información. Te llamaré más tarde.

—De acuerdo, adiós.

Mientras esperaba a MUSYC repasé el texto que acababa de redactar. En él Miranda pedía permiso al Consejo de Administración del Metropolitan Museum of Art para celebrar, a finales de abril, una cena en una de las galerías, en nombre de su cuñado, un hombre que yo intuía que ella despreciaba pero que, desafortunadamente, era pariente. Jack Tomlinson, el hermano menor y más alocado de MUSYC, acababa de anunciar que abandonaba a su mujer y sus tres hijos para casarse con su criada mexicana. Aunque él y MUSYC habían sido la quintaesencia de la aristocracia universitaria de la costa Este, al acercarse a la treintena Jack se despojó de su personalidad «harvardiana» y se mudó a Dallas, donde enseguida hizo una fortuna con el negocio inmobiliario. Según me había contado Emily, se transformó en un auténtico chico texano, roedor de pajitas y escupidor de tabaco, algo que, naturalmente, horrorizaba a Miranda, personificación de la clase y la sofisticación. MUSYC le había rogado que organizara una fiesta de pedida para su hermano pequeño y Miranda, cegada de amor, no había tenido más remedio que aceptar. Y ya que estaba obligada a hacer algo, lo haría como es debido. Y hacerlo como es debido significaba hacerlo en el Met.

Estimados miembros del Consejo, bla, bla, bla, me dirijo a ustedes a fin de solicitar su autorización para celebrar una pequeña velada, bla, bla, bla, naturalmente solo contrataremos lo mejor en servicio de comida, floristería y música, bla, bla, bla, apreciaría sus consejos, bla, bla. Tras comprobar por última vez que el texto no contenía errores obvios, falsifiqué la firma de Miranda y llamé a un mensajero.

Poco después llamaron a la puerta de la oficina —a esas horas de la mañana la tenía cerrada porque todavía no había nadie— y me sorprendió la rapidez del servicio, pero cuando la puerta se abrió apareció MUSYC. Mostraba una sonrisa excesivamente entusiasta para no ser aún las ocho.

—Andrea —trinó acercándose de inmediato a mi mesa y sonriendo con tanta franqueza que me sentí culpable por no tenerle un mayor aprecio.

—Buenos días, señor Tomlinson, ¿qué le trae tan pronto por aquí? —pregunté—. Lamento comunicarle que Miranda aún no ha llegado.

Soltó una risita y su nariz tembló como la de un roedor.

—Creo que no vendrá hasta después del almuerzo. Hay que ver, Andy, ha pasado tanto tiempo desde nuestra última charla. Cuéntale al señor T. cómo te van las cosas.

—Deje que le ayude —dije en tanto le cogía la bolsa de la ropa sucia de Miranda.

También le liberé del bolsito Fendi que había reaparecido recientemente. Era un bolsito único, con un elaborado diseño de cuentas de cristal cosidas a mano, regalo de Silvia Venturini Fendi a Miranda como agradecimiento a su apoyo. Una ayudante de moda lo había valorado en casi diez de los grandes. Advertí que una de las finas asas de cuero había vuelto a romperse, a pesar de que el departamento de complementos lo había devuelto a Fendi una docena de veces para que la cosieran a mano. El bolso estaba diseñado para transportar un delicado billetero de mujer y puede que unas gafas de sol o, en caso absolutamente necesario, un móvil. Pero a Miranda eso le traía sin cuidado. Había metido un frasco de perfume Bulgari grande, una sandalia con un tacón roto que yo debía enviar a reparar, una agenda electrónica más pesada que un ordenador portátil, un collar de púas que todavía estaba intentando dilucidar si era de su perro o lo quería para un reportaje y el Libro que yo le había entregado la noche anterior. De haber sido mío ese bolso de diez mil dólares, lo habría empeñado y pagado el alquiler de un año, pero Miranda prefería utilizarlo de papelera.

—Gracias, Andy, eres una gran ayuda para todos. Y ahora al señor T. le encantaría saber cosas de ti. ¿Qué hay de tu vida?

¿Qué hay de mi vida? ¿Qué hay de mi vida? Mmm, veamos. En realidad no mucho, supongo. Me paso los días tratando de sobrevivir al período de servidumbre contratado con su sádica mujer. Los pocos minutos al día que Miranda no me está pidiendo algo humillante me los paso bloqueando el lavado de cerebro que me inflige su eficiente primera ayudante. Durante las cada vez más raras ocasiones en que me encuentro fuera de los confines de esta revista, intento convencerme de que no tiene nada de malo comer más de ochocientas calorías al día, o me concentro en recordarme que el hecho de gastar la talla 38 no me coloca en la categoría de tallas grandes. Por lo tanto, supongo que la respuesta es: no mucho.

—Pues no mucho, señor Tomlinson. Trabajo duro y cuando no estoy trabajando salgo con mi mejor amiga o con mi novio. También veo a mi familia.

Antes leía mucho, quise decirle, pero ahora me puede el cansancio. Y aunque el tenis siempre ha sido una parte importante de mi vida, ya no tengo tiempo para practicarlo.

—Así que tienes veinticinco, ¿eh?

Ignoraba a qué venía ese comentario.

—No, veintitrés. Me licencié en mayo.

—Ajá, conque veintitrés... —Tuve la impresión de que estaba dudando en si decir algo y me puse en guardia—. Andy, cuéntale al señor T. qué hacen en esta ciudad las chicas de veintitrés años para divertirse. Ya sabes, restaurantes, discotecas, esas cosas.

Sonrió de nuevo y me pregunté si necesitaba tanta atención como aparentaba. Su interés no parecía ocultar nada turbio, solo una necesidad insaciable de hablar.

—Mmm, bueno, muchas cosas, supongo. No voy a discotecas, sino a bares, pubs y sitios así. Salgo a cenar, voy al cine.

—Qué divertido. Yo también hacía esas cosas cuando tenía tu edad. Ahora solo asisto a actos de trabajo y fiestas benéficas. Disfrútalo mientras puedas, Andy.

Me guiñó un ojo como un padre bonachón.

—Bueno, eso intento.

Vete, vete, vete, supliqué para mis adentros mientras contemplaba con ansia el bollito que estaba gritando mi nombre. Apenas disponía de tres minutos de paz al día y ese hombre me los estaba robando.

Abrió la boca para decir algo pero en ese momento entró Emily. Llevaba puestos los auriculares y vibraba al ritmo de la música. Al vernos se detuvo en seco.

—¡Señor Tomlinson! —Se quitó los auriculares y guardó el iPod en su bolso Gucci—. ¿Va todo bien? No le pasa nada a Miranda, ¿verdad?

Parecía realmente preocupada. Una actuación magistral, la ayudante siempre atenta y cortés.

—Hola, Emily. No, todo va bien. El señor T. solo ha venido a dejar las cosas de Miranda. ¿Cómo estás?

La cara de Emily se iluminó. Me pregunté si podía ser cierto que le gustara la compañía del señor Tomlinson.

—Muy bien, gracias por su interés. ¿Y usted? ¿Le ha sido útil Andrea?

—Desde luego —respondió enviándome la sonrisa número mil—. Quería comentar algunos detalles de la fiesta de pedida de mi hermano, pero supongo que aún es demasiado pronto.

Por un momento pensé que se refería a la hora y estuve a punto de gritar ¡sí!, pero entonces me percaté de que se refería al día.

Se volvió hacia Emily.

—Tienes una segunda ayudante extraordinaria, ¿no crees?

—Desde luego —farfulló Emily entre dientes—. Es la mejor.

Sonrió.

Sonreí.

El señor Tomlinson sonrió todavía más y pensé que tal vez sufría un desequilibrio químico, quizá manía crónica.

—En fin, será mejor que el señor T. se ponga en marcha. Siempre es un placer hablar con vosotras, chicas. Que tengáis un buen día las dos. Adiós.

—¡Adiós, señor Tomlinson! —exclamó Emily mientras él ponía rumbo a recepción.

Me pregunté si le tocaría el culo a Sophy antes de entrar en el ascensor.

—¿Por qué has estado tan antipática? —me preguntó Emily al tiempo que se quitaba su ligera chaqueta de cuero para desvelar un *top* de gasa aún más ligero que se ataba por delante como un corsé.

—¿Antipática? Le he ayudado con las cosas que traía y hemos estado charlando hasta que has llegado. ¿A eso lo llamas estar antipática?

—En primer lugar, no le has dicho adiós. Y en segundo lugar, tenías esa expresión tan tuya.

—¿Qué expresión?

—Esa expresión que deja bien claro a todo el mundo lo mucho que desprecias todo esto, lo mucho que te disgusta. Conmigo pase, pero con el señor Tomlinson no. Es el marido de Miranda, no puedes tratarle así.

—Em, ¿no crees que es un poco... raro? No para de hablar. ¿Cómo puede ser tan simpático cuando ella es una... no tan simpática?

Emily se asomó al despacho de Miranda para asegurarse de que yo había colocado correctamente los periódicos.

—¿Raro? Qué va, Andrea. Es uno de los abogados especialistas en temas fiscales más importantes de Manhattan.

Era una pérdida de tiempo.

—Olvídalo, no sé lo que digo. ¿Qué tal estás? ¿Cómo te fue anoche?

—Muy bien, estuve con Jessica comprando los regalos de sus damas de honor. Fuimos a todas partes, a Scoop, Bergdorf's, Infinity, y me probé un montón de ropa para cuando vaya a París, aunque sé que es un poco pronto.

—¿París? ¿Te vas a París? ¿Insinúas que vas a dejarme sola con ella? —Esto último no quise decirlo en voz alta, pero se me escapó.

Otra mirada como si estuviera loca.

—Sí, en octubre iré a París con Miranda para los desfiles de primavera de *prêt-à-porter*. Cada año lleva a su primera ayudante para que conozca cómo funcionan. Ya sé que he estado en millones de desfiles de Bryant Park, pero los europeos son diferentes.

Hice un cálculo rápido.

—Faltan siete meses para octubre. ¿Te estuviste probando ropa para un viaje que harás dentro de siete meses?

No era mi intención ser tan directa y Emily enseguida se puso a la defensiva.

—Pues sí, aunque, como comprenderás, no pretendía comprar nada, porque para entonces habrá cambiado mucho la moda, pero quería empezar a pensar en ello. No es ninguna tontería, ¿sabes? Vuelos en primera, hoteles de cinco estrellas y las fiestas más impresionantes que hayas visto en tu vida. Además, asistiré a los desfiles de moda más exclusivos del mundo.

Emily ya me había contado que Miranda viajaba a Europa tres o cuatro veces al año para asistir a los desfiles. Siempre se saltaba Londres, como hacía todo el mundo, pero visitaba Milán y París en octubre para el *prêt-à-porter* de primavera, en julio para la alta costura de invierno y en marzo para el *prêt-à-porter* de otoño. A veces iba a Resort, pero no siempre. Nosotras nos habíamos matado preparando a Miranda para los desfiles que iban a tener lugar a finales de ese mes. Me pregunté por qué en este caso no planeaba llevarse una ayudante.

—¿Por qué no te lleva a todos los desfiles? —inquirí aun sabiendo que me esperaba una larga explicación, pero me complacía la idea de que Miranda se ausentara de la oficina dos semanas enteras y de perder de vista a Emily. Imágenes de hamburguesas con queso y beicon, de tejanos raídos accidental y no deliberadamente, de zapatos planos y puede que hasta zapatillas de deporte cabalgaron en mi cabeza—. ¿Por qué solo en octubre?

—Porque, como comprenderás, ya cuenta con ayuda. Los *Runway* italiano y francés siempre le envían ayudantes y la mayoría de las veces la atienden hasta los propios redactores. Pero en el desfile de primavera Miranda siempre ofrece una gran fiesta.

Todo el mundo la describe como el mejor acontecimiento del año. Y quién mejor que yo para ayudarla, naturalmente.

Naturalmente.

—Es fantástico. ¿Significa eso que yo me quedaré aquí defendiendo el fuerte?

—Más o menos, pero no creas que podrás escaquearte. Probablemente serán tus dos semanas más duras, porque Miranda necesita mucha ayuda cuando viaja. Te llamará sin cesar.

—¡Qué ilusión! —exclamé.

Emily puso los ojos en blanco.

Dormí con los párpados abiertos y la mirada fija en la pantalla del ordenador hasta que la oficina empezó a llenarse y hubo otras personas a las que mirar. A las diez en punto llegaron las primeras ayudantes de moda y los sorbos sigilosos de café con leche desnatada para apaciguar las resacas del champán de la noche anterior. James se detuvo en mi mesa, como hacía siempre que Miranda no estaba en su despacho, y me anunció que había conocido a su futuro marido en Balthazar.

—Estaba sentado a la barra con la chaqueta de cuero rojo más impresionante que he visto en mi vida, y qué arte a la hora de quitársela. Tendrías que haber visto cómo hacía resbalar las ostras en su lengua... —Soltó un gemido audible—. Fue sensacional.

—¿Le sacaste el número de teléfono? —pregunté.

—¿Si le saqué el número de teléfono? ¡Le saqué los pantalones! A las once ya lo tenía con el culo al aire en mi sofá y, chica, déjame que te cuente...

—Encantador, James, encantador. No eres de los que se hacen de rogar, ¿eh? Me pareces un poco zorra, la verdad. Estamos en la era del sida, por si no lo sabías.

—Cielo, hasta tú, señora del último ángel llegado a este mundo, habrías caído de rodillas ante ese tío. Es sencillamente impresionante. ¡Impresionante!

Para cuando dieron las once todo el mundo había repasado a todo el mundo y anotado mentalmente quién se había marcado un tanto con los nuevos tejanos tostados de Michael Kors o los cuellos de pico de Celine imposibles de encontrar. Descanso a las doce, momento en que la conversación versaba sobre prendas de ropa concretas y tenía lugar, generalmente, junto a los largos percheros alineados contra las paredes. Todas las mañanas, Jeffy, uno de los ayudantes a cargo del ropero, adelantaba todos los percheros con los vestidos, bañadores, pantalones, camisas, abrigos y zapatos propuestos para los anuncios de moda a doble página. Paseaba cada perchero por toda la planta para que los redactores buscaran lo que necesitaban sin tener que revolver en el ropero.

El ropero no era, en realidad, un ropero. Parecía más bien un teatro. A lo largo de su perímetro había murallas de zapatos de todos los números, colores y estilos, una auténtica fábrica de Willy Wonka para modelos con docenas de sandalias, zapatos de salón, manoletinas, botas altas, tacones con cuentas y demás. Montañas de cajones, algunos empotrados y otros apilados en los rincones, contenían toda clase imaginable de medias, calcetines, sujetadores, braguitas, calzoncillos y corsés. ¿Necesitas un sujetador realzador de tela de leopardo La Perla? Mira en el ropero. ¿Qué tal unas mallas de color carne o unas gafas de sol de Dior? Mira en el ropero. Los estantes y los cajones para complementos ocupaban las dos paredes del fondo y la cantidad de artículos —por no mencionar su coste— era escalofriante. Plumas estilográficas. Joyas. Sábanas. Bufandas, guantes y gorros de esquiar. Pijamas. Capas. Chales. Objetos de escritorio. Flores de seda. Sombreros, muchos sombreros. Y bolsos. ¡Los bolsos! Había bandoleras y bolsos de asa corta, mochilas, carteras y bolsos de mano, maletines y bolsas de mensajero, cada uno con su etiqueta exclusiva y un precio superior a la hipoteca mensual del estadounidense medio. Y luego estaban los percheros —tan apretados entre sí que era imposible sortearlos—, los cuales ocupaban hasta el último centímetro del espacio restante.

Así pues, durante el día Jeffy intentaba hacer del ropero un lugar semiutilizable donde los modelos (y ayudantes como yo) pudieran probarse la ropa y llegar a los zapatos y bolsos del fondo después de sacar los percheros a los pasillos. Todavía no había visto un solo visitante —ya fuera escritor, novio, mensajero o estilista— que no se detuviera en seco al ver los pasillos inundados de alta costura. Unas veces, los percheros estaban ordenados por reportajes (Sidney, Santa Barbara) y otras por artículos (biquinis, trajes de falda), pero por lo general aquello parecía un revoltijo de ropa muy cara. Aunque todo el mundo se paraba a mirar y tocar el sedoso cachemir y los vestidos de noche, eran las ayudantes de moda las que revoloteaban posesivamente alrededor de *su* ropa y hacían comentarios constantes sobre cada prenda.

—Maggie Rizer es la única mujer del mundo que puede ponerse estos pantalones tan ajustados —aseguró Hope, ayudante de moda de 52 kilos de peso y 1,84 de estatura, desde la puerta de nuestra oficina mientras sostenía los pantalones delante de sus piernas y suspiraba—. Con ellos mi culo parecería aún más enorme de lo que es.

—Andrea, por favor —intervino su amiga, una chica que apenas conocía y que trabajaba en complementos—, di a Hope que no está gorda.

—No estás gorda —obedecí mecánicamente.

Me habría ahorrado muchísimas horas si me hubiera hecho imprimir una camiseta con esa frase, o incluso si me la hubiera tatuado directamente en la frente. Siempre me estaban pidiendo que asegurara a diferentes empleadas de *Runway* que no estaban gordas.

—Dios mío, ¿es que no me has visto la tripa? Parezco una tienda de neumáticos Firestone. ¡Estoy gordísima!

La palabra «gorda» se hallaba en la mente de todas, pero no en sus cuerpos. Emily juraba que sus muslos tenían «un perímetro mayor que una secoya». Jessica creía que sus «brazos flácidos» parecían los de Roseanne Barr. Hasta James se quejaba de que esa mañana se había visto el culo tan enorme al salir de la ducha que había «contemplado la posibilidad de no ir a trabajar por gordo».

Al principio yo daba a esa miríada de preguntas sobre la gordura una respuesta, en mi opinión, muy lógica.

—Si tú estás gorda, Hope, ¿cómo estoy yo? Mido cuatro centímetros menos que tú y peso más.

—Oh, Andy, no digas tonterías. Yo estoy gorda. Tú estás delgada y estupenda.

Yo, naturalmente, pensaba que mentía, pero no tardé en comprender que Hope —como todas las chicas anoréxicas de las oficina y la mayoría de los tíos— era capaz de evaluar con objetividad el peso de las demás personas. Era cuando llegaba el momento de mirarse al espejo cuando veía el reflejo de un ñu.

Como es lógico, por mucho que intentara recordarme una y otra vez que yo era normal y ellas no, los constantes comentarios sobre la gordura habían hecho mella en mí. Apenas llevaba unos meses en *Runway* y mi mente ya estaba lo bastante desvirtuada —por no decir paranoica— para pensar que esos comentarios iban dirigidos a mí. O sea, yo, la alta y esbelta ayudante de moda, hago ver que me creo gorda para que tú, la rechoncha y achaparrada ayudante de Miranda, te des cuenta de que en realidad la gorda eres tú. Con mi metro ochenta y mis 56 kilos (por fortuna había recuperado el peso perdido por la disentería, aunque tenía la sensación de que estaba adelgazando de nuevo gracias a mi estilo de vida *Runway*, basado en solo-una-sopa-pero-muchos-cigarrillos), siempre me había considerado entre las chicas delgadas de mi edad. También me había sentido siempre más alta que el noventa por ciento de las mujeres que conocía y que el cincuenta por ciento de los tíos. No fue hasta que empecé a trabajar en ese engañoso lugar cuando supe lo que era sentirse baja y gorda todo el día, cada día. Yo era, sin lugar a dudas, el gnomo del grupo, la más achaparrada y la más ancha, y tenía la talla 38. Y por si corría el riesgo de olvidarlo en algún momento, los cuchicheos y las charlas diarias se encargaban de recordármelo.

—La doctora Eisenberg afirmó que la dieta Zone solo funciona si también evitas la fruta —intervino Jessica mientras sacaba del perchero una falda de Narciso Rodríguez. Recién prometida a uno de los vicepresidentes más jóvenes de Goldman Sachs, Jessica acusaba la presión de su inminente boda de sociedad—. Y tiene razón. Yo he perdido otros cuatro kilos desde mi última prueba.

Le perdonaba que se matara de hambre pese a apenas tener suficiente grasa en el cuerpo para funcionar con normalidad, pero no que hablara de ello. Me era imposible fingir que el tema me interesaba, por muy rimbombantes que fueran los nombres de los médicos o numerosos sus éxitos.

En torno a la una la oficina se animaba porque todo el mundo empezaba a prepararse para el almuerzo. No porque durante esa hora corriera la comida, sino porque era el momento del día destinado a los invitados. Yo observaba ociosamente el habitual desfile de estilistas, colaboradores independientes, amigos y amantes que pasaban para admirar y empaparse del glamour proyectado por cientos de miles de dólares de ropa, docenas de caras bonitas y lo que parecía una cantidad ilimitada de piernas larguísimas.

Jeffy se acercó a mi mesa en cuanto comprobó que Miranda y Emily se habían marchado a comer y me tendió dos bolsas de plástico enormes.

—Toma, échale un vistazo. No estará mal para empezar.

Vertí el contenido de una de las bolsas en el suelo, junto a mi mesa. Había dos pantalones Joseph —unos de color tostado y otros gris oscuro— estrechos y bajos de cintura, de una lana increíblemente suave, un pantalón Gucci de ante marrón capaz de convertir a una paleta en una supermodelo y dos tejanos Marc Jacobs perfectamente gastados que parecían confeccionados especialmente para mí. Había ocho o nueve *tops*, desde un ajustado jersey de cordoncillo y cuello alto de Calvin Klein hasta una blusa campesina diminuta y completamente transparente de Donna Karan. Sobre un traje pantalón de terciopelo azul de Tahari descansaba, cuidadosamente doblado, un vestido explosivo de Diane von Furstenberg. Enseguida me enamoré de una falda tejana plisada de Habitual que debía de quedarme justo por encima de la rodilla y que combinaba perfectamente con la floreada chaqueta de Katyone Adelie.

—¿Toda esta ropa... es para mí? —pregunté procurando mostrarme ilusionada en lugar de ofendida.

—Ajá. No es nada; cosas que llevaban siglos en el ropero. Puede que hayamos utilizado algunas en los reportajes, pero no hemos devuelto ninguna a las firmas. Cada tres o cuatro meses hago una limpieza en el ropero y regalo todas estas cosas. Pensé que podrían interesarte. Tienes la talla 38, ¿verdad?

Asentí con la cabeza, todavía sin habla.

—Eso pensé. La mayoría de las chicas de por aquí tienen la 36 e incluso la 34, así que puedes quedártelo todo.

Ay.

—Qué bien, Jeffy, te lo agradezco de veras. ¡Me gusta todo!

—Mira en la otra bolsa —dijo señalándola con el dedo—. No creerás que puedes vestir este traje de terciopelo con la birria de bandolera que llevas siempre encima, ¿no te parece?

De la segunda bolsa, más hinchada aún, salió un río de zapatos, bolsos y abrigos. Había dos pares de botas de tacón de Jimmy Choo —unas hasta el tobillo y las otras hasta la rodilla—, dos pares de sandalias altas de Manolo, unos escarpines de charol de Prada y unos mocasines de Tod que Jeffy enseguida me advirtió de que no llevara a la oficina. Me colgué del hombro un bolso de ante rojo y enseguida reparé en las dos C grabadas en la solapa, pero más me gustó el cuero de color chocolate del bolso de Celine que me colgué del otro brazo. Una trinchera larga, con los enormes botones característicos de Marc Jacobs, puso la guinda.

—No puede ser cierto —susurré acariciando unas gafas de sol Dior que Jeffy parecía haber metido en el último momento—. Me estás tomando el pelo.

Jeffy se alegró de mi reacción y agachó la cabeza.

—Solo te pido un favor: que lo uses, ¿de acuerdo? Y no digas a nadie que has sido la primera en elegir, porque esta gente solo vive para las limpiezas del ropero, ¿me oyes?

Al oír la voz de Emily por el pasillo salió disparado de la oficina y yo corrí a guardar la ropa debajo de mi mesa.

Emily llegó del comedor con su almuerzo habitual: un zumo de frutas natural y un ensalada pequeña de brécol y lechuga iceberg con vinagre balsámico. No vinagreta, no. Vinagre. Miranda se presentaría en cualquier momento —Uri había telefoneado para comunicarme que estaban de camino—, así que no pude disfrutar de mis habituales siete minutos de lujo para ir directa al puesto de las sopas, regresar con una taza y engullirla en mi mesa. Los minutos pasaban y tenía un hambre atroz, pero sencillamente no me quedaba energía para sortear a las ayudantes de moda, aguantar el examen de la cajera y preguntarme si me infligía un daño irreparable al beberme una sopa que ardía (¡y engordaba!) con tanta prisa que notaba cómo el calor corría por mi esófago. No vale la pena, pensé. No te morirás por saltarte una comida, me dije. De hecho, según mis sanos y equilibrados compañeros de trabajo, me volvería más fuerte. Además, los pantalones de dos mil dólares no sientan tan bien a las chicas comilonas, razoné. Me hundí en mi asiento y pensé en lo bien que acababa de representar a la revista *Runway.*

11

El móvil aulló en lo más profundo de mis sueños, pero recuperé el conocimiento lo bastante para preguntarme si era ella. Tras un proceso de orientación sorprendentemente raudo —dónde estoy, quién es «ella», qué día es hoy—, comprendí que el hecho de que el teléfono sonara a las ocho de la mañana de un sábado no podía traer nada bueno. Todos mis amigos tardarían aún horas en despertarse, y mis padres, tras años de soportar mi indiferencia, habían aceptado de mala gana que su hija no respondía al teléfono antes de las doce. Durante los siete segundos que tardé en sacar estas conclusiones también estuve buscando alguna razón por la que debía atender esa llamada. Entonces recordé las razones que me dio Emily el primer día y mi brazo procedió a alejarse del confort de la cama. Alcancé a abrir el móvil un segundo antes de que dejara de sonar.

—¿Diga?

Me enorgulleció que mi voz sonara fuerte y clara, como si llevara cinco horas trabajando en algo respetable en lugar de sumida en un sueño tan profundo, tan intenso, que no podía indicar nada bueno sobre mi salud.

—¡Buenos días, cariño! Me alegro de que estés despierta. Solo quería decirte que estoy en las sesenta con la Tercera, así que llegaré dentro de unos diez minutos —me flageló la voz de mi madre.

¡Día de traslado! ¡Era día de traslado! Había olvidado por completo que mis padres había accedido a venir a la ciudad para ayudarme a empaquetar mis cosas y llevarlas al apartamento que Lily y yo acabábamos de alquilar. Nosotros nos encargaríamos de las cajas de ropa, discos y álbumes de fotos, y los de la mudanza llevarían la cama.

—Ah, hola, mamá —murmuré recuperando el tono cansino—. Pensé que eras ella.

—No, hoy has tenido suerte. Oye, ¿dónde puedo aparcar? ¿Hay algún aparcamiento cerca de tu casa?

—Sí, hay uno justo debajo de mi edificio. Gira a la derecha desde la Tercera. Dales el número de mi apartamento y te harán un descuento. Tengo que vestirme, mamá. Ahora nos vemos.

—Muy bien, cariño. ¡Espero que tengas ganas de trabajar!

Caí sobre la almohada y consideré la posibilidad de dormir un poquito más. Imposible, mis padres había venido expresamente de Connecticut para ayudarme con la mudanza. Justo en ese momento estallaron las características interferencias del radiodespertador. ¡Ajá, me había acordado de que aquel era día de traslado! Comprobar que no estaba del todo loca me tranquilizó.

Salir de la cama me costó aún más que otros días, a pesar de que era mucho más tarde. Mi cuerpo se había engañado brevemente pensando que iba a recuperarse, había contado con reducir ese infame «sueño pendiente» que estudiamos en psicología 101. Junto a la cama había una pila de ropa doblada, lo único, además del cepillo de dientes, que me quedaba por guardar. Me puse el pantalón Adidas, la sudadera con capucha Brown y las mugrientas zapatillas de deporte grises New Balance que me habían acompañado alrededor del mundo. En cuanto escupí la última gota de Listerine sonó el portero automático.

—Hola, os abro.

Dos minutos más tarde, llamaron a la puerta, y en lugar de mis padres encontré a un Alex de aspecto desaliñado. Estaba guapísimo, como siempre. Los tejanos gastados le bailaban sobre unas caderas inexistentes y la camiseta gris de manga larga le apretaba lo justo. Iba despeinado y, detrás de las gafas de montura metálica que llevaba cuando no toleraba las lentillas, se veían unos ojos muy rojos. No pude evitar darle un abrazo allí mismo.

No le veía desde el domingo por la tarde, cuando quedamos para tomar un café rápido. Habíamos planeado pasar el día y la noche juntos, pero Miranda necesitó inesperadamente un canguro para Cassidy a fin de poder llevar a Caroline al médico y me reclutó a mí. Llegué a casa demasiado tarde para poder pasar un rato con Alex, que últimamente había dejado de acampar en mi cama ya que apenas conseguía verme, y yo lo entendía. La noche anterior había querido quedarse, pero yo todavía me hallaba en la fase de disimulo ante los padres; aunque todas las partes implicadas sabían que Alex y yo dormíamos juntos, no podía hacerse, decirse ni insinuarse nada que lo confirmara. Así pues, no quería que estuviera allí cuando mi padre llegara.

—Hola, nena, he pensado que no os iría mal un poco de ayuda. —Levantó una bolsa que supe contenía bollitos salados, mis favoritos, y café—. ¿Han llegado ya tus padres? También les he traído café.

—Pensaba que hoy tenías clase particular —dije.

En ese momento Shanti salía de su habitación vestida con un traje pantalón negro. Ladeó la cabeza al pasar por nuestro lado, farfulló que tenía que trabajar todo el día y se fue. Hablábamos tan poco que me pregunté si se acordaba de que ese era mi último día en el apartamento.

—Y así era, pero llamé a los padres de las dos niñas y ambos dijeron que mañana les iba bien. Por tanto, ¡soy todo tuyo!

—¡Andy! ¡Alex!

Mi padre se detuvo en el umbral, detrás de Alex, con el semblante iluminado, como si esa fuera la mejor mañana de su vida. Repasé rápidamente la situación y llegué a la conclusión de que mi padre supondría acertadamente que Alex acababa de llegar porque iba calzado y sostenía comida recién comprada. Además, la puerta aún estaba abierta. Buf.

—Andy me dijo que no podías venir —comentó papá mientras dejaba sobre la mesa de la sala lo que tenía todo el aspecto de ser una bolsa de bollitos, seguro que salados, y café, evitando mirarnos a los ojos—. ¿Vienes o te vas?

Sonreí a Alex con la esperanza de que no estuviera lamentando haberse metido en ese berenjenal a una hora tan temprana.

—Oh, acabo de llegar, doctor Sachs —repuso animadamente—. He cambiado mi clase particular porque pensé que les iría bien una mano.

—Eso es genial, estoy seguro de que nos hará mucha falta. Toma, Alex, coge un bollito. Lo siento, pero como no sabía que estabas aquí solamente pedí tres cafés.

Mi padre estaba sinceramente apenado y eso me conmovió. Sabía que le costaba aceptar que su hija pequeña tuviera novio, pero hacía lo posible por no demostrarlo.

—No se preocupe, doctor Sachs. Yo también he traído algo de comer.

Y dicho eso, mi padre y mi novio se sentaron en el futón, totalmente relajados, y compartieron el desayuno.

Yo caté los bollitos salados de ambas bolsas y pensé en lo fantástico que sería volver a vivir con Lily. Hacía casi un año que habíamos terminado el *college* y, aunque intentábamos hablar al menos una vez al día, tenía la sensación de que apenas nos veíamos. Ahora podríamos llegar a casa y quejarnos del día que habíamos tenido, como en los viejos tiempos. Alex y mi padre hablaban de deportes (baloncesto, creo), mientras yo etiquetaba las cajas que tenía en mi habitación. Por desgracia, no había muchas: algunas con ropa de cama y almohadas, otra con álbumes de fotos y material de escritorio (aunque no tenía escritorio), artículos de maquillaje y tocador, además de un montón de guardapolvos llenos de ropa nada *Runway*. Apenas lo justo para justificar el uso de etiquetas. Supongo que se lo debía a la ayudante que llevaba dentro.

—Manos a la obra —dijo mi padre desde la sala.

—¡Chist, vas a despertar a Kendra! —susurré—. Es sábado y no son más que las nueve.

Alex negó con la cabeza.

—¿No la viste salir antes con Shanti? O por lo menos creo que era ella. Seguro que eran dos, y las dos iban con traje y no parecían muy contentas. Asómate a su habitación.

La puerta del dormitorio que lograban compartir gracias a una litera estaba entornada. La abrí un poco más. Las camas estaban impecablemente hechas, las almohadas habían sido ahuecadas y sobre ellas descansaban dos perros de peluche idénticos. Entonces caí en la cuenta de que nunca había puesto un pie en esa habitación. Durante los meses que había vivido con esas chicas, no había mantenido con ellas una conversación de más de treinta segundos seguidos. No sabía qué hacían, adónde iban, ni si tenían otros amigos. Me alegraba de irme.

Alex y papá habían limpiado los restos del desayuno y estaban trazando un plan.

—Tienes razón, no están. Creo que ni siquiera saben que me voy hoy.

—¿Por qué no les dejas una nota? —propuso mamá—. ¿Qué te parece en tu tablero de Scrabble?

Yo había heredado la adicción de mi padre al Scrabble y él tenía la teoría de que un nuevo hogar requería un nuevo tablero.

Pasé mis últimos cinco minutos en el apartamento ordenando las fichas hasta componer la siguiente frase: «Gracias por todo y buena suerte. Un abrazo, Andy». Un total de 59 puntos. Nada mal.

Tardamos una hora en llenar ambos coches. Yo era la encargada de abrir la puerta de la calle y vigilar los vehículos mientras ellos subían al piso. Los hombres de la mudanza, que me habían cobrado más que el coste de la maldita cama, se estaban retrasando, así que papá y Alex se fueron al apartamento. Lily lo había encontrado en el *Village Voice* y yo todavía no lo había visto. Un día me llamó al trabajo desde su móvil y exclamó:

—¡Lo he encontrado! ¡Lo he encontrado! ¡Es perfecto! Tiene cuarto de baño con agua corriente, suelo de madera con solo un ligero alabeo, y llevo aquí cuatro minutos y no he visto ratones ni cucarachas. ¿Puedes venir a verlo?

—¿Estás flipada? —susurré—. Ella está aquí, lo que significa que no voy a ninguna parte.

—Tienes que venir ahora mismo. Ya sabes cómo funcionan estas cosas. He traído conmigo la carpeta.

—Lily, sé razonable. No podría abandonar la oficina ni para que me hicieran un trasplante de corazón sin que me despidieran. ¿Cómo esperas que vaya a ver un apartamento?

—Pues dentro de treinta segundos ya no estará disponible. Hay por lo menos veinticinco personas rellenando solicitudes. Tengo que hacerlo ya.

En el obsceno mundo inmobiliario de Manhattan los apartamentos semihabitables eran más escasos —y deseables— que los hombres hetero seminormales. Si a eso le añadía el calificativo de semiasequibles, eran más difíciles de conseguir que un isla privada en medio de la costa surafricana. Tanto daba que la mayoría alardeara de tener treinta metros cuadrados de polvo y madera podrida, paredes desconchadas y electrodomésticos prehistóricos. ¿Sin cucarachas? ¿Sin ratones? ¡Menudo chollo!

—Lily, hazlo, confío en ti. ¿Puedes describírmelo en un correo electrónico?

Quería colgar cuanto antes porque Miranda podía regresar del departamento artístico en cualquier momento. Si me pillaba atendiendo una llamada personal, estaba acabada.

—Tengo copias de tus nóminas, que, por cierto, dan pena... y los extractos de nuestras cuentas, nuestro historial de créditos y tu carta de empleo. El único problema es el aval. Tiene que ser un residente de este estado o uno colindante y ganar como mínimo cuarenta veces el coste del alquiler mensual. Te aseguro que mi abuela no gana cien mil dólares. ¿Podrían avalarnos tus padres?

—Caray, Lil, no tengo ni idea. No se lo he preguntado y no puedo llamarles ahora. Llámales tú.

—De acuerdo. Ganan lo suficiente, ¿verdad?

No estaba segura, pero ¿a quién más podíamos pedírselo?

—Llámalos —le ordené—. Diles lo de Miranda y que siento no poder telefonearles yo.

—De acuerdo. Pero primero me aseguraré de que podemos conseguir el apartamento. Te llamaré luego.

El teléfono volvió a sonar al cabo de veinte segundos y el identificador de llamadas me indicó que era Lily. Emily levantó la vista de esa forma tan suya. Descolgué el auricular pero me dirigí a ella.

—Es importante —susurré—. Mi mejor amiga está intentando alquilarme un apartamento por teléfono porque yo no puedo moverme de aquí...

Tres voces me atacaron al mismo tiempo. La de Emily era comedida y serena. «Andrea, por favor», había empezado a decir en el mismísimo instante en que Lily aullaba «¡Nos avalan, Andy, nos avalan! ¿Me oyes?». Sin embargo, aunque ambas me hablaban a mí, no podía oírlas. La única voz que alcancé a escuchar, alta y clara, fue la de Miranda.

—¿Algún problema, An-dre-aaa?

Ostras, había dicho mi nombre. Estaba inclinada hacia mí, como si se dispusiera a pegarme. Colgué de inmediato, confiando en que Lily lo entendiera, y me preparé para el ataque.

—No, Miranda, ningún problema.

—Bien. Escucha, me apetece un helado y me gustaría comérmelo antes de que se haya derretido. Un helado de vainilla, no un yogur o un batido, nada de bajo en calorías o sin azúcar, con jarabe de chocolate y nata montada. No nata de bote, ¿entendido? Nata montada auténtica. Eso es todo.

Regresó al departamento artístico con paso firme y tuve la clara impresión de que había venido solo para vigilarme. Emily sonrió afectadamente. El teléfono sonó. Otra vez Lily. Maldita sea, ¿por qué no me enviaba un mensaje electrónico? Descolgué y apreté el auricular contra mi oreja, pero no dije nada.

—Sé que no puedes hablar, así que lo haré yo. Tus padres nos avalan, lo cual es genial. El apartamento tiene un dormitorio grande y, una vez que levantemos un tabique en la sala de estar, todavía quedará espacio para un sofá de dos plazas y una silla. El cuarto de baño no tiene bañera, pero la ducha no está mal. Nada de lavavajillas, claro, ni aire acondicionado, pero podemos comprar aparatos portátiles. Lavandería en el sótano, portero media jornada, a una manzana de la línea 6. Y no te lo pierdas. ¡Tiene balcón!

Debí de silbar de forma audible porque el entusiasmo de Lily aumentó.

—¡Lo sé! ¡Una locura! Da la impresión de que va a venirse abajo en cualquier momento, ¡pero está ahí! Cabemos las dos y tendremos un lugar donde fumar. ¡Es perfecto!

—¿Cuánto? —susurré, decidida a no pronunciar ni una sola palabra más.

—Todo nuestro por un total de 2.280 dólares al mes. ¿Te puedes creer que tendremos un balcón por 1.140 dólares cada una? Este apartamento es el chollo del siglo. ¿Voy a por él?

Guardé silencio. Quería hablar, pero Miranda se acercaba poco a poco mientras reprendía a una coordinadora de eventos delante de todo el mundo. Estaba de un humor de perros y yo ya había tenido suficiente por un día. La chica a la que estaba denigrando tenía la cabeza gacha y las mejillas rojas de vergüenza, y recé para que, por su bien, no llorara.

—¡Andy, esto es ridículo! ¡Limítate a decir sí o no! No solo he tenido que saltarme las clases de hoy, cuando tú no has podido ausentarte siquiera un rato del trabajo, sino que encima no puedes molestarte en decir sí o no. ¿Qué voy...?

La paciencia de Lily había llegado al límite, y yo lo entendía perfectamente, pero no tenía más remedio que colgarle. Gritaba tanto que su voz resonaba en toda la oficina, y Miranda se hallaba a menos de dos metros. Me sentía tan impotente que me dieron ganas de llevarme a la coordinadora al lavabo y llorar con ella. O tal vez si nos uniéramos, podríamos empujar a Miranda al lavabo y estrangularla con el pañuelo Hermès que rodeaba su enclenque cuello. ¿Sería capaz de tirar de él? Tal vez fuera más efectivo meterle el maldito pañuelo en la boca y ver cómo se ahogaba y...

—¡An-dre-aaa! —Su voz era cortante, acerada—. ¿Qué te pedí que hicieras hace cinco minutos? —¡Coño, el helado! Lo había olvidado—. ¿Hay alguna razón para que sigas sentada ahí en lugar de estar haciendo tu trabajo? ¿Se trata quizá de una broma? ¿Acaso hice o dije algo que indicara que no hablaba en serio? ¿Lo hice? ¿Lo hice?

Tenía los ojos desorbitados y, aunque todavía no había levantado del todo la voz, estaba en un tris de hacerlo. Abrí la boca para hablar, pero entonces oí la voz de Emily.

—Miranda, lo siento mucho, ha sido culpa mía. Pedí a Andrea que respondiera al teléfono porque pensé que podrían ser Caroline o Cassidy, y yo estaba en la otra línea encargando la blusa de Prada que querías. Andrea ya se iba. Lo siento, no volverá a ocurrir.

¡Milagro! Doña Perfecta había hablado, y en mi defensa, ni más ni menos.

Miranda se aplacó.

—De acuerdo. Ahora ve a por mi helado, Andrea.

Dicho eso, entró en su despacho, descolgó el teléfono y se puso a ronronear con MUSYC.

Miré a Emily, pero ella hizo ver que trabajaba. Le envié un correo electrónico con solo dos palabras: «¿Por qué?».

«Porque temía que fuera a despedirte y no tengo ganas de formar a otra chica», respondió. Me fui a buscar el helado perfecto y llamé a Lily desde el móvil en cuanto el ascensor llegó al vestíbulo.

—Lo siento, lo siento mucho. Es que...

—Oye, no puedo perder más tiempo —dijo Lily con tono inexpresivo—. Creo que exageras un poco, ¿no te parece? ¿De veras no podías decir un simple sí o no?

—Es difícil de explicar, Lil. El caso es que...

—Olvídalo, tengo prisa. Te llamaré si lo hemos conseguido, aunque para lo que te importa...

Quise protestar, pero ella ya había colgado. ¡Maldita sea! No era justo esperar que Lily lo comprendiera cuando cinco meses atrás yo misma me hubiera calificado de absurda. No era justo obligarla a recorrer todo Manhattan en busca de un apartamento para las dos cuando yo ni siquiera estaba dispuesta a contestar a sus llamadas, pero ¿qué podía hacer?

Cuando por fin, después de medianoche, atendió una de mis llamadas, me comunicó que el apartamento era nuestro.

—Es fabuloso, Lil, no sé cómo agradecértelo. Juro que te compensaré por esto, ¡lo juro! —Entonces tuve una idea. ¡Sé espontánea! Pide un coche Elias y ve a Harlem para darle las gracias en persona. ¡Sí, lo haré!—. Lil, ¿estás en casa? Voy para allá a celebrarlo, ¿de acuerdo?

Creía que la idea le encantaría.

—No te molestes —replicó quedamente—. Tengo una botella de So-Co y el Chico del Aro Lingual está aquí. Tengo todo lo que necesito.

Eso me dolió, si bien lo entendí. Lily raras veces se enfadaba pero cuando lo hacía, no había forma de hablar con ella hasta que se le pasaba. Oí el vertido de un líquido en un vaso, el tintineo de cubitos de hielo y el sonido de un largo trago.

—De acuerdo, pero llámame si necesitas algo.

—¿Para qué? ¿Para que puedas permanecer callada al otro lado de la línea? No, gracias.

—Lil...

—No te preocupes por mí, estoy bien. —Otro trago—. Ya nos llamaremos. Por cierto, enhorabuena.

—Sí, enhorabuena —repetí, pero ella ya había colgado.

Después de eso había telefoneado a Alex para preguntarle si podía ir a su casa, pero la idea no le entusiasmó.

—Andy, sabes que me encantaría verte, pero voy a salir con Max y los chicos. Como nunca estás disponible durante la semana, he quedado con ellos.

—¿Por dónde pensáis ir? ¿Puedo unirme a vosotros? —pregunté, segura de que irían al Upper East Side, cerca de mi casa, porque era donde vivían sus amigos.

—Oye, cualquier otra noche sería genial, pero hoy es solo para hombres.

—Oh, entiendo. Quería quedar con Lily para celebrar lo del nuevo apartamento, pero nos hemos peleado. No entiende que no pueda hablar con ella cuando estoy en el trabajo.

—Andy, yo tampoco lo entiendo del todo. Sé que esa Miranda es una mujer exigente, créeme, pero me parece que te tomas muy en serio todo lo relacionado con ella. —Hablaba como si se esforzara por mantener un tono amable.

—¡Porque no tengo otro remedio! —exclamé, cabreada por el hecho de que no quisiera verme, de que no me rogara que saliera con sus amigos y de que se pusiera del lado de Lily, a pesar de que ambos tenían razón—. Se trata de mi vida, ¿sabes? De mi futuro profesional. ¿Qué debo hacer? ¿Tomármelo a cachondeo?

—Andy, estás tergiversando mis palabras. Sabes que no quiero decir eso.

Yo ya estaba gritando, no podía evitarlo. Primero Lily, y ahora

Alex. Como si no tuviera bastante con Miranda. Era demasiado y quise echarme a llorar, pero solo era capaz de gritar.

—Un puto cachondeo, ¿eh? ¡Eso es mi trabajo para vosotros! Oh, Andy, trabajas en el mundo de la moda, eso no puede ser duro —espeté, odiándome un poco más con cada segundo que pasaba—. ¡Bien, pues lo siento si no todos podemos ser bienhechores o estudiantes de doctorado! Lo siento si...

—Llámame cuando te hayas tranquilizado —me interrumpió Alex—. No pienso seguir escuchándote.

Y colgó. ¡Colgó!

Había confiado en que volviera a llamar, pero no lo hizo, y cuando conseguí conciliar el sueño, en torno a las tres, no había vuelto a saber nada ni de Alex ni de Lily.

El día de la mudanza, una semana después, ninguno de los dos parecía visiblemente enfadado, pero tampoco eran los de siempre. No había tenido tiempo de reparar la ofensa, pero pensaba que todo volvería a su cauce cuando Lily y yo empezáramos a vivir juntas en nuestro nuevo apartamento. Nuestro apartamento, donde todo volvería a ser como en el *college*, cuando la vida era mucho más agradable.

Los de la mudanza llegaron a las once y tardaron nueve minutos en desmontar mi querida cama y arrojar las piezas en la parte posterior de su furgoneta. Mamá y yo fuimos con ellos hasta el nuevo edificio, donde encontré a papá y a Alex charlando con el portero —curiosamente, era la viva imagen de John Galliano—, con las cajas apiladas contra la pared del vestíbulo.

—Andy, menos mal que has llegado. El señor Fisher se niega a abrir el apartamento a menos que uno de los inquilinos esté presente —explicó mi padre con una amplia sonrisa—. Una postura encomiable —añadió guiñando un ojo al portero.

—¿Todavía no ha llegado Lily? Dijo que estaría aquí a las diez o las diez y media.

—No la he visto. ¿Quieres que la llame? —preguntó Alex.

—Sí, será lo mejor. Entretanto yo subiré con el señor... Fisher para que podamos empezar a trasladar las cosas. Pregunta a Lily si necesita ayuda.

El señor Fisher esbozó una sonrisa que solo podía calificarse de lujuriosa.

—Por favor, ya somos como de la familia —dijo mirándome el pecho—. Llámame John.

Casi me atraganté con el café ya frío que tenía en la mano y me pregunté si el hombre venerado en el mundo entero por resucitar la marca Dior había muerto sin yo saberlo y se había reencarnado en mi portero.

Alex asintió y se limpió las gafas con la camiseta. Me encantaba ese gesto.

—Ve con tus padres. Yo la llamaré.

Una vez hechas las presentaciones, me pregunté si era bueno o malo que mi padre hubiera trabado amistad con mi portero (diseñador), el hombre que, a partir de ese momento, conocería inevitablemente cada detalle de mi vida. El vestíbulo tenía buen aspecto, aunque era un poco retro. Era de piedra clara y tenía unos bancos de apariencia incómoda delante de los ascensores. Nuestro apartamento era el 8C y daba al sudoeste, lo cual, según había oído, era una buena cosa. John abrió la puerta con su llave maestra y retrocedió como un padre orgulloso.

—Aquí lo tienen —anunció con gesto grandilocuente.

Entré esperando que me asaltara un fuerte olor a azufre o tal vez murciélagos volando bajo el techo, pero el lugar estaba muy limpio y era increíblemente luminoso. La cocina, a mano derecha, constituía una franja del ancho de una persona con suelo de baldosas y decentes armarios de formica blancos. No había lavaplatos, claro, pero las encimeras imitaban el granito y había un microondas empotrado sobre el horno.

—Es genial —dijo mi madre al tiempo que abría la nevera—. Ya tiene cubiteras.

Los de la mudanza pasaron junto a nosotros arrastrando mi cama y quejándose por el esfuerzo.

La cocina daba a la sala de estar, que ya había sido dividida en dos por un tabique provisional para crear un segundo dormitorio. Eso significaba, naturalmente, que la sala se había quedado sin ventanas, pero no importaba. El dormitorio tenía un tamaño aceptable —sin duda mayor que el que acababa de dejar— y la puerta corredera que daba al balcón ocupaba toda una pared. El cuarto de baño, situado entre la sala de estar y el verdadero dormitorio, tenía azulejos rosas. En fin, qué se le iba a hacer. Podía considerarse un detalle *kitsch*. Entré en el verdadero dormitorio, bastante más grande que el de la sala, y miré alrededor. Armarito, ventilador de techo y una pequeña ventana mugrienta que daba directamente a un apartamento del edificio de enfrente. Lily había pedido esa habitación y yo había aceptado. Ella prefería disponer de espacio porque pasaba mucho tiempo estudiando en la habitación, mientras que yo prefería luz y la salida al balcón.

—Gracias, Lil —susurré pese a saber que no podía oírme.

—¿Qué has dicho, cariño? —preguntó mamá acercándose por detrás.

—Oh, nada, que Lily ha hecho un buen trabajo. No sabía qué podía esperar, pero es genial, ¿no crees?

Noté que mi madre estaba buscando la forma más delicada de decirme algo.

—Sí, para ser Nueva York es un apartamento estupendo, aunque cuesta imaginar que se pueda pagar tanto por tan poco. ¿Sabes que tu hermana y Kyle solo pagan 1.400 al mes por un piso con aire acondicionado, dos plazas de aparcamiento, lavadora y secadora nuevas, tres dormitorios y dos cuartos de baño de mármol? —dijo, como si hubiera sido la primera en percatarse de ello.

Por 2.280 dólares podías conseguir una casita frente al mar en Los Ángeles, una casa pareada de tres pisos en una calle arbolada de Chicago, un dúplex de cuatro dormitorios en Miami o un maldito castillo con foso en Cleveland. Sí, lo sabíamos.

—Y acceso al campo de golf, el gimnasio y la piscina —añadí—. Sí, lo sé pero, lo creas o no, esto es una ganga. Creo que aquí seremos muy felices.

Mamá me abrazó.

—Yo también lo creo, siempre y cuando no trabajes tanto que no puedas disfrutarlo —añadió.

Mi padre entró y abrió la bolsa de lona que llevaba arrastrando consigo toda la mañana y que yo suponía contenía su ropa para su partido de raquetball. En lugar de eso sacó una caja marrón con un rótulo en el centro que rezaba «Edición limitada». Scrabble. Una edición de coleccionista cuyo tablero estaba montado sobre una bandeja giratoria y los recuadros tenían los cantos elevados para que las letras no resbalaran. Llevábamos diez años admirándolo en tiendas de juegos de mesa, pero no habíamos encontrado ninguna ocasión que justificara su compra.

—¡Oh, papá, no tenías por qué hacerlo! —Sabía que el tablero costaba más de doscientos dólares—. ¡Me encanta!

—Que lo disfrutes con buena salud —dijo abrazándome—. O mejor aún, dando una buena paliza a tu viejo. Recuerdo cuando te dejaba ganar. Tenía que hacerlo si no quería que te pasaras la noche enfurruñada, dando portazos por la casa. ¡En cambio ahora...! En fin, mis viejas neuronas están para el arrastre y no podría ganarte aunque quisiera. Aunque eso no significa que no vaya a ocurrir.

Me disponía a decirle que había tenido el mejor maestro cuando Alex entró. No parecía muy contento.

—¿Qué ocurre? —le pregunté al ver que movía nerviosamente los pies.

—Nada, nada —mintió al tiempo que miraba en dirección a mis padres. Me lanzó una mirada de «aguarda» y agregó—: Toma, he subido una caja.

—Vayamos a por más —propuso mi padre a mi madre, encaminándose hacia la puerta—. Puede que el señor Fisher tenga un carro, así podríamos subir algunas de golpe. Volveré enseguida.

Miré a Alex y aguardamos a oír que las puertas del ascensor se cerraban.

—Acabo de hablar con Lily —dijo lentamente.

—No seguirá enfadada conmigo, ¿verdad? Ha estado muy rara toda la semana.

—No, no creo que sea eso.

—¿Qué ocurre entonces?

—Verás, no estaba en casa...

—¿Y dónde está? ¿En casa de un tío? No puedo creer que llegue tarde el día de su traslado.

Abrí una ventana para que el aire se llevara el olor a pintura.

—No, en realidad llamaba desde una comisaría. —Alex se miró los zapatos.

—¿Desde dónde? ¿Está bien? ¡Dios mío! ¿La han atracado? ¿Violado? Tengo que ir a verla.

—Andy, Lily está bien. La han detenido —explicó en voz baja, como si estuviera comunicando a unos padres que su hijo tenía que repetir curso.

—¿Que la han arrestado?

Me esforcé por conservar la calma, pero me di cuenta de que estaba gritando cuando ya era demasiado tarde. Mi padre entró en ese momento tirando de un carro enorme que amenazaba con volcarse bajo el peso de las cajas mal apiladas.

—¿A quién han arrestado? —preguntó inopinadamente.

Alex habló antes de que pudiera inventar una mentira plausible.

—Estaba contando a Andy que anoche dijeron en la tele que una de las chicas de TLC había sido arrestada por tráfico de drogas. Nunca lo habría imaginado de ella...

Papá meneó la cabeza mientras examinaba la habitación, seguramente preguntándose desde cuándo a Alex o a mí nos interesaban tanto las cantantes de rap como para hablar de ellas.

—Estoy pensando que la única forma de poner la cama es con la cabecera contra la pared del fondo —comentó—. Y hablando de cama, voy a ver qué hacen los de la mudanza. No entiendo por qué tardan tanto.

En cuanto la puerta del apartamento se hubo cerrado, me abalancé literalmente sobre Alex.

—¡Deprisa, cuéntame qué ocurrió!

—Andy, estás chillando y no es para tanto; de hecho es hasta gracioso. —Rió entornando los ojos y por un segundo me recordó a Eduardo. Puaj.

—Alex Fineman, más vale que me digas ahora mismo qué le ha pasado a mi mejor amiga...

—De acuerdo, cálmate. —Era evidente que disfrutaba con la situación—. Anoche salió con un tipo al que llamó Chico del Aro Lingual. ¿Le conocemos?

Le miré enfurecida.

—El caso es que salieron a cenar y después Chico del Aro Lingual la acompañó a casa a pie. Lily pensó que sería divertido hacerle un destape frontal en medio de la calle. «Sexy», dijo ella, para despertar su interés.

Imaginé a Lily desenvolviendo un caramelo de menta y saliendo del restaurante tras una cena romántica, para luego abrirse de golpe la blusa frente al tipo que había pagado para que alguien le pasara un caramelo por el aro de la lengua. Joder.

—No, no puede ser...

Alex asintió, esforzándose por no sonreír.

—¿Me estás diciendo que mi amiga fue arrestada por enseñar las tetas? Eso es ridículo. Estamos en Nueva York. ¡En el trabajo no paro de ver a mujeres con el pecho prácticamente al aire! —Estaba chillando otra vez, pero no podía evitarlo.

—El culo. —Alex se miró los zapatos. Estaba tan rojo que yo no sabía si era de vergüenza o de contener la risa.

—¿Cómo?

—El pecho no, el culo. De hecho, todo de cintura para abajo. Por delante y por detrás. —Finalmente exhibió una sonrisa de oreja a oreja y temí que fuera a hacerse pipí.

—Dime que no es cierto —gemí mientras me preguntaba en qué lío se había metido mi amiga—. ¿Y un policía la vio y la arrestó?

—No. Dos niños la vieron y avisaron a su madre...

—Dios...

—La madre le pidió que se subiera los pantalones, y Lily le dijo lo que podía hacer con su opinión. Entonces la mujer fue a buscar a un poli que había cerca.

—Basta, te lo ruego, basta.

—Todavía no te he contado lo mejor. Cuando la mujer y el poli llegaron, Lily y Chico del Aro Lingual se lo estaban montando en la calle, según ella con mucha pasión.

—¿Me estás hablando de mi amiga Lily Goodwin? ¿Me estás diciendo que mi dulce y adorable amiga de octavo se dedica ahora a desnudarse y a montárselo por las esquinas? ¿Con tíos que llevan aros en la lengua?

—Andy, cálmate. Lily está bien, de veras. En realidad el policía la detuvo porque le hizo un gesto feo con el dedo cuando le preguntó si era cierto que se había bajado los pantalones...

—Dios mío, no puedo seguir escuchando. Esto debe de ser lo que se siente siendo madre.

—Pero la han soltado con una advertencia y va camino de su casa para descansar. Debía de estar muy borracha para atreverse a tratar de ese modo a un poli. No te preocupes. Cuando acabemos con la mudanza, iremos a verla si quieres.

Alex se dirigió al carro que mi padre había dejado en medio de la sala y procedió a descargar las cajas. Yo no podía esperar, tenía que saber cómo estaba Lily. Atendió la llamada al cuarto tono, justo antes de que saliera el buzón de voz, como si hubiera estado dudando si contestar.

—¿Estás bien? —pregunté en cuanto oí su voz.

—Hola, Andy. Espero no haber fastidiado la mudanza. No me necesitas, ¿verdad? Lo siento mucho.

—Eso no me preocupa, me preocupas tú. ¿Estás bien? —Caí en la cuenta de que probablemente había pasado la noche en comisaría, dado que era por la mañana y acababan de soltarla—. ¿Has pasado la noche allí? ¿En la cárcel?

—Sí, supongo que así es, pero no ha estado tan mal, nada que ver con las películas. Dormí en un cuarto con otra chica inofensiva que estaba allí por algo igualmente estúpido. Los agentes se enrollaron bien. Nada de barrotes ni cosas así. —Lily soltó una risa forzada.

Procuré apartar de mi mente la imagen de la dulce y hippie Lily en una celda inundada de orina, acorralada por una lesbiana iracunda y posesiva.

—¿Dónde estaba entretanto Chico del Aro Lingual? ¿Dejó que te pudrieras en la cárcel? —Antes de que Lily pudiera contestar, pensé: ¿Dónde estaba yo? ¿Por qué no me llamó?

—Se portó muy bien, se...

—Lily, ¿por qué...?

—... ofreció a quedarse conmigo e incluso llamó al abogado de sus padres.

—Lily. ¡Lily, para un momento! ¿Por qué no me llamaste? Sabes que habría ido corriendo y no me habría movido de allí hasta que te hubieran soltado. ¿Por qué? ¿Por qué no me llamaste?

—Andy, eso ya no importa. No fue tan horrible, te lo juro. No puedo creer que haya sido tan estúpida. Créeme, se acabaron esas curdas, no merecen la pena.

—¿Por qué? ¿Por qué no me llamaste? Estuve en casa toda la noche, hubiera llegado en un santiamén.

—No importa, en serio. No llamé porque supuse que estabas trabajando o demasiado cansada y no quería molestarte. Y menos aún un viernes por la noche.

Traté de hacer memoria sobre lo que había hecho esa noche y lo único que recordaba con claridad fue ver *Dirty dancing* en TNT por sexagesimoctava vez. Y de todas las veces, esa fue la primera que me dormí antes de que Johnny anunciara que «no permitiré que nadie te arrincone, Baby» y la levantara literalmente del suelo, hasta que el doctor Houseman confiesa que sabe que Johnny no fue el que metió en un aprieto a Penny, le da una palmada en la espalda y besa a Baby, que acaba de reclamar el nombre de Frances. Yo veía esa escena como un factor determinante en mi identidad.

—¿Trabajando? ¿Pensabas que estaba trabajando? ¿Y qué importa lo cansada que esté cuando tú necesitas ayuda? Lil, no lo entiendo.

—Andy, déjalo ya, ¿vale? Trabajas sin parar día y noche, y a veces hasta los fines de semana, y cuando no estás trabajando estás quejándote del trabajo. Y lo entiendo, porque sé que tu trabajo es muy duro y tu jefa una lunática, pero no iba a ser yo quien interrumpiera tu noche del viernes sabiendo que podías estar descansando o divirtiéndote con Alex. Él dice que apenas te ve y no quería robarle ese momento. Si te hubiera necesitado de verdad te habría llamado, y sé que habrías venido corriendo. Pero te juro que no fue tan desagradable. Por favor, ¿podemos dejarlo ya? Estoy agotada y necesito una ducha y una cama.

Mi estupor era tal que no me permitía hablar, pero Lily interpretó mi silencio como aceptación.

—¿Sigues ahí? —preguntó después de que me pasara casi treinta segundos buscando las palabras adecuadas para disculparme, explicarme o lo que fuera—. Oye, acabo de llegar a casa. Necesito dormir. ¿Te importa si te llamo luego?

—Eh, no, claro —balbuceé—. Lil, lo siento muchísimo. Si alguna vez te he dado la impresión de que no puedes...

—Andy, basta. No pasa nada, todo va bien. Hablaremos más tarde.

—De acuerdo, que duermas bien. Llámame si puedo hacer algo...

—Descuida. Por cierto, ¿qué te parece el apartamento?

—Es estupendo, Lil, en serio. Has hecho un gran trabajo, es mejor de lo que había imaginado. Estaremos muy a gusto aquí.

Mi propia voz me sonó forzada y era evidente que estaba hablando por hablar, por retener a Lily en el teléfono para asegurarme de que nuestra amistad no había sufrido un revés inexplicable pero irreparable.

—Estupendo. Me alegro mucho de que te guste. Espero que a Chico del Aro Lingual también —bromeó, aunque su voz sonaba forzada.

Colgamos y me quedé en medio de la sala contemplando el teléfono hasta que mamá entró para anunciar que nos invitaba a comer a Alex y a mí.

—¿Qué ocurre, Andy? ¿Y dónde está Lily? Suponía que necesitaría ayuda con sus cosas, pero tendré que irme a las tres. ¿Viene hacia aquí?

—Mmm, no, ayer se puso enferma. Llevaba varios días notándose rara. Probablemente haga el traslado mañana. Acabo de hablar con ella por teléfono.

—¿Seguro que está bien? ¿Crees que deberíamos ir a verla? Esa chica siempre me ha dado mucha pena, sin unos padres de verdad, sin otra familia que esa excéntrica anciana que tiene por abuela. —Posó una mano en mi hombro, como si quisiera recalcar lo doloroso de la situación—. Es afortunada de tenerte como amiga. De no ser por ti, estaría sola en el mundo.

Mi voz quedó atrapada en la garganta, pero al cabo de unos segundos conseguí hablar.

—Supongo que tienes razón. Pero está bien, de veras. Solo necesita dormir. Vamos a comprar unos bocadillos, ¿de acuerdo? El portero dice que hay una charcutería muy buena a cuatro manzanas de aquí.

—Despacho de Miranda Priestly —dije con mi habitual tono de aburrimiento que esperaba transmitiera mi desdicha a quienquiera que se atrevía a interrumpir mi tiempo de correo electrónico.

—Hola, ¿eres Em-em-em-Emily? —tartamudeó una voz femenina al otro lado de la línea.

—No, soy Andrea, la nueva ayudante de Miranda.

—Ah, la nueva ayudante de Miranda —berreó la extraña voz—. ¡La chica más afortunada del m-m-m-mundo! ¿Qué te parece tu trabajo hasta ahora con la personificación del mal?

Mi atención se agudizó. Eso era nuevo. En los meses que llevaba trabajando en *Runway* no había conocido a una sola persona que hablara mal de Miranda con tanta audacia. ¿Lo decía en serio? ¿Era un trampa?

—Trabajar en *Runway* está siendo una experiencia inolvidable —me oí balbucear—. Es un trabajo por el que darían un ojo de la cara millones de chicas. —¿Era yo quien acababa de decir eso?

Se hizo el silencio y después oí un chillido de hiena.

—¡J-j-joder, es genial! —La mujer rió hasta atragantarse—. ¿No me digas que te ha encerrado en su estudio del West Village y te ha privado de todo lo G-g-gucci hasta haberte lavado el cerebro lo bastante para que digas gilipolleces como esa? ¡F-f-f-fantástico! ¡Esa mujer es una obra de arte! Pues bien, Señorita de la Experiencia Inolvidable, me habían llegado rumores de que Miranda había contratado esta vez a una lacaya con coco, pero ya veo que los rumores, como siempre, son infundados. ¿Te gustan los c-c-c-conjuntos de Michael Kors y los abrigos de pieles de J. Mendel? Si es así, cielo, te irá bien. Y ahora pásame a la flacucha de tu jefa.

Me hallaba en un dilema. Mi primer impulso fue mandarla al cuerno, decirle que no me conocía, que era fácil darse cuenta de que intentaba compensar su tartamudez con una actitud desdeñosa, pero sobre todo quería acercar el auricular a mis labios y susurrar: «Soy una prisionera aún más desesperada de lo que imaginas. Por favor, ven a rescatarme de este infierno donde te lavan el cerebro. Tienes razón, es exactamente como lo has descrito, ¡pero yo soy diferente!». Con todo, no pude hacer ni una cosa ni otra, pues llegué a la conclusión de que no tenía ni idea de quién era la dueña de esa voz profunda y tartamuda.

Respiré hondo y decidí replicarle punto por punto, salvo en el tema de Miranda.

—El caso es que adoro a Michael Kors, pero debo decirte que no precisamente por sus conjuntos. Las pieles de J. Mendel son aceptables, si bien una verdadera chica *Runway*, o sea, con un gusto discriminador e impecable, preferiría de lejos algo confeccionado a medida por George Polegeorgis de Madison. Ah, y en el futuro te rogaría que utilizaras el término «ayudante» en lugar de algo tan duro e implacable como «lacaya». Y ahora, como es natural, me encantaría corregir cualquier suposición errónea que quieras hacer, pero quizá debería preguntar primero con quién estoy hablando.

—*Touché*, nueva ayudante de Miranda, *touché*. Tal vez tú y yo p-p-podamos ser amigas, después de todo. No m-m-m-me gustan los robots que suele contratar Miranda, pero eso no importa porque ella tampoco me gusta. Me llamo Judith Mason y, por si no lo s-s-s-sabes, escribo cada mes l-l-l-los artículos sobre viajes. Ahora dime, dado que todavía eres relativamente nueva: ¿se ha acabado la luna de miel?

Guardé silencio. ¿Qué quería decir con eso? Era como hablar con una bomba de relojería.

—¿Y bien? Te hallas en ese momento fabuloso en que llevas el tiempo suficiente para que todo el mundo sepa tu nombre, pero no lo bastante para que hayan descubierto y explotado tus puntos flacos. Es una sensación muy dulce, créeme. Trabajas en un lugar muy especial.

Antes de que yo pudiera decir algo añadió:

—Basta de j-j-juegos, mi nueva amiga. No te molestes en decir a Miranda que soy yo porque nunca acepta mis llamadas. Creo que el tartamudeo la irrita. Solo asegúrate de anotar mi nombre en el Boletín para que pueda ordenar a alguien que me llame. Gracias, c-c-cariño. —Clic.

Colgué y me eché a reír. Emily levantó la vista de una relación de gastos de Miranda y me preguntó quién era. Cuando le dije que era Judith, puso los ojos tan en blanco que pensé que no volverían a emerger.

—Menuda bruja. En serio, no entiendo por qué Miranda se digna hablarle siquiera, aunque no acepta sus llamadas, así que no tienes que molestarte en comunicarle que está al teléfono. Anótala en el Boletín y Miranda pedirá a alguien que la llame.

Por lo visto Judith conocía mejor que yo el funcionamiento interno de nuestra oficina.

Hice doble clic en el icono «Boletín» de mi iMac turquesa y revisé el contenido. El Boletín era el elemento principal de la oficina de Miranda Priestly y, según había comprobado, su única razón de vivir. Desarrollado muchos años atrás por una ayudante nerviosa y compulsiva, no era más que una carpeta que Emily y yo compartíamos y donde anotábamos cada nuevo mensaje, idea o pregunta. Acto seguido, imprimíamos el texto actualizado y lo prendíamos de la tablilla sujetapapeles que descansaba sobre el estante de mi mesa después de retirar la última versión. Miranda consultaba la lista cada diez minutos mientras Emily y yo tecleábamos, imprimíamos y enganchábamos como posesas las llamadas que iban entrando. Como no podíamos acceder simultáneamente al Boletín, a veces la una susurraba a la otra que lo cerrara para poder escribir un mensaje. A continuación lo imprimíamos cada una en su impresora y nos abalanzábamos sobre la tablilla sin saber cuál de los dos era más reciente hasta que nos encontrábamos cara a cara.

—El último mensaje de Judith sobre el mío —dije, agotada por la tensión de tener que terminar el Boletín antes de que Miranda llegara.

Eduardo había telefoneado desde seguridad para avisarnos de que estaba subiendo. Sophy aún no había llamado, pero sabíamos que no tardaría.

—Yo tengo al conserje del Ritz de París después de Judith

—exclamó con tono triunfal Emily mientras prendía su hoja en la tablilla.

Volví a mi mesa con mi Boletín de cuatro segundos de antigüedad y lo hojeé. En los números de teléfono no estaban permitidos los guiones, solo los puntos. Las horas debían llevar dos puntos en lugar de uno, y se redondeaban al cuarto más cercano. Los números de teléfono aparecían en una línea aparte para que se vieran mejor. Las horas significaban que alguien había llamado. La palabra «nota» recogía algo que Emily o yo teníamos que decirle (dado que dirigirnos a ella sin que ella se dirigiera primero a nosotras era impensable, la información importante iba al Boletín). «Recordatorio» era algo que Miranda probablemente nos había dejado en el buzón de voz entre la una y las cinco. En el caso de que no tuviéramos más remedio que referirnos a nosotras, debíamos hacerlo en tercera persona.

Miranda nos pedía a menudo que averiguáramos la hora y el número exactos en que podía encontrar a determinada persona. En ese caso se nos planteaba el problema de si el fruto de nuestras indagaciones debía aparecer como «nota» o «recordatorio». Recuerdo que una vez pensé que el Boletín parecía salido de una revista de sociedad, pero los nombres de los superricos, los supermodistos y los superimpresionantes en general habían dejado de destacar como «especiales» en mi insensibilizado cerebro. En mi nueva realidad *Runway*, la secretaria de relaciones sociales de la Casa Blanca tenía para mí tanto interés como el veterinario que necesitaba hablar con Miranda sobre la dieta del cachorro (soñaba si creía que Miranda le devolvería la llamada).

Jueves, 8 de abril

7:30. Simone ha llamado desde la oficina de París. Ha decidido con el Sr. Testino las fechas para las fotos de Río y las ha confirmado con el agente de Giselle, pero necesita hablar de la ropa contigo. Por favor, llámala.
011.33.1.55.91.30.65

8:15. Ha llamado el Sr. Tomlinson. Está en el móvil. Por favor, llámale.

NOTA: Andrea ha hablado con Bruce. Dice que al espejo grande de tu vestíbulo le falta una pieza decorativa de yeso en el ángulo superior izquierdo. Ha localizado un espejo idéntico en un anticuario de Burdeos. ¿Quieres que te lo pida?

8:30. Jonathan Cole ha llamado. Se va a Melbourne el sábado y le gustaría aclarar cuál es su cometido antes de marcharse. Por favor, llámale.
555.7700

Recordatorio: Llamar a Karl Lagerfeld sobre la fiesta de la Modelo del Año. Estará esta noche en su casa de Biarritz a partir de las 20:00-20:30, su hora local.
011.33.1.55.22.06.78: casa
011.33.1.55.22.58.29: estudio
011.33.1.55.22.92.69: chófer
011.33.1.55.66.76.33: número de su ayudante en París, por si no lo encuentras.

9:00. Natalie, de Glorious Foods, ha llamado para preguntar si prefieres el Vacherin relleno de praliné de bayas o de compota templada de ruibarbo. Por favor, llámala.
555.9887

9:00. Ingrid Sischy ha llamado para felicitarte por tu número de abril. Dice que la portada es «espectacular, como siempre», y quiere saber quién se encargó de la composición de las fotos de belleza. Por favor, llámala.
555.6246: despacho
555.8833: casa

NOTA: Miho Kosudo ha llamado para disculparse por no haber entregado el centro de flores a Damien Hirst. Asegura que estuvieron cuatro horas esperando fuera de su edificio, como no había portero tuvieron que irse. Probarán de nuevo mañana.

9:15. El Sr. Samuels ha llamado. No estará localizable hasta después del almuerzo, pero quiere recordarte la reunión de padres y profesores de esta noche en Horace Mann. Antes le gustaría comentar contigo el proyecto de historia de Caroline. Por favor, llámale después de las 14:00, pero antes de las 16:00.
555.5932

9:15. El Sr. Tomlinson ha vuelto a llamar. Ha pedido a Andrea que haga una reserva para cenar después de la reunión de padres y profesores. Por favor, llámale. Está en el móvil.

NOTA: Andrea ha hecho una reserva para ti y el Sr. Tomlinson a las 20:00 de esta noche en La Caravelle. Rita Jammet dice que está deseando volver a verte y encantada de que hayáis elegido su restaurante.

9:30. Donatella Versace ha llamado. Dice que todo está confirmado para tu visita. ¿Necesitarás a alguien más además de un chófer, un cocinero, un entrenador, un peluquero, un maquillador, un ayudante personal, tres sirvientas y un capitán de yate? De ser así, comunícaselo, por favor, antes de que parta hacia Milán. También facilitará móviles, pero no podrá reunirse contigo porque se estará preparando para los desfiles.
011.3901.55.27.55.61

9:45. Judith Mason ha llamado. Por favor, devuélvele la llamada.
555.6834

Arrugué la hoja y la arrojé a la papelera, donde inmediatamente se empapó del resto del tercer capuchino de la mañana de Miranda. Hasta el momento, un día relativamente normal por lo que al Boletín se refería. Me disponía a entrar en Hotmail para ver si alguien me había escrito cuando Miranda entró en la oficina. ¡Maldita Sophy! Había vuelto a olvidarse de avisar.

—Espero que el Boletín esté actualizado —dijo fríamente sin mirarnos ni indicar de ningún modo que era consciente de nuestra presencia.

—Lo está, Miranda —aseguré, tendiéndoselo para que no tuviera que alargar el brazo.

Tres palabras, me dije, confiando en que fuera un día de no más de setenta y cinco palabras por mi parte. Se quitó su cazadora de visón, tan suntuosa que tuve que frenarme para no hundir la cara en ella, y la arrojó sobre mi mesa. Mientras me dirigía al armario para colgar ese magnífico animal muerto frotándolo discretamente contra mi mejilla, noté algo frío y mojado: todavía había gotitas de aguanieve en el pelo. Qué apropiado.

Retiré la tapa del tibio capuchino y coloqué cuidadosamente en el plato el grasiento beicon, las salchichas y el brioche con queso. Entré de puntillas en el despacho y deposité la bandeja discretamente sobre una esquina del escritorio. Miranda estaba escribiendo una nota en su papel Dempsey and Carroll y habló tan bajito que casi no la oí.

—An-dre-aaa, necesito comentar contigo la fiesta de pedida. Coge una libreta.

Asentí con la cabeza al tiempo que me daba cuenta de que asentir no contaba como una palabra. La fiesta de pedida ya me estaba amargando la existencia y todavía faltaban unas semanas, pero, como Miranda iba a ausentarse durante dos semanas para asistir a los desfiles de Europa, su planificación había sido el tema principal de los últimos días. Regresé al despacho con una libreta y un bolígrafo, preparada para no comprender una sola palabra de lo que Miranda me dijera. Pensé en la posibilidad de sentarme, pues me resultaba mucho más cómodo tomar notas en esa posición, pero me contuve.

Miranda suspiró como si la tarea fuera tan agotadora que temiera no poder terminarla y tiró del pañuelo Hermès que había trenzado a modo de pulsera en torno a su muñeca.

—Localiza a Natalie, de Glorious Foods, y dile que prefiero la compota de ruibarbo. No dejes que te convenza de que tiene que hablar conmigo directamente, porque no es cierto. Habla con Miho y asegúrate de que han entendido mis órdenes en cuanto a las flores. Ponme a Robert Isabell al teléfono antes del almuerzo para hablar de los manteles, las tarjetas y las bandejas. Y con esa chica del Met para ver cuándo puedo ir a comprobar que todo se hará correctamente, y pídele que me envíe por fax la disposición de las mesas para que pueda planificar los asientos. Eso es todo por ahora.

Había dicho todo eso sin dejar de escribir ni un momento, y cuando terminó de hablar me pasó la nota para su envío. Acabé de hacer las anotaciones en mi libreta confiando haberlo entendido todo correctamente, lo cual, dados el acento y la rapidez con que hablaba Miranda, no siempre era fácil.

—Bien —murmuré aumentando a cuatro el Total de Palabras Dirigidas a Miranda, y me di la vuelta para marcharme.

Tal vez hoy no llegue a cincuenta, pensé. Noté que examinaba el tamaño de mi trasero y por un momento barajé la posibilidad de volverme y caminar de espaldas como haría un judío ortodoxo en el Muro de las Lamentaciones. En lugar de eso, traté de deslizarme hacia la seguridad de mi mesa mientras imaginaba a miles y miles de *hasidim,* vestidos de negro Prada, caminando hacia atrás alrededor de Miranda Priestly.

12

El feliz día que tanto esperaba, con el que soñaba, había llegado al fin. Miranda no solo se había ido de la oficina, sino también del país. Hacía menos de una hora que había saltado al asiento del Concorde para convertirme en la chica más feliz del planeta. Emily intentó convencerme de que Miranda era aún más exigente cuando se hallaba de viaje, pero no la creí. Estaba planeando cómo iba a pasar cada extático instante de las próximas dos semanas cuando recibí un mensaje electrónico de Alex.

> Hola, nena, ¿cómo va todo? Espero que tengas un día, como mínimo, pasable. Seguro que estás feliz de que se haya ido. Disfrútalo. Solo quería saber si puedes llamarme hoy a eso de las tres y media. Tengo una hora libre antes de la clase de lectura y necesito hablar contigo. Nada importante, pero me gustaría charlar. Te quiero, A.

Enseguida me inquieté y le pregunté si todo iba bien, pero Alex debió de cerrar su correo nada más enviarme el mensaje porque no recibí respuesta. Me dije que no debía olvidarme de llamarle a las tres y media en punto y saboreé la sensación de libertad que me producía saber que Ella no estaría ahí para impedírmelo. Con todo, escribí en una hoja con el membrete de *Runway* LLAMAR A ALEX 15.30 HOY, y la pegué en el costado de mi pantalla. Me disponía a telefonear a una amiga del colegio que hacía una semana me había dejado un mensaje en el contestador de casa cuando sonó el teléfono.

—Despacho de Miranda Priestly. —Suspiré mientras pensaba que no había una sola persona en la tierra a la que quisiera atender en ese momento.

—¿Emily? ¿Eres tú, Emily?

La voz inconfundible invadió la línea y pareció resonar en la oficina. Aunque era imposible que pudiera oírla desde su mesa, Emily levantó la vista.

—Hola, Miranda, soy Andrea. ¿Puedo hacer algo por ti?

¿Para qué demonios llamaba? Consulté rápidamente el itinerario de Miranda en Europa que Emily había escrito y repartido entre todo el personal. Vi que su vuelo había despegado hacía apenas seis minutos, y ya estaba llamando desde el teléfono de su asiento.

—Eso espero. He consultado mi horario y acabo de darme cuenta de que la peluquería y el maquillaje para la cena del jueves no están confirmados.

—Eso se debe, Miranda, a que monsieur Renuad todavía no ha podido confirmar las citas, pero dijo que existía un noventa y nueve por ciento de probabilidades de que...

—An-dre-aaa, dime una cosa, ¿un noventa y nueve por ciento es lo mismo que un cien por cien? ¿Es eso una confirmación?

Antes de que pudiera contestar le oí decir a alguien, probablemente a una azafata, que le traían sin cuidado las normas relativas al uso de aparatos electrónicos y que hiciera el favor de aburrir a otro con ellas.

—Pero, señora, va en contra del reglamento. Tengo que pedirle que interrumpa la llamada hasta que alcancemos una altitud de crucero. Es peligroso —advirtió la azafata con tono suplicante.

—An-dre-aaa, ¿me oyes? ¿Estás oyendo lo que...?

—Señora, insisto en que cuelgue ahora mismo.

La boca empezaba a dolerme de tanto sonreír. Solo podía pensar en lo irritada que estaría Miranda al ver que la llamaban «señora», término que implicaba, como todo el mundo sabe, una edad relativamente madura.

—An-dre-aaa, la azafata me obliga a colgar. Volveré a llamarte cuando decida permitírmelo. Entretanto, quiero que confirmes la peluquería y el maquillaje, y que empieces a entrevistar a algunas chicas para el puesto de niñera. Eso es todo.

Y colgó, pero antes oí a la azafata llamarla «señora» una vez más.

—¿Qué quería? —preguntó Emily con la frente arrugada.

—Me ha llamado por mi nombre tres veces seguidas —dije, satisfecha de prolongar su nerviosismo—. Tres veces, ¿puedes creerlo? Eso significa que ahora somos íntimas amigas, ¿no? Andrea Sachs y Miranda Priestly, IA.

—Andrea, ¿qué ha dicho?

—Quiere que le confirme la peluquería y el maquillaje del jueves porque un noventa y nueve por ciento de probabilidades no le parece suficiente. Ah, y ha dicho algo de buscar una nueva niñera. Seguro que lo he entendido mal, pero no importa porque volverá a llamar dentro de treinta segundos.

Emily respiró hondo y se esforzó por tolerar mi estupidez con gracia y elegancia, algo que no le resultaba nada fácil.

—No, no lo has entendido mal. Cara ya no está con Miranda, así que, lógicamente, necesita una nueva niñera.

—¿Cómo? ¿Qué significa eso de que Cara ya «no está con Miranda»? Si ya «no está con Miranda», ¿dónde demonios está?

Me costaba creer que Cara no me hubiera informado de su repentina partida.

—Miranda pensó que Cara estaría mejor trabajando para otra persona —explicó Emily recurriendo a una expresión sin duda mucho más diplomática que la que había empleado nuestra jefa. ¡Como si alguna vez le hubiera importado a Miranda el bienestar de los demás!

—Emily, te lo ruego, cuéntame qué ha sucedido.

—Según Caroline, el otro día Cara las encerró a ella y a su hermana en sus respectivas habitaciones porque le hablaron mal. Miranda dijo que Cara no tenía derecho a tomar esa clase de decisiones, y comparto su opinión. Cara no es la madre de esas niñas, ¿entiendes?

De modo que Cara había sido despedida por haber obligado a dos niñas a permanecer en sus habitaciones para castigar su conducta.

—Tienes razón, una niñera no debe ocuparse de los modales de los críos que tiene a su cargo —afirmé asintiendo solemnemente con la cabeza—. No hay duda de que Cara se pasó.

Emily no captó mi sarcasmo.

—Exacto. Además, a Miranda nunca le hizo gracia que Cara no hablara francés. ¿Cómo van a aprender las niñas a hablarlo sin acento inglés?

No lo sé. ¿Quizá en su colegio privado de quince mil dólares al año, donde el francés es una asignatura obligatoria que imparten tres profesores nativos? ¿De su propia madre, que ha vivido en Francia, país que todavía visita cuatro veces al año, y lee, escribe y habla el idioma con un acento impecable? En lugar de eso, dije:

—Oye, tienes razón. No hay francés, pues no hay niñera. Te entiendo.

—Sea como sea, es tarea tuya encontrar una nueva niñera a las niñas. Aquí tienes el número de teléfono de la agencia con la que trabajamos —explicó Emily mientras me lo enviaba por correo electrónico—. Saben que Miranda es una mujer exigente, como debe ser, y suelen mandarnos a gente competente.

La miré con detenimiento y me pregunté cómo era su vida antes de que apareciera Miranda Priestly. Sonó el teléfono pero, por suerte, lo atendió ella.

—Hola, Miranda. Sí, sí, te oigo. No, todo va bien. Sí, he confirmado la peluquería y el maquillaje para ese jueves. Sí, Andrea ya se ha puesto a buscar una nueva niñera. Cuando vuelvas tendremos tres candidatas listas para ser entrevistadas. —Ladeó la cabeza y se llevó el bolígrafo a los labios—. Sí, sí, está confirmado. No, no un noventa y nueve por ciento, sino un cien por cien. Desde luego. Sí, Miranda, lo he confirmado yo misma y estoy segura. Están deseando atenderte. De acuerdo. Que tengas un buen viaje. Sí, está confirmado. Te enviaré el fax ahora mismo. De acuerdo. Adiós. —Emily colgó con mano temblorosa—. ¿Por qué le cuesta tanto entenderlo? Le he asegurado que las citas con el peluquero y el maquillador estaban confirmadas. ¿Por qué me ha hecho repetírselo otras cincuenta veces? ¿Y sabes lo que ha dicho?

Negué con la cabeza.

—¿Sabes lo que ha dicho? Pues que como este asunto le ha provocado tantos quebraderos de cabeza quiere que rehaga su horario para incluir la confirmación del peluquero y el maquillador y se lo envíe por fax al Ritz. Lo hago todo por esa mujer, le doy mi vida, y mira cómo me habla.

Emily estaba a punto de llorar. Yo, entretanto, disfrutaba de la oportunidad de verla enojada con Miranda, pero sabía que el Giro Paranoico *Runway* estaba a la vuelta de la esquina y, por lo tanto, debía actuar con tiento. O sea, ofrecer la cantidad justa de solidaridad e indiferencia.

—Te aseguro que el problema no eres tú, Em. Ella sabe lo mucho que trabajas. Eres una ayudante estupenda. Si ella no pensara que haces una gran labor, ya se habría deshecho de ti. Sabes que eso no le supone ningún problema.

Emily había reprimido el llanto y se aproximaba al peligroso punto en que, pese a estar de acuerdo conmigo, empezaría a defender a Miranda si yo me excedía. Había estudiado en psicología el síndrome de Estocolmo, según el cual las víctimas se identifican con sus secuestradores, pero en aquel entonces no había entendido su funcionamiento. Quizá debería grabar en vídeo una de nuestras sesiones en la oficina y enviársela al profesor para que sus estudiantes lo observaran de primera mano.

Los esfuerzos por actuar con tiento empezaron a resultarme sobrehumanos, de modo que respiré hondo y fui al grano.

—Es una lunática, Emily —declaré lenta y suavemente—. El problema no eres tú, es ella. Miranda es una mujer superficial y amargada que tiene un montón de ropa, nada más.

El rostro de Emily se tensó visiblemente. La piel del cuello y las mejillas se puso tirante y las manos habían dejado de temblarle. Sabía que no tardaría en echárseme encima, pero no podía frenarme.

—¿Te has fijado en que no tiene amigos, Emily? ¿Te has fijado? No para de llamarle gente importante, es cierto, pero no la llaman para hablar de sus hijos, su trabajo o su matrimonio. La llaman porque necesitan algo de ella. Desde fuera impresiona mucho, desde luego, pero ¿te imaginas qué sentirías si la gente solo te llamara porque...?

—¡Basta! —exclamó Emily mientras las lágrimas le surcaban el rostro—. ¡Cierra la boca de una vez! Solo llevas unos meses en esta oficina y ya crees que lo sabes todo. ¡Señorita Sarcástica Que Está Por Encima de Todo! Pues bien, no sabes nada. ¡Nada!

—Em...

—Ni Em ni porras, Andy, déjame acabar. Sé que Miranda es una mujer difícil. Sé que a veces parece que está loca. Sé lo que es no dormir y estar siempre temiendo que te llame y que tus amigos no lo comprendan. ¡Lo sé! Pero si tanto odias todo esto, si lo único que puedes hacer es quejarte, ¿por qué no te largas? Porque tu actitud es un problema. Cuando dices que Miranda es una lunática... en fin, creo que hay mucha, muchísima gente que opina que es una mujer con mucho encanto y talento, y que pensaría que la lunática eres tú por no hacer todo lo posible por ayudar a una persona tan magnífica. Porque Miranda es magnífica, Andy, ¡lo es!

Reflexioné sobre este último punto y decidí que Emily tenía algo de razón. Miranda era, según mi experiencia, una directora excelente. Ni una sola palabra de la revista se publicaba sin su aprobación, y no temía descartar algo o empezar de nuevo desde cero por mucho que eso fastidiara o indignara a los demás. Aunque los redactores de moda traían la ropa para los reportajes, era Miranda quien seleccionaba los conjuntos y qué modelo debía vestir cuál. Los redactores estaban presentes en los reportajes, pero en realidad se limitaban a seguir las instrucciones explícitas de Miranda. Ella tenía la última palabra y a menudo incluso la primera, sobre cada pulsera, bolso, zapato, prenda, peinado, texto, entrevista, escritor, foto, modelo, localización y fotógrafo que conformaban cada número, y eso la convertía, en mi opinión, en la principal razón del sorprendente éxito de la revista. *Runway* no sería *Runway* —de hecho, no sería nada— sin Miranda Priestly.

Todo el mundo lo sabía, incluida yo. De lo que Miranda todavía no había conseguido convencerme era de que eso le diera derecho a tratar a la gente como lo hacía. ¿Por qué se valoraba su habilidad para combinar un vestido de noche de Balmain con una chica oriental de largas piernas en una callejuela de San Sebastián hasta el punto de pasar por alto su conducta? Era algo que todavía no entendía, pero ¿qué sabía yo? Emily, sin duda, sí lo sabía.

—Emily, solo estoy diciendo que eres de gran ayuda para ella, que Miranda tiene suerte de contar con una persona tan trabajadora como tú, tan entregada. Solo quiero que comprendas que no es culpa tuya que Miranda esté insatisfecha con algo, porque ella es una persona insatisfecha de por sí. No puedes hacer más de lo que haces.

—Lo sé, de veras que lo sé, pero tú no aprecias su valía, Andy. Piénsalo bien. Miranda es una mujer muy competente, que ha tenido que sacrificar muchas cosas para llegar donde está, pero eso mismo les ocurre a las personas que triunfan en cualquier ámbito empresarial. ¿Qué directivo, socio o director de cine no tiene que mostrarse duro algunas veces? Es parte del trabajo.

Sabía que no íbamos a ponernos de acuerdo. Era evidente que Emily estaba totalmente entregada a Miranda y a *Runway*, pero no alcanzaba a comprender por qué. No es que fuera diferente de los demás ayudantes personales, ayudantes de redacción, redactores adjuntos, jefes de redacción y directores de las revistas de moda. Pero no entendía por qué. Según había visto hasta entonces, cada uno de ellos era humillado y degradado por su superior inmediato, únicamente para luego darse la vuelta y hacer lo mismo con sus subalternos en cuanto eran ascendidos. ¿Y todo eso para poder decir, al final de la larga y agotadora promoción, que habían podido sentarse en la primera fila del desfile de alta costura de Yves Saint-Laurent y agenciarse algunos bolsos Prada?

Hora de hacer las paces.

—Lo sé —repuse con un suspiro cediendo a su insistencia—. Solo espero que comprendas que eres tú quien le está haciendo un favor al aguantarla, no al revés.

Esperé un contraataque, pero en lugar de eso Emily sonrió.

—¿Verdad que me has oído decirle unas cien veces que la peluquería y el maquillaje del jueves están confirmados?

Asentí con la cabeza.

—Pues es mentira. ¡No he llamado a nadie ni he confirmado nada! —Esto último lo dijo casi cantando.

—¡Emily! ¿Hablas en serio! ¿Y qué piensas hacer ahora? Le juraste que lo habías confirmado personalmente.

Por primera vez desde mi incorporación a la revista quise abrazar a esa muchacha.

—Andy, hija, ¿crees que alguien en su sano juicio rechazaría la oferta de peinar y maquillar a Miranda? Eso supone un impulso impresionante en la carrera de cualquiera. Sería una locura rechazar algo así. Estoy segura de que el tipo tenía previsto aceptar desde el principio, pero primero debía reorganizar sus planes de viaje. No tengo que confirmar nada porque estoy segura de que lo hará. ¿Cómo no iba a hacerlo? ¡Estamos hablando de Miranda Priestly!

Ahora era yo la que tenía ganas de llorar, pero en lugar de eso pregunté:

—¿Y qué necesito saber para contratar a la nueva niñera? Debería ponerme a buscar ya.

—Sí —convino Emily, que aún no daba crédito a su astucia—. Me parece una buena idea.

La primera chica que entrevisté para el puesto de niñera estaba conmocionada.

—¡Dios mío! —aulló cuando le pregunté por teléfono si podía venir a la oficina—. ¡Dios mío! ¿Va en serio? ¡Dios mío!

—¿Eso es un sí o un no?

—Dios, es un sí. ¡Sí, sí, sí! ¿A *Runway*? ¡Dios mío! Mis amigas no se lo van a creer. Se quedarán de piedra, de piedra. Solo tienes que decirme dónde y cuándo.

—¿Te ha quedado claro que Miranda está de viaje y la entrevista no será con ella?

—Sí, totalmente.

—¿Y que el puesto que se ofrece es el de niñera de las dos hijas de Miranda? ¿Que no tiene nada que ver con *Runway*?

La chica suspiró, resignada a ese triste y desafortunado hecho.

—Sí, claro, el puesto de niñera, lo he pillado.

El caso es que no lo había pillado, pues, aunque cumplía los requisitos (alta, impecablemente peinada, bien vestida y muy desnutrida), no paraba de hacer preguntas sobre qué partes del trabajo la obligarían a estar en la oficina.

Le lancé una mirada fulminante que no captó.

—Ninguna. Ya hablamos de eso, ¿lo recuerdas? Estoy haciendo una selección preliminar y el hecho de que sea en la oficina es secundario. Las gemelas de Miranda no viven aquí, ¿entiendes?

—Claro, claro —contestó, pero yo ya la había descartado.

Las tres siguientes no fueron mucho mejores. Todas encajaban en el perfil físico que exigía Miranda —no había duda de que la agencia sabía lo que quería—, pero ninguna poseía lo que yo buscaría en una niñera que tuviera que cuidar de mi futuro sobrino o sobrina, criterio que había establecido para el proceso de selección. Una tenía un máster de Columbia en desarrollo infantil, pero su mirada se apagó cuando le describí los detalles que diferenciaban ese trabajo de los que había desempeñado hasta entonces. Otra había salido con un jugador famoso de la NBA, lo cual, en su opinión, le había ayudado «a hacerse una idea de qué representa la fama». No obstante, cuando le pregunté si había trabajado alguna vez con hijos de gente famosa, arrugó instintivamente la nariz y me informó de que «los hijos de la gente famosa siempre tienen graves problemas». Fuera. La tercera y más prometedora se había criado en Manhattan, acababa de licenciarse por Middlebury y quería trabajar un año de niñera para ahorrar dinero y viajar a París. Cuando le pregunté si eso significaba que hablaba francés, asintió con la cabeza. El problema estribaba en que era urbana hasta la médula y, por lo tanto, carecía de carnet de conducir. ¿Estaba dispuesta a sacárselo?, le pregunté. No, respondió, en su opinión las calles no necesitaban otro coche que las atascara. Fuera. Pasé el resto del día buscando la forma de explicar a Miranda que si una chica es atractiva, tiene un cuerpo atlético, se siente a gusto entre la gente famosa, vive en Manhattan, tiene permiso de conducir, sabe nadar, posee un diploma, habla francés y es totalmente flexible con su horario, lo más probable es que no quiera trabajar de niñera.

Debió de leerme el pensamiento, porque el teléfono sonó justo en ese instante. Hice algunos cálculos y deduje que Miranda acababa de aterrizar en De Gaulle. Una rápida ojeada al minucioso itinerario elaborado por Emily con tanto esmero me indicó que ahora debía de encontrarse en el coche camino del Ritz.

—Miranda Pri...

—¡Emily! —aulló. Decidí que no era el momento de corregirla—. ¡Emily! El chófer no me ha dado mi móvil habitual y, por lo tanto, no tengo ningún número de teléfono. Esto es inaceptable. Totalmente inaceptable. ¿Cómo voy a dirigir una empresa sin números de teléfono? Ponme enseguida con el señor Lagerfeld.

—Sí, Miranda.

Apreté el botón de espera y pedí ayuda a Emily, pese a saber que tenía más probabilidades de tragarme el auricular entero que de localizar a Karl Lagerfeld en menos tiempo del que tardaba Miranda en irritarse hasta colgar bruscamente y volver a llamar para preguntar: «¿Dónde demonios está? ¿Por qué no lo encuentras? ¿Sabes utilizar el teléfono?».

—Quiere hablar con Karl —dije a Emily.

Nada más oír el nombre se puso a rebuscar en los papeles de su escritorio como una loca.

—Bien, escucha, tenemos entre veinte y treinta segundos. Tú, Biarritz y el chófer; yo, París y la ayudante —indicó mientras sus dedos volaban sobre el teclado.

Hice doble clic en la lista de contactos con más de mil nombres que Emily y yo compartíamos en nuestros discos duros y encontré exactamente cinco números que debía marcar: Biarritz 1, Biarritz 2, Biarritz Estudio, Biarritz Piscina y Biarritz Chófer. Un rápido vistazo al resto de la lista de Karl Lagerfeld me indicó que a Emily le tocaba un total de siete, y había otros números para Nueva York y Milán. Éramos chicas muertas antes de empezar.

Ya había probado Biarritz 1 y estaba marcando Biarritz 2 cuando advertí que la luz roja había dejado de parpadear. Emily me comunicó, por si no me había dado cuenta, que Miranda había colgado. No habían transcurrido más de diez o quince segundos. Ese día estaba especialmente impaciente. Cómo no, el teléfono volvió a sonar de inmediato y Emily, apiadándose de mi mirada suplicante, contestó. No había terminado de pronunciar su saludo mecánico cuando empezó a asentir gravemente con la cabeza y a tratar de tranquilizar a Miranda. Yo no había dejado de marcar en ese rato y me había puesto en contacto, milagrosamente, con Biarritz Piscina. Estaba conversando con una mujer que no hablaba ni una palabra de inglés. Quizá de ahí la obsesión por aprender francés.

—Sí, sí, Miranda. Andrea y yo estamos telefoneando. Solo tardaremos unos segundos más. Sí, lo entiendo. No, sé lo irritante que es. Si me permites que te ponga en espera diez segundos, estoy segura de que daremos con él. ¿De acuerdo?

Emily pulsó el botón de espera y siguió marcando números. La oí hablar en un francés entrecortado y de acento espantoso con alguien que, por lo visto, no conocía el nombre de Karl Lagerfeld. Éramos chicas muertas. Muertas. Me disponía a colgar a la francesa demente que me chillaba desde el otro lado de la línea cuando la luz roja volvió a apagarse. Emily seguía marcando números como una loca.

—¡Se nos ha ido! —exclamé con el apremio de un equipo de urgencias practicando una reanimación cardiopulmonar.

—¡Te toca contestar! —exclamó Emily a su vez, y justo en ese momento el teléfono sonó de nuevo.

Descolgué y no me molesté siquiera en hablar, pues sabía que la voz al otro lado lo haría por mí.

—¡An-dre-aaa! ¡Emily! ¡Quienquiera que seas...! ¿Por qué estoy hablando contigo, no con el señor Lagerfeld? ¿Por qué?

Mi primer instinto fue guardar silencio, pues parecía que el bombardeo verbal no se detendría, pero, como siempre, me equivoqué.

—¡Holaaa! ¿Hay alguien ahí? ¿Tan difícil les resulta a mis

ayudantes conectar una llamada a otra? —Su voz rezumaba sarcasmo y descontento.

—No, Miranda, claro que no. Lo lamento... —La voz me temblaba ligeramente y no conseguía controlarla—. Es que no logramos dar con el señor Lagerfeld. Ya hemos probado ocho...

—No logramos dar con el señor Lagerfeld —me imitó con una voz de pito que no tenía nada que ver con la mía, una voz que ni siquiera era humana—. ¿Qué significa eso de que «no logramos dar con el señor Lagerfeld»?

¿Cuál de esas siete palabras no comprendía?, me pregunté. No. Logramos. Dar. Con. El. Señor. Lagerfeld. Para mí estaba bien claro; joder, que no damos con él. Por eso no estás hablando con él. Si tú logras localizarlo, podrás hablar con él. Miles de respuestas cruzaron mi mente como dardos, pero solo fui capaz de balbucear como una niña a quien el profesor acaba de señalar por hablar en clase.

—Mmm, verás, Miranda, hemos llamado a todos sus números, pero no está en ninguno de ellos —farfullé.

—¡Claro que no! —Estaba casi gritando, ese precioso autodominio corría el riesgo de estallar. Respiró hondo y añadió con calma—: An-dre-aaa, ¿eres consciente de que los desfiles de esta semana son en París?

Tuve la sensación de estar en una clase de idiomas.

—Por supuesto, Miranda. Emily ha llamado a todos los números de...

—¿Y eres consciente de que el señor Lagerfeld dijo que estaría localizable en su móvil durante su estancia en París? —Cada músculo de su garganta se esforzaba por permanecer sereno.

—La verdad es que no. En la agenda no aparece ningún número de móvil, de modo que ni siquiera sabíamos que el señor Lagerfeld tuviera uno. De todos modos Emily está hablando ahora mismo con su ayudante y estoy segura de que enseguida lo obtendrá.

Emily levantó el pulgar en señal de victoria antes de ponerse a escribir y exclamar una y otra vez «*merci*, gracias, digo *merci*».

—Miranda, ya tengo el número. ¿Quieres que te ponga con él?

Noté que el pecho se me hinchaba de orgullo. ¡Buen trabajo! Una actuación impecable bajo una presión extrema. Qué más daba que mi preciosa blusa campesina, elogiada por dos —no una, sino dos— ayudantes de moda, tuviera las axilas empapadas de sudor. Estaba a punto de quitarme de encima a esa lunática y la alegría me embargaba.

—¿An-dre-aaa?

Sonó como una pregunta, pero yo estaba únicamente concentrada en intentar dilucidar si Miranda mezclaba los nombres siguiendo una pauta concreta. Al principio creía que lo hacía para humillarme, pero luego me dije que seguro que ya estaba satisfecha con el grado de humillación que soportábamos y solo lo hacía porque no podía molestarse en decir correctamente algo tan fútil como los nombres de sus ayudantes. Así me lo había confirmado Emily cuando me contó que Miranda la llamaba por su nombre la mitad de las veces y por el mío o el de Allison, la antigua ayudante, la otra mitad. Eso me hizo sentir mejor.

—¿Sí?

Otra vez me temblaba la voz. ¡Maldita sea! ¿Tan difícil era conservar un mínimo de dignidad con esa mujer?

—An-dre-aaa, no sé por qué tanto alboroto por encontrar el número de móvil del señor Lagerfeld cuando lo tengo aquí delante. Me lo dio hace cinco minutos, pero se cortó la comunicación y no consigo marcarlo correctamente. —Dijo esto último como si el mundo entero tuviera la culpa de tal incordio salvo ella.

—Ah, ¿tienes... tienes el número? ¿Y sabías desde el principio que él estaba en ese número?

Lo dije para que Emily me oyera, pero solo conseguí enfurecer aún más a Miranda.

—¿Es que no hablo con claridad? Necesito que me comuniques inmediatamente con el 03.55.23.56.67.89, ¿o es demasiado complicado para ti?

Emily meneaba la cabeza con incredulidad al tiempo que arrugaba el papel donde había escrito el número que tanto habíamos luchado por conseguir.

—No, no, Miranda; por supuesto que no lo es. Te conectaré enseguida. Espera un segundo.

Pulsé «conferencia», marqué los números, oí a un hombre gritar «*Allô!*» y pulse de nuevo el botón de «conferencia».

—Señor Lagerfeld, Miranda Priestly está al habla —declaré como una de esas operadoras manuales de los tiempos de *La casa de la pradera*.

En lugar de pulsar el altavoz para que Emily y yo pudiéramos escuchar la conversación, colgué. Permanecimos un rato calladas mientras yo me esforzaba por no ponerme a despotricar contra Miranda. Me enjugué el sudor de la frente e hice respiraciones largas y profundas. Emily habló primero.

—A ver si lo he entendido bien. ¿Miranda tenía el número desde el principio pero no sabía marcarlo?

—O no tenía ganas —añadí, siempre dispuesta a hacer piña contra Miranda, sobre todo teniendo en cuenta las pocas oportunidades que tenía de hacer eso con Emily.

—Debí preverlo —dijo meneando la cabeza como si estuviera tremendamente decepcionada consigo misma—. Debí preverlo. Siempre me llama para que le ponga en contacto incluso con gente que se aloja en la habitación contigua o en un hotel dos calles más arriba. Recuerdo que al principio me parecía muy extraño que llamara desde París a Nueva York para que yo la pusiera en contacto con alguien en París. Ahora lo encuentro normal, naturalmente, y no puedo creer que no lo hubiera previsto.

Me disponía a ir al comedor para almorzar cuando el teléfono volvió a sonar. Decidí ser buena chica y contestar.

—Despacho de Miranda Priestly.

—¡Emily, estoy bajo la lluvia, en la rue de Rivoli, y mi chófer ha desaparecido! ¡Desaparecido! ¿Me entiendes? ¡Desaparecido! ¡Encuéntralo inmediatamente!

Estaba histérica. Era la primera vez que la oía hablar así, y no me hubiera sorprendido descubrir que iba a ser la última.

—Miranda, espera, tengo su número justo aquí.

Busqué el itinerario que acababa de dejar sobre la mesa pero solo vi papeles, boletines antiguos y pilas de números atrasados.

Habían transcurrido tres o cuatro segundos, pero me sentía como si estuviera junto a Miranda, viendo cómo la lluvia le empapaba el Fendi de pieles y le corría el maquillaje, como si pudiera abofetearme, decirme que era un trapo inútil sin un ápice de talento, una perdedora nata. No disponía de tiempo para calmarme, para recordarme que Miranda no era más que un ser humano (bueno, eso habría que discutirlo) molesto porque se estaba mojando, un ser que se desahogaba con su ayudante, que se hallaba a 5.800 kilómetros de distancia. No es culpa mía. No es culpa mía. No es culpa mía.

—¡An-dre-aaa, me he destrozado los zapatos! ¿Me oyes? ¿Me estás escuchando siquiera? ¡Encuentra al chófer ahora mismo!

Corría el riesgo de experimentar una emoción indebida. Noté el nudo en la garganta, la tensión en los músculos del cuello, pero aún era pronto para saber si iba a echarme a reír o a llorar. En cualquier caso, no sería nada bueno. Emily debió de intuirlo porque saltó de su silla y me tendió su itinerario. Hasta había subrayado los números de contacto del chófer, tres en total: el teléfono del coche, el teléfono del móvil y el teléfono de casa.

—Miranda, voy a tener que ponerte en espera mientras le llamo. ¿Te importa?

No aguardé su respuesta, sabedora de que eso la sacaría de quicio, y la puse en espera. Llamé de nuevo a París. La buena noticia fue que el chófer contestó en el primer número que probé. La mala noticia fue que no hablaba inglés. Aunque yo no poseía una naturaleza autodestructiva, no pude evitar golpearme la frente contra mi mesa de formica. Al tercer golpe Emily se hizo cargo de la llamada. Había decidido gritar, no tanto para conseguir que el chófer entendiera su espantoso francés como para transmitirle que se trataba de una urgencia. Los conductores nuevos siempre eran difíciles de convencer, básicamente porque eran tan ingenuos como para creer que si Miranda tenía que esperar cuarenta y cinco o sesenta segundos no era ningún drama. Y era justamente esa idea la que Emily y yo teníamos que quitarles de la cabeza.

Descansamos la testa sobre nuestras respectivas mesas después de que Emily consiguiera insultar al chófer lo suficiente para hacerlo volver al lugar donde había dejado a Miranda tres o cuatro minutos antes. Yo había perdido el apetito, fenómeno que me inquietó. ¿Me estaba contagiando de *Runway*? ¿O era solo la mezcla de nervios y adrenalina? ¡Ahora lo entendía! La inanición en *Runway* no era autoimpuesta, sino la reacción fisiológica de cuerpos que vivían constantemente tan atemorizados y angustiados que nunca tenían hambre. Me prometí que indagaría sobre el tema y tal vez hasta explorara la posibilidad de que Miranda hubiese creado una personalidad ofensiva y aterradora para mantener delgada a la gente.

—¡Chicas, chicas, chicas, levantad la cabeza de la mesa! ¿Qué pasaría si mamá os viera en estos momentos? ¡No le gustaría nada! —trinó James desde la puerta.

Se había echado el pelo hacia atrás con un producto grasiento llamado Bed Head y vestía una camiseta de fútbol muy ceñida con el número 69 delante y detrás. Siempre tan sutil.

Ni Emily ni yo nos molestamos en mirarle. El reloj solo marcaba las cuatro, pero parecía medianoche.

—De acuerdo, a ver si lo adivino. Mamá ha estado llamando como una loca porque ha perdido un pendiente entre el Ritz y Alain Ducasse y quiere que lo encontréis aunque esté en París y vosotras en Nueva York.

Solté un bufido.

—¿Crees que eso nos dejaría en semejante estado? Nosotras hacemos eso cada día, es nuestro trabajo. Propón algo difícil.

Hasta Emily se echó a reír.

—Andy tiene razón, James, podrías esforzarte un poco. Yo puedo encontrar un pendiente en menos de diez minutos en cualquier ciudad del mundo —intervino, presta a ser parte del equipo por razones que yo ignoraba—. Solo constituiría un reto si no nos dijera en qué ciudad lo ha perdido. Pero apuesto a que incluso entonces lo encontraríamos.

James retrocedió hacia la salida con cara de horror.

—En fin, chicas, que tengáis un buen día, ¿me oís? Al menos no os ha jodido del todo. En serio, deberíais dar las gracias. Todavía conserváis la cordura. Bueno, pues eso, pasadlo bien...

—¡NO TAN DEPRISA, MARICONAZO! —exclamó alguien con voz chillona—. ¡QUIERO QUE VUELVAS A ENTRAR Y EXPLIQUES A LAS CHICAS EN QUÉ ESTABAS PENSANDO ESTA MAÑANA CUANDO TE PUSISTE ESTE PINGO! —Nigel agarró a James de la oreja y lo arrastró hasta el espacio que había entre mi mesa y la de Emily.

—Oh, venga ya, Nigel —gimoteó James fingiendo indignación, y encantado de que Nigel le tocara—. Sabes que te encanta esta camiseta.

—¿QUE ME ENCANTA ESTA CAMISETA? ¿CREES QUE ME GUSTA ESA PINTA DE MARICONA QUE TRAES HOY? JAMES, NECESITAS CENTRARTE, ¿ME OYES? ¿ME OYES?

—¿Qué tiene de malo una camiseta de fútbol ceñida? Creo que estoy impresionante.

Emily y yo asentimos con la cabeza. Quizá la camiseta no fuera de buen gusto, pero le daba un aire muy moderno. Además, no resultaba fácil aceptar consejos sobre indumentaria de un hombre que en ese preciso instante vestía unos tejanos pitillo con estampado de cebra y un jersey negro con cuello de pico y un ojo de cerradura abierto en la espalda para mostrar unos músculos ondulantes. Un sombrero blando de paja y un toque (sutil, lo admito) de lápiz de ojos negro remataban el conjunto.

—MUCHACHITO, LA MODA NO SE HACE PARA QUE ANUNCIES TU POSTURA SEXUAL FAVORITA. ¡NO, NO, NO! ¿QUIERES ENSEÑAR UN POCO DE CARNE? ¡ADELANTE! ¿QUIERES ENSEÑAR ALGUNAS DE TUS CURVAS JÓVENES Y TERSAS? ¡ADELANTE! PERO LA ROPA NO ESTÁ PARA DECIR AL MUNDO QUE TE GUSTA MÁS POR DETRÁS, AMIGO. ¿LO ENTIENDES?

—¡Nigel! —James puso cara de decepción para ocultar el placer que le causaba ser su centro de atención.

—¡NI NIGEL NI PORRAS, CIELO! VE A HABLAR CON JEFFY Y DILE QUE TE ENVÍO YO. PÍDELE LA NUEVA CAMISETA CALVIN KLEIN QUE ENCARGAMOS PARA EL REPORTAJE DE MIAMI, LA QUE TIENE QUE PONERSE ESE DIVINO MODELO NEGRO. ¡DIOS, ESTÁ MÁS BUENO QUE UN BATIDO ESPESO DE CHOCOLATE! VENGA, ¿A QUÉ ESPERAS? ¡Y VUELVE AQUÍ PARA QUE VEA CÓMO TE QUEDA!

James se alejó como un conejito recién alimentado y Nigel se volvió hacia nosotras.

—¿HABÉIS ENCARGADO YA LA ROPA DE MIRANDA? —preguntó a nadie en particular.

—No. No quiere elegirla hasta que lleguen los catálogos —respondió Emily con cara de aburrimiento—. Dijo que lo haría cuando volviera.

—ASEGÚRATE DE COMUNICÁRMELO CON ANTELACIÓN PARA QUE PUEDA HACER UN HUECO EN LA AGENDA.

Y se alejó en dirección al ropero, probablemente para tratar de echar una ojeada a James mientras se cambiaba.

Yo ya había pasado por la experiencia de encargar la ropa de Miranda y no había sido grata. Cuando me incorporé a *Runway*, Miranda se hallaba en los desfiles de *prêt-à-porter* de primavera saltando de pasarela en pasarela y preparándose para regresar a Estados Unidos y decir a la sociedad neoyorquina lo que iba a vestir en primavera y a media América lo que le gustaría vestir. Yo no sabía que Miranda también prestaba especial atención a la ropa de las pasarelas porque era su primer contacto con lo que ella misma iba a ponerse en los meses venideros.

A las dos semanas de su regreso, Miranda había entregado a Emily una lista de los diseñadores cuyos catálogos quería consultar. Mientras los sospechosos habituales se apresuraban a montar sus respectivos catálogos —las fotografías de los desfiles ni siquiera habían sido todavía reveladas y aún menos encuadernadas—, todo el personal de *Runway* recibía el aviso de que estos no tardarían en llegar. Nigel, naturalmente, tenía que estar listo para ayudar a Miranda a hojearlos y elegir su indumentaria personal. Una redactora de complementos debía hallarse disponible para elegir bolsos y zapatos, y quizá otra de moda para buscar un consenso general, sobre todo si el pedido incluía algo grande, como un abrigo de pieles o un vestido de noche. Una vez que las casas reunían los artículos solicitados, el sastre personal de Miranda pasaba unos días en *Runway* retocándolo todo. Jeffy vaciaba por completo el ropero y nadie podía hacer debidamente su trabajo porque Miranda y su sastre se encerraban allí durante horas. En una ocasión, durante la primera ronda de pruebas, pasé por delante del ropero justo cuando Nigel vociferaba: «¡MIRANDA PRIESTLY, QUÍTATE ESE VESTIDO AHORA MISMO! ¡PARECES UNA FURCIA! ¡UNA VULGAR PUTA!».

Yo tenía la oreja pegada a la puerta —arriesgando literalmente mi vida— y esperé a que Miranda le echara la bronca, pero solo oí un quedo murmullo de aceptación y el frufrú de la tela cuando se quitó el vestido.

Ahora, como ya llevaba un tiempo en *Runway*, el honor de encargar la ropa de Miranda recaería en mí. Cuatro veces al año, como un reloj, Miranda hojeaba los catálogos como si le pertenecieran y elegía trajes de Alexander McQueen y faldas de Prada como si fueran camisetas L. L. Bean. Una pegatina amarilla sobre los pantalones pitillo Fendi, otra a lo largo del traje de falda Chanel con un gran «no» sobre la camisa de seda a juego. Pasar hoja, pegar, pasar hoja, pegar, y así sucesivamente, hasta que Miranda elegía directamente de la pasarela un vestuario completo de temporada, ropa que, en ocasiones, aún no había sido confeccionada.

Yo había visto a Emily enviar por fax la selección de Miranda a los diseñadores omitiendo las tallas y los colores, pues cualquier diseñador digno de sus Manolo debía saber qué necesitaba Miranda Priestly. Como es lógico, el hecho de que la ropa fuera de la talla y el color debidos no bastaba. Cuando llegaba a la revista había que retocarla para que pareciera confeccionada a medida. Solo cuando el vestuario al completo había sido retocado y trasladado al armario del dormitorio de Miranda en una limusina con chófer, se desprendía esta de la ropa de la última temporada. Entonces pilas de Yves, Celine y Helmut Lang regresaban en bolsas de plástico a la oficina. La mayor parte de las prendas no tenía más de cuatro o seis meses de antigüedad y había sido utilizada un par de veces, y en algunos casos ni eso. Todo seguía siendo tan increíblemente moderno que aún no estaba disponible en la mayoría de las tiendas pero, una vez que una prenda pasaba a ser de la última temporada, tenía tantas probabilidades de caer en el cuerpo de Miranda como unos pantalones de polipiel de la nueva línea Massimo de Target.

A veces me quedaba un *top* u otro trapito, pero el hecho de que todo fuera de la talla cero me lo ponía difícil. Casi siempre repartíamos la ropa entre gente con hijas preadolescentes, las únicas con alguna posibilidad de caber en ella. Yo imaginaba a niñas con cuerpo de niño paseándose con faldas de tubo Prada y provocativos vestidos Dolce & Gabbana. Si había algo explosivo de verdad, algo realmente caro, lo sacaba de la bolsa de basura y lo escondía debajo de mi mesa hasta que podía llevármelo sin correr peligro. Unos rápidos clics en eBay o una visita a una de las elegantes tiendas de segunda mano de Madison Avenue y mi salario dejaba de parecerme deprimente. Eso no era robar, me decía, sino utilizar lo que tenía a mi disposición.

Miranda telefoneó otras seis veces entre las seis y las nueve de la noche —entre las doce y las tres de la madrugada en Francia— para que le pusiéramos en contacto con personas que ya se encontraban en París. Trabajé sin incidentes hasta que fui a recoger mis cosas con la intención de marcharme a casa antes de que el teléfono volviera a sonar. Fue cuando me estaba poniendo cansinamente el abrigo cuando reparé en la nota que había pegado en la pantalla para no olvidar que debía hacer algo. LLAMAR A ALEX 15.30 HOY. Tenía la sensación de que todo me daba vueltas, mis lentillas se habían secado hasta convertirse en diminutas astillas de cristal y en ese momento la cabeza empezó a palpitarme con fuerza. No eran punzadas, sino un dolor nebuloso cuyo centro no puedes precisar pero cuya intensidad sabes que aumentará lentamente hasta que, una de dos, te desmayes o explotes. Entre la angustia y el pánico generados por las innumerables llamadas desde el otro lado del Atlántico había olvidado tomarme los treinta segundos de siempre para telefonear a Alex. Sencillamente había olvidado hacer algo tan simple por alguien que nunca parecía necesitar nada de mí.

Me senté en la penumbra silenciosa de la oficina y descolgué el auricular, que todavía retenía parte del sudor que habían desprendido mis manos durante la última llamada de Miranda. Marqué el número de su casa y esperé hasta que saltó el contestador automático. A continuación llamé al móvil y Alex respondió al primer tono.

—Hola —dijo, sabiendo que era yo por el identificador de llamadas—. ¿Qué tal te ha ido?

—Como siempre. Alex, siento mucho no haberte llamado a las tres y media, pero las cosas aquí se desmadraron y Miranda no hacía más que llamar...

—Oye, olvídalo, no pasa nada. Escucha, ahora mismo no puedo hablar. ¿Te importa que te llame mañana?

Parecía distraído. Su voz sonaba lejana, como quien llama desde la cabina de una playa de un pueblo diminuto al otro lado del mundo.

—No, no. ¿Va todo bien? ¿Podrías decirme al menos de qué querías hablarme? He estado muy preocupada pensando que había pasado algo.

Alex permaneció callado unos segundos y luego dijo:

—Ya, bueno, no parece que estuvieras tan preocupada. Por una vez que te pido que me llames a una hora conveniente para mí, por no mencionar que tu jefa ni siquiera está en el país, te retrasas seis horas. No me parece la conducta propia de alguien que está preocupado. —Lo dijo sin sarcasmo, sin desaprobación, únicamente como un resumen de los hechos.

Yo estaba retorciendo el cable del teléfono con el dedo índice hasta cortarme la circulación. Tenía el nudillo hinchado y la yema blanca. También noté un sabor sanguinolento en la boca y me di cuenta de que me había estado mordiendo el interior del labio inferior.

—Alex, no me olvidé de llamarte —mentí descaradamente tratando de defenderme de su acusación no acusatoria—, pero no tuve un solo segundo libre y, como parecía algo serio, no quería telefonearte para tener que colgar enseguida. Miranda me ha llamado unas veinte veces esta tarde, y siempre con una urgencia. Emily se marchó a las cinco, de modo que me quedé sola con el teléfono, y Miranda siguió llamando sin parar, y cada vez que me disponía a llamarte volvía a sonar el teléfono.

Semejante bombardeo de excusas me sonó patético incluso a mí, pero no podía parar. Alex sabía que me había olvidado y yo también, no porque no me importara o no estuviera preocupada, sino porque todas las cosas que no tenían que ver con Miranda dejaban de ser prioritarias en cuanto ponía un pie en la oficina. En cierto modo, todavía no alcanzaba a comprender y aún menos a explicar —y de nada servía pedir a otros que lo comprendieran— cómo podía ser que el mundo exterior dejara de existir, que lo único que permaneciera cuando todo lo demás se esfumaba fuera *Runway*. Sin embargo, más difícil me resultaba aún explicar ese fenómeno sabiendo que era lo único en mi vida que despreciaba. Y aún así, era lo único que importaba.

—Oye, tengo que volver con Joey. Está con dos amigos y probablemente a estas alturas ya hayan destrozado la casa.

—¿Joey? Entonces ¿estás en Larchmont? No acostumbras cuidar de tu hermano los miércoles. ¿Va todo bien?

Estaba deseando desviar la conversación del hecho irrefutable de que el trabajo me había absorbido en exceso durante seis horas seguidas y ese parecía el mejor camino. Alex me contaría que su madre había tenido que quedarse a trabajar hasta tarde o que tenía una reunión con el maestro de Joey y que el canguro le había fallado. No se quejaría, por supuesto, así era él, pero por lo menos me contaría lo sucedido.

—Sí, todo va bien, pero mi madre tenía una reunión urgente con un cliente. Andy, ahora mismo no puedo hablar. Antes te llamé para darte una buena noticia, pero no me devolviste la llamada.

Enrollé el cable del teléfono en torno a mis dedos índice y corazón con tanta fuerza que empezaron a palpitar.

—Lo siento —fue cuanto alcancé a decir, pues, aunque sabía que Alex tenía razón, que había demostrado una gran falta de consideración al no llamar, estaba demasiado agotada para defenderme—. Alex, por favor, no me castigues ocultándome una buena noticia. ¿Tienes idea de cuánto tiempo hace que nadie me llama con una buena noticia? Por favor, cuéntamela. —Sabía que respondería a mi razonamiento.

—No es nada del otro mundo. Simplemente me adelanté e hice los preparativos para ir juntos a nuestra primera fiesta de ex alumnos.

—¿De veras? ¿Iremos juntos?

Yo había sacado el tema un par de veces, confiaba que de forma despreocupada, pero Alex siempre se había resistido a comprometerse a ir conmigo. Todo el mundo sabía que la primera reunión de ex alumnos era una fiesta inolvidable, y aunque Álex nunca se habría atrevido a admitirlo, yo tenía la impresión de que quería ir con Max y los demás chicos. No había vuelto a insistirle, suponiendo que Lily y yo haríamos nuestro propio plan y al final acabaríamos todos juntos. Sin embargo Alex, cómo no, había percibido lo mucho que me apetecía ir con él como pareja y lo había organizado todo.

—Sí, ya está todo planeado. Tendremos un coche de alquiler, de hecho un jeep, y he reservado una habitación en el Biltmore.

—¿En el Biltmore? ¿Bromeas? ¿Has reservado una habitación en el Biltmore? Es fantástico.

—Bueno, siempre decías que querías probar ese hotel, así que pensé que había llegado el momento. También he reservado una mesa para diez en Alfonso, para desayunar el domingo, y así vernos todos.

—¿En serio que ya has hecho todo eso?

—Sí. Pensé que te haría ilusión, por eso estaba deseando contártelo, pero por lo visto estabas demasiado ocupada para llamarme.

—Alex, estoy muy contenta. No tienes ni idea de la ilusión que me hace y no puedo creer que ya lo hayas organizado todo. Siento mucho lo ocurrido. Estoy deseando que llegue octubre. Lo pasaremos en grande, y todo gracias a ti.

Hablamos unos minutos más. Cuando colgué, Alex ya no parecía enfadado, pero yo apenas podía moverme. El esfuerzo de reconquistarlo, de encontrar las palabras adecuadas no solo para convencerle de que no me había olvidado de él sino también para asegurarle que estaba agradecida e ilusionada, había agotado mis últimas reservas de energía. No recuerdo haber subido al coche ni el trayecto hasta casa, ni si saludé a John Fisher-Galliano al entrar en mi edificio. Además de un profundo agotamiento que de tanto como dolía era casi placentero, lo único que recuerdo haber sentido fue alivio al ver que la puerta de Lily estaba cerrada y no salía luz por debajo. Pensé en encargar algo de comida, pero la idea de buscar una carta y el teléfono me abrumaba en exceso. He aquí otra comida que, sencillamente, no tendría lugar.

Me senté en el deteriorado cemento de mi nuevo balcón sin muebles y fumé ociosamente un cigarrillo. Sin energía siquiera para echar el humo, dejé que saliera lentamente de mi boca y flotara alrededor. En un momento dado oí la puerta de Lily y el ruido de unos pasos por el pasillo, pero apagué rápidamente la luz y guardé silencio. Había pasado quince horas seguidas hablando y no podía pronunciar una palabra más.

13

—Contrátala —decretó Miranda tras conocer a Annabelle, la decimosegunda chica a la que entrevisté y la única, junto con otra muchacha, que me había parecido adecuado presentar a Miranda.

Annabelle era francesa (de hecho hablaba tan poco inglés que necesité a las gemelas de traductoras), estaba licenciada por la Sorbona y poseía un cuerpo alto y firme y una preciosa cabellera morena. Tenía clase. No temía llevar tacones de aguja en el trabajo y no parecía importarle el trato brusco de Miranda. En realidad, también ella era distante y brusca, y nunca miraba a los ojos. Siempre daba la impresión de estar una pizca desinteresada, y de ser sumamente segura de sí misma. Me llevé una gran alegría cuando Miranda dijo que la quería, no solo porque me ahorraba varias semanas de entrevistas a otras niñeras, sino también porque eso indicaba —aunque mínimamente— que empezaba a pillarlo.

A pillar exactamente qué lo ignoraba, pero las cosas iban mejor de lo esperado. Había llevado a cabo el pedido de la ropa sin apenas meter la pata. Miranda no dio lo que se dice saltos de alegría cuando, al enseñarle todo lo que había encargado a Givenchy, pronuncié el nombre tal como se escribe. Tras una mirada furibunda y algunos comentarios sarcásticos me informó de la pronunciación correcta, y todo fue razonablemente bien hasta que tuve que decirle que los vestidos de playa de Roberto Cavalli todavía tardarían tres semanas. Con todo, había llevado bien la situación, había conseguido coordinar las pruebas en el ropero con el sastre y reunido casi todo en el armario de su apartamento, que era tan grande como un estudio.

La organización de la fiesta de pedida había seguido su curso durante la ausencia de Miranda y se intensificó tras su regreso pero, sorprendentemente, apenas reinaba el pánico. Por lo visto todo estaba atado y bien atado, y en principio el viernes debía transcurrir sin incidentes. Mientras Miranda se encontraba en Europa, Chanel había enviado un exclusivo vestido de cuentas rojas, largo hasta el suelo, que yo había enviado inmediatamente a la tintorería para que le dieran un repaso. El mes anterior había visto un vestido negro de Chanel muy parecido en las páginas de *W*, y cuando se lo comenté a Emily, asintió lentamente con la cabeza.

—Cuarenta mil dólares —dijo.

Acto seguido hizo doble clic en un pantalón negro de style.com, página donde llevaba meses buscando ideas para su futuro viaje a Europa.

—¿Cuarenta mil QUÉ?

—El vestido rojo de Chanel cuesta cuarenta mil dólares en la tienda. Miranda no ha pagado eso, claro, pero tampoco se lo han regalado. ¿No es una locura?

—¿Cuarenta mil DÓLARES? —repetí, incapaz de creer que unas horas antes había tenido en mis manos una prenda que costaba esa suma.

No pude evitar pensar en lo que podían dar de sí cuarenta de los grandes: dos años completos de universidad, la entrada para una casa, el salario anual medio de una familia estadounidense media de cuatro miembros. O, como mínimo, un montón de bolsos Prada. Pero ¿un vestido? Pensaba que a esas alturas ya lo había visto todo, pero me aguardaba otro bombazo cuando el vestido llegó de la tintorería con un sobre donde se leía: «Sra. Miranda Priestly». Dentro había una factura escrita a mano en un tarjeta de color crema que rezaba: «Tipo de prenda: Vestido de noche. Diseñador: Chanel. Largo: Tobillo. Color: Rojo. Talla: Cero. Descripción: Cuentas cosidas a mano, sin mangas, escote ligeramente redondeado, cremallera lateral invisible, forro de seda pesada. Servicio: Primera limpieza básica. Precio: 670 dólares».

Debajo de la factura había una nota de la dueña de la tintorería, una mujer que a buen seguro pagaba el alquiler de su tienda y de su casa con el dinero que recibía de Elias debido a la adicción a la limpieza en seco de Miranda.

«Ha sido un placer trabajar con tan hermoso vestido y esperamos que lo luzca con satisfacción en la fiesta del Metropolitan Museum of Art. Siguiendo sus instrucciones, volveremos a recogerlo el lunes, 28 de mayo, para su limpieza. Si podemos servirle en algo más, no dude en llamarnos. Un saludo, Colette.»

El caso es que era jueves y Miranda tenía en su armario un vestido nuevo y limpio, y Emily había localizado las sandalias plateadas de Jimmy Choo que aquella había solicitado. El peluquero estaba citado en casa de Miranda el viernes a las 17.30 y el maquillador, a las 17.45, y Uri debía personarse a las 18.15 para llevarla junto con el señor Tomlinson al museo.

Miranda ya se había marchado para asistir a la función de gimnasia de Cassidy y yo confiaba en largarme pronto y dar una sorpresa a Lily. Había tenido su último examen final y quería invitarla a cenar para celebrarlo.

—Oye, Em, ¿crees que hoy podría marcharme a las seis y media o siete? Miranda ha dicho que no necesita el Libro porque no hay nada nuevo —añadí rápidamente, irritada por tener que pedir autorización a mi compañera para salir doce horas después de haber fichado, en lugar de las catorce habituales.

—Sí, claro. Yo me voy ya. —Miró la pantalla y vio que eran poco más de las cinco—. Quédate un par de horas más y luego vete. Miranda está con las gemelas, así que no creo que llame.

Se cambió las Puma por unas Jimmy Choo para una cita que tenía esa noche con un tipo al que había conocido en Los Ángeles el día de Nochevieja. Al fin había venido a Nueva York y, sorprendentemente, había llamado. Tomarían unas copas en Craftbar y, si el tío sabía comportarse, ella le invitaría a cenar en el Nobu. Había hecho la reserva cinco semanas atrás, cuando él le mandó un correo electrónico para anunciarle que quizá fuera a Nueva York, a pesar de lo cual Emily tuvo que utilizar el nombre de Miranda para conseguir una mesa.

«¿Qué piensas hacer cuando llegues al restaurante y vean que no eres Miranda Priestly?», le había preguntado yo, estúpidamente. Como siempre, Emily puso los ojos en blanco y suspiró. «Simplemente les diré que Miranda tuvo que salir inesperadamente de viaje, les mostraré la tarjeta y les diré que quiso que yo me quedara con la reserva. Así de fácil.»

Miranda solo llamó una vez más después de que Emily se marchara para decirme que al día siguiente no llegaría a la oficina hasta las doce y que le gustaría tener la reseña de un restaurante que había leído ese día «en el periódico». Tuve la sangre fría de preguntarle si recordaba el nombre del restaurante o del periódico, pero eso la irritó sobremanera.

—An-dre-aaa, ya llego tarde a la función, no me interrogues. Era un restaurante de fusión oriental y hablan de él en el periódico de hoy. Eso es todo.

Y sin más, cerró su Motorola V60. Deseé, como siempre que Miranda me colgaba a media frase, que un día el móvil le pillara los dedos perfectamente cuidados y se los tragara enteros, tomándose su tiempo para arañar esas uñas rojas impecables.

Anoté que debía buscar la reseña a primera hora de la mañana en la agenda donde escribía las interminables y mutables peticiones de Miranda y corrí hasta el coche. Llamé por teléfono a Lily, que respondió justo cuando me disponía a subir al apartamento, así que saludé con la mano a John Fisher-Galliano (se había dejado crecer el pelo, había adornado su uniforme con unas cuantas cadenas y cada día se parecía más al diseñador), pero no me moví del coche.

—Hola, ¿qué tal? Soy yo —dije desde mi propio Motorola V60.

—Holaaa —trinó Lily con un tono alegre que hacía semanas que no oía en ella—. ¡He terminado! ¡Terminado! Ya solo tengo pendiente una propuesta para una tesis que puedo cambiar diez veces si quiero. Eso significa que estoy libre hasta mediados de julio. No puedo creerlo.

—Lo sé y me alegro muchísimo por ti. ¿Estás lista para celebrarlo con una cena? Tú eliges el sitio, *Runway* paga.

—¿En serio? ¿Donde yo quiera?

—Donde tú quieras. Estoy delante de la portería con el coche. Baja cuando puedas.

Lily soltó un chillido.

—¡Genial! Estaba deseando hablarte de Chico Freudiano. ¡Es una monada! Me estoy poniendo unos tejanos. Bajaré enseguida.

Lily apareció cinco minutos más tarde con un aspecto moderno y alegre que no le veía desde hacía mucho tiempo. Vestía unos tejanos ceñidos y gastados, y una blusa campesina blanca. Unas sandalias de piel marrón con cuentas turquesas que no le había visto antes completaban el atuendo. Hasta se había maquillado y sus rizos tenían pinta de haber sido tratados con secador en las últimas veinticuatro horas.

—Estás fantástica —exclamé cuando saltó sobre el asiento trasero—. ¿Cuál es tu secreto?

—Chico Freudiano, naturalmente. Es increíble. Creo que estoy enamorada. Por ahora tiene un nueve sobre diez, ¿puedes creerlo?

—En primer lugar, decidamos adónde vamos. No he hecho ninguna reserva, pero puedo llamar y utilizar el nombre de Miranda. Elige un sitio.

Lily se estaba aplicando brillo Kiehl en los labios y mirando por el retrovisor del conductor.

—¿El que yo quiera? —preguntó distraídamente.

—El que tú quieras. ¿Qué tal unos mojitos en el Chicama? —propuse, sabedora de que lo que le atraía de un restaurante eran sus bebidas, no su comida—. ¿O esos magníficos Cosmos de Bungalow? ¿O qué me dices de los fabulosos martinis de manzana del hotel Hudson? Puede que incluso podamos sentarnos en la terraza. Aunque si quieres vino, me encantaría probar...

—Andy, ¿podemos ir a Benihana? Siempre he deseado ir a ese lugar. —Me miró tímidamente.

—¿Benihana? ¿Quieres ir a Benihana? ¿Ese restaurante de cadena donde te sientan al lado de turistas con un montón de niños chillones y donde actores orientales en paro te hacen la comida sobre la mesa? ¿Ese Benihana?

Lily asentía con entusiasmo y decidí llamar para pedir la dirección.

—No, no, la tengo aquí. A la Cincuenta y seis, entre la Quinta y la Sexta, lado norte —indicó al chófer.

Mi ilusionada amiga no se percató de que la miraba con expresión atónita y se puso a hablar animadamente de su Chico Freudiano, nombre acertado porque se hallaba en el último curso de psicología. Se habían conocido en la sala de estudiantes del sótano de la biblioteca Low. Me enumeró todas sus características: veintinueve años («maduro, pero nada viejo»), nacido en Montreal («un acento francés encantador, pero totalmente americanizado»), pelo más bien largo («pero por suerte no largo como para hacerse una coleta») y la barba justa («parece Antonio Banderas cuando lleva tres días sin afeitarse»).

Los actores-cocineros samurái rebanaron, cortaron y giraron cubos de carne mientras Lily reía y aplaudía como una niña en un circo. Aunque me resultaba imposible creer que de verdad le gustara alguien, me parecía la única explicación lógica a su alegría, pero más me costaba creer que aún no se hubiera acostado con él («¡Dos semanas y media viéndonos constantemente en la universidad y nada! ¿No estás orgullosa de mí?»). Cuando le pregunté por qué no le había visto por el apartamento, sonrió con orgullo y respondió: «Porque todavía no le he invitado. Estamos yendo despacio». Acabábamos de salir del restaurante y Lily me estaba obsequiando con divertidas historias que Chico Freudiano le había contado cuando Christian Collinsworth apareció frente a mí.

—Andrea, la encantadora Andrea. Debo reconocer que me sorprende que seas aficionada al Benihana... ¿Qué pensaría Miranda de eso? —preguntó socarronamente mientras deslizaba su brazo sobre mi hombro.

—Bueno, verás... —El tartamudeo me dejó agotada. No había sitio para las palabras cuando en mi cabeza se agolpaba toda clase de pensamientos. Comiendo en Benihana. ¡Christian lo sabía! ¡Miranda en Benihana! Estaba adorable con esa cazadora de aviador de cuero. ¡Seguro que huelo a Benihana! ¡No le beses en la mejilla! ¡Bésale en la mejilla!—. No, no es eso, en realidad...

—Estábamos decidiendo adónde ir —intervino Lily mientras tendía una mano a Christian, quien por fin advertí que iba solo—. Estábamos tan absortas que no nos dimos cuenta de que nos habíamos detenido en medio de la calle. ¡Ja, ja! ¿Qué te parece, Andy? Me llamo Lily.

Christian le estrechó la mano y se apartó un rizo del ojo, como había hecho tantas veces en la fiesta. Volví a tener la extraña sensación de que podría pasarme horas, quizá días, viéndole apartar ese adorable rizo de su perfecto rostro. Entonces me percaté de que debía decir algo, aunque ellos parecían arreglárselas muy bien solos.

—Lily —dijo Christian haciendo rodar el nombre por su lengua—. Un nombre muy bonito, casi tan bonito como Andrea.

Advertí que Lily tenía el rostro radiante. Estaba pensando que Christian no solo era mayor que ella e impresionante, sino también encantador. Yo sabía que se estaba preguntando si me interesaba, si haría algo a pesar de Alex y, en caso afirmativo, si había algo que ella pudiera hacer para facilitar las cosas. Lily adoraba a Alex, cómo no iba a adorarlo, pero no comprendía que dos personas tan jóvenes pudieran pasar tanto tiempo juntas, o eso decía, aunque yo sabía que lo que realmente le alucinaba era lo de la monogamia. Si había la más mínima posibilidad de que Christian y yo nos liáramos ella no dudaría en avivar el fuego.

—Lily, me alegro de conocerte. Soy Christian, un amigo de Andrea. ¿Siempre os paráis delante del Benihana a charlar?

Su sonrisa me produjo una sensación de vértigo. Lily se apartó los rizos con el dorso de la mano y respondió:

—¡Por supuesto que no, Christian! Acabamos de cenar en el Town y estábamos pensando dónde podíamos tomar una copa. ¿Alguna sugerencia?

¡El Town! Uno de los restaurantes más de moda y caros de la ciudad. Miranda iba allí. Jessica y su prometido iban allí. Emily hablaba obsesivamente de su deseo de ir allí. Pero ¿Lily?

—Qué raro —repuso Christian—, yo acabo de cenar allí con mi agente. Me extraña que no os haya visto...

—Porque estábamos al fondo, detrás de la barra —me apresuré a decir, recobrando cierto aplomo.

Por fortuna había hecho caso a Emily cuando me instó a mirar la foto de la barra del restaurante que aparecía en citysearch.com un día que estaba intentando decidir si era un buen lugar para una cita.

—Ya —asintió Christian con aspecto distraído y más mono que nunca—. ¿Así que estabais pensando en tomar una copa?

Estaba deseando sacarme de encima la peste del Benihana con una ducha, pero Lily no tenía intención de darme esa oportunidad. Me pregunté si era tan evidente para Christian como para mí que mi amiga me estaba prostituyendo, pero él estaba impresionante, ella estaba decidida y yo mantuve la boca cerrada.

—Sí, estábamos decidiendo adónde ir. ¿Alguna sugerencia? A las dos nos encantaría que nos acompañaras —afirmó Lily mientras le tiraba juguetonamente del brazo—. ¿Qué hay por aquí que sea de tu agrado?

—Esta zona no destaca por sus bares, pero he quedado con mi agente en Au Bar. Si queréis, podéis venir. Ha ido al despacho a buscar unos papeles, pero no tardará en volver. Andy, tal vez te convenga conocerle. Uno nunca sabe cuándo va a necesitar un agente... Entonces ¿os parece bien Au Bar?

Lily me lanzó una mirada que gritaba: «¡Es guapísimo, Andy! ¡Guapísimo! No tengo ni idea de quién es, pero te desea, así que cálmate y dile lo mucho que te gusta Au Bar».

—Me encanta Au Bar —aseguré, aunque nunca había estado allí—. Me parece perfecto.

Lily sonrió, Christian sonrió y los tres echamos a andar. Christian Collinsworth y yo íbamos a tomar una copa juntos. ¿Podía considerarse eso una cita? Por supuesto que no, me dije, no seas absurda. Alex, Alex, Alex, repetí para mis adentros, decidida a recordarme que tenía un novio adorable y decepcionada conmigo misma por tener que recordarme que tenía un novio adorable.

Aunque era un jueves por la noche, el equipo de seguridad estaba al completo, y si bien no tenían inconveniente en dejarnos pasar, nadie se ofreció a hacernos una rebaja: veinte dólares cada entrada.

Sin darme tiempo a sacar mi dinero Christian extrajo tres billetes de veinte de un enorme billetero y los entregó sin decir palabra. Hice ademán de protestar, pero me cubrió los labios con dos dedos.

—Andy, cariño, no permitas que tu preciosa cabecita se preocupe por esto.

Antes de que pudiera apartar la boca, tomó mi cara entre sus manos. En algún lugar de las profundidades de mi debilitado cerebro algo me decía que iba a besarme. Lo sabía, lo presentía, pero no podía moverme. Christian interpretó mi inmovilidad como aceptación, se inclinó y posó sus labios en mi cuello. Fue un beso fugaz, en realidad un roce, quizá con un poco de lengua, justo debajo de la mandíbula y cerca de la oreja. Luego me cogió de la mano y me arrastró al interior del local.

—¡Christian, espera! Necesito decirte algo.

No estaba segura de que un beso no solicitado, en el cuello, no en la boca, con un mínimo de lengua, precisara una larga explicación sobre que tenía novio y no era mi intención darle una impresión equivocada. Christian, por lo visto, no lo creía necesario, porque me había llevado hasta un sofá situado en un rincón oscuro y ordenado que me sentara. Obedecí.

—Voy a pedir algo de beber, ¿de acuerdo? Y no te preocupes tanto, que no muerdo. —Se echó a reír y me sonrojé—. Aunque si lo hago, te prometo que te gustará. —Y se dirigió a la barra.

A fin de evitar desmayarme o tener que reflexionar sobre lo que acababa de ocurrir, busqué a Lily con la mirada. Tres minutos antes éramos tres, pero ella ya estaba charlando con un hombre negro muy alto, pendiente de cada una de sus palabras y echando la cabeza hacia atrás de gozo. Sorteé el gentío de bebedores internacionales. ¿Cómo sabían que ese era el local de visita obligada si no tenías pasaporte estadounidense? Pasé por delante de un grupo de hombres de treinta y pico que gritaban en un idioma que sonaba japonés, de dos mujeres que agitaban las manos y hablaban apasionadamente en árabe y de una pareja con cara de palo que susurraba con tono rabioso en un idioma que parecía español pero que bien podía ser portugués. El amigo de Lily ya tenía una mano en su cintura y parecía totalmente seducido. No era momento de sutilezas, pensé. Christian Collinsworth acababa de masajearme el cuello con su boca. Sin hacer caso al hombre, cogí a Lily del brazo derecho y me volví para arrastrarla hasta el sofá.

—¡Andy, para! —susurró, y liberó su brazo sin dejar de sonreír al tipo—. No seas maleducada. Me gustaría presentarte a mi amigo. William, esta es mi amiga Andrea, que no suele comportarse así. Andy, te presento a William.

Lily esbozó una sonrisa benévola mientras nos dábamos la mano.

—Puedo preguntarte por qué me robas a tu amiga, An-dreaaa —dijo William con una voz profunda que casi resonó en el espacio subterráneo.

Quizá en otro lugar, en otro momento o con otra persona me habría percatado de su cálida sonrisa, o de su caballerosidad al levantarse de inmediato y ofrecerme su asiento cuando me acerqué, pero de lo único que fui consciente fue de su acento británico. Poco importaba que fuera un hombre, un hombre negro y corpulento, que no guardaba parecido alguno con Miranda Priestly. El mero hecho de oír ese acento, de oír mi nombre pronunciado exactamente como ella lo pronunciaba, bastó para que se me acelerara el corazón.

—William, lo siento, no es nada personal, pero tengo un problemilla y me gustaría hablar con Lily en privado. Te la devolveré enseguida.

Dicho eso, la agarré del brazo, esta vez con más fuerza, y tiré de ella. Basta de tonterías, necesitaba a mi amiga.

Una vez instaladas en el sofá, y tras comprobar que Christian seguía reclamando la atención del camarero (un hetero, podría tirarse ahí toda la noche), respiré hondo.

—Christian me ha besado.

—¿Y qué hay de malo? ¿Besa mal? Es eso, ¿verdad? La forma más rápida de perder puntos.

—¡Lily! Bien o mal, ¿qué importa?

Enarcó las cejas y abrió la boca para hablar, pero me adelanté.

—En realidad no ha sido para tanto, porque me besó en el cuello, pero el problema no es cómo lo hizo, sino que lo haya hecho. ¿Qué pasa con Alex? Yo no suelo ir por ahí besando a otros tíos, ¿sabes?

—Vaya por Dios —murmuró Lily entre dientes—. Andy, déjate de estupideces. Quieres a Alex y Alex te quiere, pero no pasa nada porque te apetezca besar a otro tío de vez en cuando. Tienes veintitrés años, maldita sea, relájate un poco.

—Pero yo no le besé... ¡él me besó a mí!

—En primer lugar, dejemos clara una cosa. ¿Recuerdas cuando Monica se inclinó sobre Bill y todo el país y nuestros padres y Ken Starr se apresuraron a llamar a eso sexo? Eso no era sexo, del mismo modo que el hecho de que un tío que probablemente quería besarte la mejilla te besara el cuello no significa «besar a alguien».

—Pero...

—Cierra el pico y déjame terminar. Lo importante no es tanto lo que ocurrió como el hecho de que tú querías que ocurriera. Reconócelo, Andy. Querías besar a Christian independientemente de que eso estuviera «mal» o fuera «incorrecto». Y si no lo reconoces, significa que mientes.

—Lily, en serio, no me parece justo que...

—Hace nueve años que te conozco, Andy. ¿Crees que no puedo leer en tu cara que te gusta ese tipo? Sabes que no debería gustarte, porque él no se comporta como es debido, ¿verdad? Pero es justamente eso lo que te atrae de él. Sigue tu instinto y disfruta. Si Alex es bueno para ti, siempre lo será. Y ahora tendrás que disculparme, porque he encontrado a alguien que es bueno para mí... en este momento.

Lily saltó del sofá y regresó junto a William, que se alegró mucho de volver a verla.

Me sentía cohibida sentada sola en el enorme sofá de terciopelo y busqué a Christian con la mirada, pero ya no estaba en la barra. Todo se aclararía si dejaba de preocuparme, me dije. Tal vez Lily estaba en lo cierto y Christian me gustaba. ¿Qué tenía eso de malo? Era inteligente y guapísimo, y esa actitud de hacerse cargo de todo resultaba muy sexy. Salir con alguien sexy no era exactamente ser infiel. Estoy segura de que a lo largo de los años Alex se ha encontrado en más de una ocasión trabajando, estudiando o hablando con una chica atractiva y ha tenido fantasías. ¿Le convertía eso en infiel? Por supuesto que no. Con renovada confianza (y deseando desesperadamente volver a ver, oír o tener cerca a Christian), empecé a pasearme por el bar.

Lo encontré apoyado sobre su mano derecha, enfrascado en una conversación con un hombre de cuarenta y tantos años que vestía un traje de tres piezas. Christian agitaba las manos y gesticulaba enérgicamente con una expresión en la cara de regocijo e irritación al mismo tiempo. El hombre de pelo canoso le miraba fijamente. Todavía me hallaba demasiado lejos para oír de qué hablaban, pero debía de estar observándoles de hito en hito, porque los ojos del hombre se detuvieron en mí y me sonrieron. Christian le siguió la mirada y me vio.

—Andy, querida —dijo con un tono muy diferente del que había empleado hacía unos minutos, pasando de seductor a amigo-de-tu-padre con suma suavidad—. Acércate, quiero que conozcas a un amigo. Gabriel Brooks, mi agente, administrador y un verdadero héroe. Gabriel, te presento a Andrea Sachs. Actualmente trabaja en la revista *Runway*.

—Me alegro de conocerte, Andrea —me saludó Gabriel tendiendo una mano y tomando la mía con esa irritante delicadeza de no-te-aprieto-la-mano-como-se-la-apretaría-a-un-hombre-porque-seguro-que-te-partiría-tus-femeninos-dedos—. Christian me ha hablado mucho de ti.

—¿De veras? —repuse apretando su mano con fuerza, lo que hizo que él aflojara aún más la presión—. Espero que bien.

—Por supuesto. Dice que eres una escritora en ciernes, como nuestro amigo.

Me sorprendió que Christian le hubiera hablado de mí, pues nuestras conversaciones habían sido fugaces.

—Pues, sí, me gusta escribir, y puede que algún día...

—Si eres la mitad de buena que algunas de las personas que me ha enviado Christian, estoy impaciente por conocer tu trabajo. —Rebuscó en un bolsillo interior y extrajo una tarjeta de un estuche de piel—. Sé que todavía no estás preparada pero, cuando decidas enseñar tu trabajo a alguien, espero que me tengas en cuenta.

Necesité hasta el último ápice de fuerza de voluntad para no desplomarme, para asegurarme de que mi boca no se abría y de que las rodillas no me fallaban. ¿Espero que me tengas en cuenta? El hombre que representaba a Christian Collinsworth, joven genio literario, acababa de pedirme que lo tuviera en cuenta. Eso era una locura.

—Vaya, gracias —farfullé, y me guardé la tarjeta en el bolso, sabedora de que examinaría cada centímetro de la misma a la primera oportunidad.

Me sonrieron y tardé un minuto en darme cuenta de que era la señal para que me marchara.

—Bueno, señor Brooks, quiero decir Gabriel, ha sido un placer conocerle. Ahora tengo que irme, pero espero que volvamos a vernos.

—El placer ha sido mío, Andrea. Felicidades de nuevo por conseguir un empleo tan fantástico. Recién salida del *college* y ya trabajas para *Runway*. Impresionante.

—Te acompaño hasta la salida —me dijo Christian posando una mano en mi codo, e indicó a Gabriel que no tardaría.

Nos detuvimos en la barra para decir a Lily que me iba a casa. Ella me informó innecesariamente —entre los besuqueos de William— de que se quedaba. Al pie de la escalera que debía devolverme a la calle Christian me besó en la mejilla.

—Me alegro de haberte encontrado esta noche y presiento que ahora tendré que escuchar a Gabriel decir lo estupenda que eres. —Sonrió.

—Apenas hemos cruzado dos palabras —observé, y me pregunté por qué todo el mundo se mostraba tan halagador.

—Lo sé, Andy, pero no pareces darte cuenta de que el mundo literario es muy pequeño. Todos se conocen, tanto si escribes novelas de misterio como guiones o artículos de periódico. Gabriel no necesita saber mucho de ti para saber que tienes posibilidades. Fuiste lo bastante buena para conseguir un trabajo en *Runway*, pareces lista y elocuente, y encima eres mi amiga. No tiene nada que perder dándote su tarjeta. ¿Quién sabe? Quizá haya descubierto a la próxima escritora de éxito. Y créeme, es bueno tener como conocido a Gabriel Brooks.

—Supongo que tienes razón. En fin, debo irme porque entro a trabajar dentro de unas horas. Gracias por todo, de veras.

Me estiré para darle un beso en la mejilla, medio esperando que volviera la cara hacia mí, y medio deseándolo, pero se limitó a sonreír.

—Ha sido un placer, Andrea Sachs. Buenas noches.

Sin darme tiempo a idear algo remotamente ingenioso, regresó junto a Gabriel.

Puse los ojos en blanco y salí a la calle para coger un taxi. Había empezado a llover —no una lluvia torrencial, apenas cuatro gotas—, así que no había un solo taxi en todo Manhattan. Llamé al servicio de coches de Elias-Clark, les di mi número VIP y a los seis minutos exactos tenía un automóvil en la puerta. Alex me había dejado un mensaje para preguntarme cómo me había ido el día y para decirme que estaría en casa toda la noche preparando sus clases. Hacía demasiado tiempo que no le daba una sorpresa. Había llegado la hora de hacer un pequeño esfuerzo y ser espontánea. El chófer aceptó aguardar el tiempo que hiciera falta, así que subí a casa, me duché, me entretuve arreglándome el pelo y eché en una bolsa las cosas que necesitaría al día siguiente. Como ya eran más de las once, el tráfico era fluido y llegamos al apartamento de Alex en menos de quince minutos. Cuando abrí la puerta, se mostró muy contento y no paró de repetir que no podía creer que hubiese ido hasta Brooklyn a esas horas teniendo que trabajar al día siguiente y que era la mejor sorpresa que podía imaginar. Mientras yo descansaba con la cabeza apoyada sobre mi lugar favorito de su pecho, viendo a Conan O'Brian y oyendo el ritmo de su respiración en tanto que él jugaba con mi pelo, apenas me acordé de Christian.

—Hola. ¿Puedo hablar con su redactor gastronómico, por favor? ¿No? ¿Y con un ayudante de redacción o alguien que pueda decirme qué día salió determinada crítica de un restaurante? —pregunté a una recepcionista muy antipática del *New York Times*.

Había contestado al teléfono ladrando «¿Qué?» y ahora hacía

ver —o quizá no— que no hablábamos el mismo idioma. Mi perseverancia, con todo, dio su fruto, y tras preguntarle tres veces cómo se llamaba («No podemos dar nuestro nombre, señora»), amenazarla con denunciarla al director («¿Cómo? ¿Cree que a él le importa? Ahora mismo se lo paso») y jurarle con vehemencia que me personaría en las oficinas de Times Square y haría cuanto estuviera en mi mano para que la despidieran al instante («¿De veras? Ya ve lo que me preocupa»), se hartó de mí y me pasó con otra persona.

—Redacción —ladró otra mujer de voz peleona.

Me pregunté si yo daba esa misma impresión cuando atendía las llamadas de Miranda. Como mínimo aspiraba a ello. Resultaba tan desagradable oír una voz que se alegraba tantísimo de oírme que casi me daban ganas de colgar.

—Hola, solo deseo hacerle una preguntita. —Las palabras me salieron a trompicones por el ansia de ser escuchada antes de que me colgaran—. Quería saber si ayer publicaron un artículo sobre un restaurante de fusión oriental.

La mujer suspiró como si acabara de pedirle que donara un órgano a la ciencia, y volvió a suspirar.

—¿Ha mirando en la red?

Otro suspiro.

—Sí, por supuesto, pero no he...

—Porque si lo hemos publicado, tiene que aparecer en la red. No puedo seguir la pista de todas las palabras que salen en el periódico, ¿sabe?

Respiré hondo y me esforcé por mantener la calma.

—Su encantadora recepcionista me ha pasado con usted porque trabaja en el departamento de archivos. Por lo tanto, parece que es su trabajo seguir la pista de cada palabra.

—Oiga, si tuviera que indagar sobre todas las descripciones vagas con que llama la gente cada día, no podría hacer nada más. Tiene que mirarlo en la red.

Había suspirado dos veces más y empecé a temer que fuera a sufrir una hiperventilación.

—No, no, escúcheme un momento —dije, envalentonada y dispuesta a echar la bronca a esa holgazana que tenía un trabajo mucho mejor que el mío—. Llamo del despacho de Miranda Priestly y resulta que...

—Perdone, ¿ha dicho que llama del despacho de Miranda Priestly? —Noté que sus oídos se aguzaban—. ¿Miranda Priestly... de la revista *Runway*?

—La misma. ¿Por qué lo pregunta? ¿Conoce a mi jefa?

Fue entonces cuando la mujer pasó de ayudante de redacción abusona a esclava de la moda.

—¿Si la conozco? ¡Por supuesto! ¿Quién no conoce a Miranda Priestly? Es, cómo decirlo, la quintaesencia de la moda. ¿Qué dice que está buscando?

—Un artículo. En el periódico de ayer. Restaurante de fusión oriental. No lo he visto en la red, pero no estoy segura de haberlo buscado correctamente.

Era una mentirijilla. Había consultado la red y estaba segura de que el *New York Times* no había publicado ningún artículo sobre un restaurante de fusión oriental durante la última semana, pero no quería decírselo. Confiaba en que la Esquizofrénica de Redacción hiciera un milagro.

Hasta el momento había llamado al *New York Times*, el *Post* y el *Daily News*, sin resultado. Había tecleado el número de tarjeta de socia de Miranda para acceder a los archivos del *Wall Street Journal* y encontrado una reseña de un nuevo restaurante tailandés en el Village, pero la descarté en cuanto advertí que el precio medio de los platos era de siete dólares y que citysearch.com solo le ponía un signo de dólar.

—Espere un momento, voy a comprobarlo ahora mismo.

De repente, la señorita «no esperará que recuerde todas las palabras que salen en el periódico» se puso a aporrear el teclado y a parlotear con entusiasmo.

La cabeza me dolía tras el desastre de la noche anterior. Había sido divertido sorprender a Alex y muy relajante holgazanear en su apartamento, pero por primera vez en muchos, muchos meses me costó sobremanera conciliar el sueño. Me habían asaltado los remordimientos, imágenes de Christian besándome en el cuello y luego de mí subiendo al coche para ir a ver a Alex y no contarle nada. Aunque intentaba apartarlas de mi mente, volvían, cada una con más intensidad que la anterior. Cuando por fin logré dormirme, soñé que Miranda contrataba a Alex de niñera y —aunque en la realidad eran interinas— que este tenía que mudarse a su apartamento. En el sueño, cada vez que deseaba ver a Alex tenía que ir a casa de Miranda y en el mismo coche que ella. Miranda se empeñaba en llamarme Emily y mandarme hacer recados absurdos, a pesar de que yo le decía una y otra vez que estaba allí para ver a mi novio. Hacia el amanecer Alex se había dejado hechizar por Miranda y no entendía que me pareciera tan malvada. Peor aún, Miranda había empezado a salir con Christian. Por fortuna, mi infierno terminó cuando desperté sobresaltada después de soñar que Miranda, Christian y Alex, cada uno con un batín Frette, se sentaban a la mesa todos los domingos por la mañana, leían el *Times* y reían juntos mientras yo les servía el desayuno. La noche había sido tan relajante como un paseo solitario por Harlem a las cuatro de la noche, y ahora la reseña del restaurante frustraba mis esperanzas de tener un viernes tranquilo.

—No, últimamente no hemos publicado nada sobre fusión oriental. Ahora mismo estoy tratando de recordar si han abierto recientemente algún restaurante de ese tipo que esté a la altura de Miranda —prosiguió la mujer, que parecía dispuesta a hacer cualquier cosa por alargar la conversación.

Pasé por alto el uso familiar que hacía del nombre de Miranda y me concentré en poner fin a la comunicación.

—Eso creía. En fin, gracias de todos modos, adiós.

—¡Un momento! —exclamó, y aunque ya me disponía a colgar, su vehemencia me indujo a escucharla.

—¿Sí?

—Bueno... solo quería decirle que, si hay algo más que pueda hacer o en lo que pueda ayudarla, no dude en llamarme. Aquí adoramos a Miranda y es un placer para nosotros servirle en lo que haga falta.

Ni que la primera dama de Estados Unidos de América le hubiera pedido que buscara un artículo para el presidente con información vital sobre una guerra en ciernes, en lugar de una reseña desconocida sobre un restaurante desconocido en un periódico desconocido. Lo más triste de todo, sin embargo, fue que no me sorprendía.

—Se lo haré saber. Muchas gracias por todo.

Emily levantó la vista de otra cuenta de gastos y preguntó:

—¿Nada?

—Nada. Ignoro a qué artículo se refiere Miranda y, por lo visto, lo mismo le ocurre al resto de la ciudad. He hablado con todos los periódicos que ella lee, he consultado la red, he hablado con archiveros, escritores gastronómicos y cocineros. Nadie ha oído hablar de ningún restaurante de fusión oriental que haya abierto durante la última semana, y aún menos de uno sobre el que se haya escrito en las últimas veinticuatro horas. Está claro que se ha vuelto loca. ¿Y ahora qué?

Me recliné en mi asiento y me hice una coleta. Aún no eran las nueve de la mañana y el dolor de cabeza ya se me había extendido hasta el cuello y los hombros.

—Me temo —repuso Emily lentamente— que no te queda más remedio que pedirle que especifique.

—¡No, por favor, eso no!

Emily, como siempre, no apreció mi sarcasmo.

—Miranda llegará a las doce. Yo en tu lugar pensaría en lo que vas a decirle, porque no le hará ninguna gracia descubrir que no has dado con ese artículo, y aún menos teniendo en cuenta que te lo pidió ayer —señaló con una sonrisa contenida.

Era evidente que se alegraba de que estuviera a punto de recibir una bronca.

Solo me quedaba esperar. Para colmo Miranda se hallaba en su mensual sesión maratoniana con el psicólogo («No tiene tiempo de desplazarse hasta su consulta cada semana», me había explicado Emily cuando le pregunté por qué iba tres horas seguidas), pues era el único intervalo de tiempo del día y de la noche que no se molestaba en llamarnos y, naturalmente, el único momento en que necesitaba que lo hiciera. Una montaña de correspondencia que llevaba dos días sin abrir amenazaba con caer al suelo, y en torno a mis pies tenía apilada ropa de dos días para la tintorería. Tras un enorme suspiro destinado a comunicar al mundo mi descontento llamé a la tintorería.

—Hola, Mario, soy yo. Sí, lo sé, dos días sin hablar contigo. ¿Puedes enviarme a alguien? Estupendo. Gracias.

Colgué y me obligué a colocarme algunas prendas en el regazo para clasificarlas e introducirlas en la lista del ordenador donde anotaba la ropa de Miranda que salía de la oficina. Si Miranda llamaba a las 21.45 para preguntar dónde estaba su falda Prada plisada, yo solo tenía que abrir el documento e informarle de que había salido el día anterior y que regresaría al siguiente. Anoté la ropa de ese día (una blusa Missoni, dos pantalones idénticos de Alberta Ferretti, dos jerseys de Jil Sander, dos pañuelos blancos Hermès y una trinchera Burberry), la metí en una bolsa de plástico con el membrete de *Runway* y llamé a un mensajero para que la trasladara hasta la planta baja, donde la recogerían los de la tintorería.

¡Qué suerte la mía! La tintorería era una de las tareas que más temía porque, por mucho que lo hiciera, siempre seguía dándome asco manipular la ropa sucia de otra persona. Cada día, después de clasificar y meter las prendas en la bolsa, tenía que lavarme las manos; el persistente olor de Miranda lo impregnaba todo y, pese a ser una mezcla nada desagradable de perfume Bulgari, crema hidratante y, en ocasiones, humo de los cigarrillos de MUSYC, me producía náuseas. Acento británico, perfume Bulgari, pañuelos de seda blancos, he ahí algunos placeres sencillos de la vida que yo ya nunca apreciaría.

El noventa y nueve por ciento de la correspondencia era basura que Miranda nunca llegaba a ver. Todos los sobres dirigidos a la «Directora» iban directamente a la gente que editaba las páginas de la sección de Cartas, pero muchos lectores eran tan astutos como para enviar su correspondencia a nombre de Miranda. Yo tardaba unos cuatro segundos en ojear un sobre y comprobar si era una carta a la directora en lugar de una invitación a un baile benéfico o una nota de un amigo largo tiempo desaparecido, y ponerlo a un lado. Ese día, había toneladas. Cartas apasionadas de chicas adolescentes, amas de casa e incluso homosexuales (o, para ser justos, tal vez heteros muy pendientes de la moda). «Miranda Priestly, no solo eres la musa del mundo de la moda, sino la Reina de mi mundo», rezaba una. «No pude estar más de acuerdo con tu decisión de publicar el artículo sobre el rojo como el nuevo negro en el número de febrero. ¡Fue osado pero ingenioso!», exclamaba otra. Algunos lectores se quejaban de un anuncio de Gucci excesivamente sexual porque mostraba a dos mujeres con tacones de aguja y ligueros, tumbadas sobre una cama deshecha con los genitales unidos, y otros criticaban las modelos raquíticas de ojos hundidos y aspecto de yonqui que *Runway* había utilizado para su artículo «La salud es lo primero: guía para seguir sintiéndote mejor». Entre las cartas había una postal de correos dirigida con letra florida a Miranda Priestly por un lado, mientras que por el otro decía simplemente: «¿Por qué? ¿Por qué publicas una revista tan aburrida y estúpida?». Solté una carcajada y me la guardé en el bolso. Mi colección de cartas y postales críticas iba en aumento y pronto ya no me quedaría un solo hueco libre en la nevera. Lily opinaba que daba mal karma llevar a casa la hostilidad y los pensamientos negativos de otras personas, y meneó la cabeza cuando le dije que todo mal karma dirigido inicialmente a Miranda solo podía hacerme feliz.

La última carta de la enorme pila que tuve en las manos, antes de dedicarme a las dos docenas de invitaciones que Miranda recibía cada día, estaba escrita con letra rizada de adolescente y adornada con corazones y caras sonrientes. Pensaba echarle solo una ojeada, pero no se dejó ojear: era demasiado triste y sincera, un ruego sangrante. Los primeros cuatro segundos llegaron y se fueron y yo seguía leyendo.

> Querida Miranda:
>
> Me llamo Anita, tengo diecisiete años y estudio en el instituto Barringer de Newark, NJ. Estoy muy descontenta con mi cuerpo, aunque todo el mundo me dice que no estoy gorda. Quiero ser como las modelos que aparecen en su revista. Cada mes espero impaciente la llegada de *Runway* con el correo, aun-

que mi madre dice que soy una tonta por gastarme toda la paga en una revista de moda. Ella no comprende que tengo un sueño, pero usted sí, ¿verdad? Ha sido mi sueño desde que era una niña, pero creo que nunca se cumplirá. ¿Por qué?, se preguntará. Casi no tengo tetas y mi trasero es más grande que los de sus modelos. Me da mucha vergüenza. Me pregunto si quiero vivir así y la respuesta es ¡NO!, porque quiero cambiar y tener mejor aspecto y sentirme bien, y por eso le pido ayuda. Quiero hacer un cambio positivo y poder mirarme al espejo y adorar mi pecho y mi trasero porque se parecen a los que salen en la mejor revista del planeta.

Miranda, sé que usted es una persona y una directora de moda maravillosa, y que podría convertirme en una persona nueva, y créame si le digo que le estaría eternamente agradecida. Pero si no puede convertirme en una persona nueva, tal vez pueda conseguirme un vestido muy, muy bonito para mi fiesta de graduación. No tengo acompañante, pero mi madre dice que no importa que las chicas vayan solas. Tengo un vestido viejo, pero no es de marca ni se parece a los que salen en *Runway*. Mis diseñadores favoritos son Prada (n.º 1), Versace (n.º 2) y John Paul Gotier (n.º 3). Me gustan muchos otros, pero estos son mis preferidos. No tengo ropa de ellos y ni siquiera la he visto en las tiendas (dudo que en Newark se vendan sus diseños pero, si conoce alguna tienda que los tenga, dígame el nombre, por favor, para que pueda visitarla y verlos de cerca), pero la he visto en *Runway* y tengo que decir que me encantan.

Ya no la aburro más. Quiero que sepa que, aunque tire esta carta, seguiré siendo una gran admiradora de su revista porque me encantan las modelos, la ropa y todo lo demás. Y, por supuesto, la adoro a usted.

Atentamente,

ANITA ÁLVAREZ

P. D. Mi teléfono es el 555-555-3948. Puede escribirme o llamarme, pero le ruego que lo haga antes del 4 de julio porque necesito un vestido bonito para ese día. ¡LA QUIERO! ¡¡¡Gracias!!!

La carta olía a Jean Nate, la colonia de aroma acre preferida por todas las adolescentes del país. Sin embargo, no fue eso lo que me encogió el corazón e hizo que se me formara un nudo en la garganta. ¿Cuántas Anitas había ahí fuera? Chicas jóvenes con vidas tan vacías que medían su valía, su autoestima, toda su existencia, por la ropa y las modelos que veían en *Runway*. ¿Cuántas más habían decidido adorar incondicionalmente a la mujer que orquestaba cada mes tan seductora fantasía, aun cuando no era digna de un solo segundo de esa admiración? ¿Cuántas chicas ignoraban que su objeto de adoración era una mujer solitaria, profundamente insatisfecha y a menudo cruel, que no merecía ni una sola migaja de su inocente cariño y atención?

Me entraron ganas de llorar, por Anita y por todas sus amigas que gastaban tanta energía tratando de parecerse a Shalom, Stella o Carmen, tratando de impresionar, complacer y adular a una mujer que, de ver sus cartas, pondría los ojos en blanco y se encogería de hombros, o las arrojaría directamente a la papelera sin dedicar un solo pensamiento a las chicas que habían dejado una parte de sí mismas en el papel. Guardé la carta en un cajón y me juré que encontraría la forma de ayudar a esa muchacha. Parecía aún más desesperada que las otras lectoras, y no había razón para que en el exceso de ropa que me rodeaba no pudiera encontrar un vestido decente para su fiesta de graduación.

—Em, voy a bajar al quiosco para ver si ya ha llegado *Women's Wear*. Es tardísimo. ¿Quieres algo?

—¿Puedes traerme una Diet Coke? —preguntó.

—Claro.

Sorteé los percheros y me dirigí al ascensor, donde oí a Jessica y James compartir un cigarrillo y preguntarse quién asistiría a la fiesta del Met de esa noche. Ahmed por fin pudo entregarme un ejemplar de *Women's Wear Daily*, lo cual fue un alivio. Cogí una Diet Coke para Emily y una lata de Pepsi para mí, pero enseguida cambié de parecer y opté también por una Diet. La diferencia de sabor y placer no compensaba las miradas y/o comentarios de desaprobación que sin duda recibiría durante el trayecto entre la recepción y mi mesa.

Estaba tan absorta examinando la foto de la portada que no advertí que uno de los ascensores se había abierto y estaba disponible. Con el rabillo del ojo distinguí un verde, un verde muy característico. Especialmente digno de mención porque Miranda poseía un traje Chanel de tweed justo de ese color, un color que no había visto antes y me encantaba. Aunque mi mente sabía que no debía, mis ojos se alzaron para contemplar el interior del ascensor y no se sorprendieron en exceso al encontrar a Miranda. Estaba tiesa como un palo, el pelo severamente recogido, la vista clavadas en mi cara, que debía de ser de pánico. No tuve más remedio que entrar.

—Buenos días, Miranda —saludé con un hilo de voz.

Las puertas se cerraron. Íbamos a ser las únicas pasajeras durante las próximas diecisiete plantas. Sin pronunciar palabra, abrió su carpeta de piel y empezó a pasar las hojas. Estábamos una al lado de la otra y la profundidad del silencio se multiplicaba por diez con cada segundo que pasaba. ¿Me había reconocido?, me pregunté. ¿Era posible que no tuviera conciencia de que yo llevaba siete meses como su ayudante? ¿O es que había hablado tan bajito que no me había oído? Me extrañaba que no me preguntara por el artículo del restaurante o si había recibido su mensaje de que encargara la vajilla o si todo estaba preparado para la fiesta de esa noche. Actuaba como si estuviera sola, como si no hubiera otro ser humano —o, para ser exactos, uno digno de ser tenido en cuenta— en el reducido cubículo.

Tardé un minuto entero en advertir que no estábamos subiendo. ¡Dios mío! Miranda me había visto porque había dado por sentado que yo apretaría el botón, pero yo había estado demasiado paralizada para hacer el gesto. Alargué un brazo trémulo, pulsé el número diecisiete y esperé instintivamente a que se produjera una explosión. Pero nos elevamos, y yo sin saber si Miranda había notado que no nos habíamos movido del sitio en todo ese tiempo.

Cinco, seis, siete... el ascensor parecía tardar diez minutos en salvar cada planta y el silencio había empezado a zumbarme en los oídos. Cuando reuní el aplomo suficiente para dirigir la vista hacia Miranda, la descubrí observándome de arriba abajo. Su mirada avanzaba descaradamente examinando mis zapatos, mis pantalones, mi camisa y, por último, mi cara y mi pelo, en todo momento evitando mis ojos. La expresión de su rostro era de descontento pasivo, como la de los detectives insensibilizados de *Ley y orden* cuando se enfrentan a otro cuerpo maltratado y ensangrentado. Hice un rápido repaso de mi persona y me pregunté qué aspecto concreto había generado esa reacción. Camisa estilo militar de manga corta, tejanos nuevos que el departamento de relaciones públicas de Seven me había enviado de regalo por el simple hecho de trabajar en *Runway* y zapatos negros abiertos por detrás relativamente bajos (cinco centímetros de tacón), hasta la fecha el único calzado que, sin ser bota/zapatilla de deporte/ mocasín, me permitía hacer diariamente más de cuatro viajes a Starbucks sin destrozarme los pies en el proceso. Generalmente intentaba llevar las Jimmy Choo que Jeffy me había dado, pero necesitaba descansar de ellas un día a la semana para que el puente de los pies se relajara. Llevaba el pelo limpio y recogido en un moño deliberadamente despeinado que la propia Emily lucía sin recibir comentarios, y las uñas —aunque sin pintar— estaban largas y razonablemente moldeadas. Me había afeitado las axilas en las últimas cuarenta y ocho horas. Y la última vez que me había mirado al espejo, no detecté ninguna erupción facial. Llevaba mi reloj Fossil girado para que la esfera quedara sobre la parte interna de la muñeca por si a alguien le daba por mirar la marca, y una rápida comprobación con la mano derecha indicó que no había tiras de sujetador visibles. Entonces ¿qué era? ¿Qué la había hecho mirarme así?

Doce, trece, catorce... el ascensor se detuvo y abrió sus puertas a otra recepción completamente blanca. Una mujer de unos treinta y cinco años dio un paso al frente para entrar, pero se detuvo a medio metro de la puerta al ver a Miranda.

—Oh, esto... —balbuceó mirando frenéticamente alrededor en busca de una excusa para no entrar en nuestro infierno privado. Aunque hubiera sido mejor para mí tenerla a bordo, la animé a huir para mis adentros—. ¡Oh, he olvidado las fotos que necesito para la reunión! —dijo al fin, y tras girar sobre unos Manolo especialmente inestables puso pies en polvorosa.

Miranda no pareció advertirlo y las puertas se cerraron. Quince, dieciséis y por fin —¡por fin!— diecisiete. El ascensor se abrió a un grupo de ayudantes de moda de *Runway* que se dirigían a comprar los cigarrillos, la Diet Coke y las verduras en que consistiría su comida. Cada rostro joven y guapo se mostró más aterrorizado que el anterior, y casi tropezaron unas con otras al tratar de apartarse del camino de Miranda. Se dividieron por la mitad, tres a un lado y dos al otro, y Miranda se dignó pasar por el centro. La siguieron con la mirada, en silencio, y a mí no me quedó más opción que ir tras ella. Aunque para lo que iba a notarlo, me dije. Acabábamos de pasar lo que me había parecido una insufrible semana atrapadas en un cubículo de sesenta por noventa y ni siquiera había reparado en mi presencia. Sin embargo, en cuanto salí, se volvió hacia mí.

—¿An-dre-aaa? —Su voz cortó el tenso silencio que reinaba en el lugar.

No respondí porque supuse que no esperaba una respuesta, pero me equivocaba.

—¿An-dre-aaa?

—¿Sí, Miranda?

—¿De quién son los zapatos que calzas?

Se llevó una mano a la cadera de tweed y me miró de hito en hito. Para entonces el ascensor se había marchado sin las ayudantes de moda a bordo, que estaban encantadas de poder ver —¡y oír!— a Miranda Priestly en persona. Noté seis pares de ojos en mis pies, que hasta ese momento se habían sentido muy cómodos pero ahora hervían y escocían bajo el intenso escrutinio.

La ansiedad generada por el viaje compartido en ascensor (una novedad) y las miradas de esas chicas me debilitaron el cerebro, así que pensé que Miranda me preguntaba eso porque creía que los zapatos no eran míos.

—Pues míos —contesté. Solo después de pronunciar esas palabras me di cuenta de que mi respuesta, además de irrespetuosa, era desagradable.

El corro de ayudantes de moda rió por lo bajo hasta que Miranda descargó su ira contra ellas.

—Me pregunto por qué la vasta mayoría de mis ayudantes de moda nunca parece tener nada mejor que hacer que cuchichear como crías. —Las señaló una a una, pues no habría sido capaz de recordar un solo nombre aunque le hubieran apuntado en la cabeza con una pistola—. ¡Tú! —dijo con resolución a la nueva, que probablemente veía a Miranda por primera vez—. ¿Te hemos contratado para esto o para encargar la ropa del reportaje de Suits?

La chica abrió la boca para disculparse, pero Miranda prosiguió.

—¡Y tú! —exclamó colocándose delante de Vanessa, la de mayor rango y la favorita de los redactores—. ¿Has olvidado que hay millones de chicas que querrían tu trabajo y que saben de alta costura tanto como tú?

Dio un paso atrás, miró de arriba abajo cada uno de los cuerpos, deteniéndose lo justo para hacer que se sintieran gordas, feas e indebidamente vestidas, y les ordenó que volvieran a sus mesas. Asintieron enérgicamente con la cabeza gacha. Algunas murmuraron una disculpa mientras regresaban con paso presto al departamento de moda. Entonces caí en la cuenta de que nos habíamos quedado solas. Otra vez.

—¿An-dre-aaa? No toleraré que mi ayudante me hable de ese modo —declaró al tiempo que echaba a andar hacia la puerta que conducía al pasillo.

No sabía si debía seguirla y confié en que Eduardo, Sophy o una de las chicas de moda hubiera avisado a Emily de que Miranda se aproximaba.

—Miranda, yo...

—Basta. —Se detuvo ante la puerta y me miró—. ¿De quién son los zapatos que llevas? —inquirió una vez más con un tono ligeramente irritado.

Volví a contemplar mis zapatos negros abiertos por detrás y me pregunté cómo podía explicar a la mujer más elegante del hemisferio occidental que eran de Ann Taylor Loft. La miré de nuevo a la cara y supe que no podía.

—Los compré en España —expliqué desviando la mirada—, en una tienda preciosa de Barcelona, cerca de las Ramblas, que vendía la línea de un nuevo diseñador español. —¿Cómo se me había ocurrido eso?

Cerró la mano en un puño, se lo llevó a los labios y ladeó la cabeza. Entonces vi a James caminar hacia la puerta de cristal, pero en cuanto vio a Miranda dio media vuelta y huyó.

—An-dre-aaa, son inaceptables. Mis chicas tienen que representar a la revista *Runway* y esos zapatos no transmiten el mensaje que deseo comunicar. Busca unas Jimmy Choo en el ropero. Y tráeme un café.

Me miró, luego miró la puerta, y entonces comprendí que debía abrírsela. Atravesó el umbral sin dar las gracias y se dirigió a su despacho. Yo necesitaba coger dinero y mis cigarrillos para realizar el encargo, pero ni una cosa ni otra valían tanto como para obligarme a caminar detrás de ella como un patito maltratado y fiel, así que di la vuelta para volver al ascensor. Eduardo podía prestarme los cinco dólares del capuchino y Ahmed anotaría otra cajetilla a la cuenta de *Runway*, como llevaba haciendo desde hacía meses. No había contado con que Miranda reparara en mí, de modo que su voz me golpeó la cabeza como una pala.

—¡An-dre-aaa!

—¿Sí, Miranda?

Me detuve en seco y me volví para mirarla.

—Espero que el artículo del restaurante que te pedí esté sobre mi mesa.

—Bueno, lo cierto es que no he podido dar con él. Verás, he hablado con todos los periódicos y por lo visto ninguno ha publicado un artículo sobre un restaurante de fusión oriental en los últimos días. ¿No recordarás, por casualidad, el nombre del restaurante?

Sin darme cuenta estaba conteniendo la respiración y preparándome para la bronca. Mi explicación le trajo sin cuidado, porque echó a andar otra vez hacia el despacho.

—An-dre-aaa, ya te dije que salió en el *Post*. ¿Tan difícil te resulta encontrarlo?

Y dicho eso, se fue. ¿El *Post*? Había hablado con la crítica gastronómica de ese periódico esa misma mañana, y me había jurado que no había artículo alguno que encajara con mi descripción, que esa semana no se había inaugurado nada digno de mención. Por dentro se estaba desternillando, eso seguro, pero yo sería la que se llevara las culpas.

Apenas tardé unos minutos en comprar el café porque era mediodía, así que decidí añadir otros diez para llamar a Alex, que almorzaba exactamente a las doce y media. Por fortuna respondió a su móvil y no tuve que vérmelas con otros maestros.

—Hola, nena, ¿cómo va el día?

Parecía muy animado y tuve que hacer un esfuerzo para no mostrarme irritada.

—Por ahora fantástico, como siempre. Me encanta esto. He pasado las últimas cinco horas indagando sobre un artículo imaginario que soñó una lunática que se quitaría la vida antes que reconocer que se ha equivocado. ¿Y tú?

—He tenido un día excelente. ¿Recuerdas que te hablé de Shauna?

Asentí con la cabeza aunque sabía que no podía verme. Shauna era una niña que todavía no había pronunciado una sola palabra en clase, y aunque Alex la amenazaba, sobornaba y atendía en privado, no lograba hacerla hablar. Se había puesto casi histérico el primer día que Shauna apareció en su clase, enviada por una asistenta social que había descubierto que, aunque la niña tenía nueve años, jamás había visto el interior de una escuela, y desde entonces lo había hecho todo por ayudarla.

—¡Pues ahora no hay quien la calle! Solo ha hecho falta un poco de música. Esta mañana, invité a un cantante para que tocara la guitarra para los chicos y Shauna se puso a cantar. Desde entonces ha estado cotorreando con todo el mundo. Habla inglés y tiene un vocabulario apropiado para su edad. ¡Es una niña totalmente normal!

Su regocijo me hizo sonreír y de repente le extrañé. Le extrañé de esa forma en que extrañas a alguien cuando le has visto con regularidad pero sin conectar realmente. Las noches que pasábamos juntos me quedaba dormida nada más meterme en la cama. Ambos éramos conscientes de que estábamos esperando a que acabara mi condena, esperando a que terminara mi año de servidumbre, esperando a que todo fuera como antes. De todos modos le extrañaba. Y me sentía culpable por lo ocurrido con Christian.

—¡Felicidades! Aunque no necesitas pruebas de que eres un gran profesor, ahí tienes una. Debes de estar muy contento.

—Desde luego.

Oí el timbre de la clase a lo lejos.

—Oye, ¿sigue en pie la oferta de esta noche, solos tú y yo? —pregunté esperando que no hubiera hecho planes y, al mismo tiempo, deseando que los hubiera hecho.

Esa mañana, cuando me levanté y arrastré mi agotado y dolorido cuerpo hasta la ducha, me había dicho que quería alquilar una película, encargar comida por teléfono y relajarse conmigo. Yo, innecesariamente sarcástica, murmuré que no perdiera el tiempo porque volvería tarde y me dormiría enseguida, y que por lo menos uno de nosotros debía disfrutar de su noche del viernes. Ahora quería decirle que estaba enfadada con Miranda, con *Runway*, conmigo, pero no con él, y que nada me gustaría más que acurrucarme con él en el sofá y abrazarle durante quince horas seguidas.

—Claro. —Parecía sorprendido pero también complacido—. ¿Qué te parece si espero en tu casa a que llegues y decidimos entonces qué hacer? Entretanto charlaré con Lily.

—Me parece perfecto. Así podrá contártelo todo sobre Chico Freudiano...

—¿Quién?

—Olvídalo. Oye, tengo que dejarte. La Reina no está dispuesta a esperar más tiempo su café. Estoy impaciente por verte esta noche. Adiós.

Eduardo me dejó pasar tras cantar únicamente dos líneas —elegí yo— de «We didn't start the fire», y Miranda charlaba animadamente por teléfono cuando dejé el café en el lado izquierdo de su mesa. Pasé el resto de la tarde discutiendo con todos los ayudantes y redactores del *New York Post* con quienes logré hablar, insistiendo en que yo conocía su periódico mejor que ellos, pidiéndoles que me enviaran una copia del artículo del restaurante de fusión oriental que habían publicado el día anterior.

—Señora, se lo he dicho una docena de veces y se lo vuelvo a repetir: no hemos escrito nada sobre ningún restaurante. Sé que la señora Priestly está loca y no dudo que le hace la vida imposible, pero no puedo enviarle un artículo que no existe, ¿me entiende?

Eso lo había dicho finalmente un empleado al que, aunque trabajaba para *Page Six*, habían asignado la tarea de buscarme el artículo a fin de que me callara. Se había mostrado paciente y dispuesto, pero su obra benéfica había llegado a su fin. Emily estaba en la otra línea con un escritor gastronómico del mismo periódico, y yo había obligado a James a telefonear a un ex novio que trabajaba en el departamento de publicidad para ver si podía hacer algo, lo que fuera. Ya eran las tres de la tarde del día siguiente al día en que Miranda había formulado su petición y era la primera vez que no la había satisfecho de inmediato.

—¡Emily! —llamó Miranda desde su despacho.

—¿Sí, Miranda? —respondimos al unísono asomando simultáneamente la cabeza para ver a cuál de las dos se dirigía.

—Emily, ¿te he oído hablar con la gente del *Post*? —inquirió volviendo la cabeza hacia mí.

La verdadera Emily puso cara de alivio y se sentó.

—Así es, Miranda. Acabo de colgar. He hablado con tres personas diferentes y todas aseguran que no han escrito nada sobre un restaurante de fusión oriental en Manhattan en toda la semana. Quizá haya pasado más tiempo.

Ahora temblaba frente a su mesa, con la cabeza inclinada lo justo para verme las Jimmy Choo abiertas por detrás y con diez centímetros de tacón que Jeffy me había entregado.

—¿Manhattan? —Parecía perpleja y enfadada—. ¿Quién ha hablado de Manhattan?

Ahora la perpleja era yo.

—An-dre-aaa, te he dicho unas cinco veces que el artículo se refería a un nuevo restaurante en Washington. Dado que estaré allí la semana que viene, necesito que me hagas una reserva. —Ladeó la cabeza y esbozó lo que solo podría describirse como una sonrisa malévola—. ¿Exactamente qué parte de la tarea encuentras tan difícil?

¿Washington? ¿Me había dicho cinco veces que el restaurante estaba en Washington? No lo creo. Era evidente que Miranda estaba perdiendo la cabeza o bien obtenía un placer sádico viendo cómo yo perdía la mía. No obstante, comportándome como la idiota por la que me tenía, volví a hablar sin pensar.

—Oh, Miranda, estoy segura de que el *New York Post* no escribe artículos sobre restaurantes de Washington. Por lo visto solo visitan locales que se inauguran en Nueva York.

—¿Te estás haciendo la graciosa, An-dre-aaa? ¿Es esa tu idea del sentido del humor?

La sonrisa había desaparecido de su cara y ahora estaba inclinada cual buitre hambriento e impaciente al acecho de su presa.

—No, Miranda, solo que...

—An-dre-aaa, ya te he dicho una docena de veces que el artículo que busco salió en el *Washington Post*. Has oído hablar de ese periódico, ¿verdad? Del mismo modo que Nueva York tiene el *New York Times*, Washington DC tiene su propio periódico. ¿Lo entiendes? —Su tono ya no era burlón, sino tan condescendiente que estaba a un paso de hablarme como a un niño.

—Ahora mismo lo busco —aseguré con toda la serenidad que pude reunir y me alejé.

—Por cierto, An-dre-aaa. —El corazón me dio un salto y mi estómago se preguntó si podría soportar otra «sorpresa»—. Quiero que asistas a la fiesta de esta noche para recibir a los invitados. Eso es todo.

Miré a Emily, cuyo entrecejo fruncido me indicó que estaba tan atónita como yo.

—¿He oído bien? —susurré a Emily, que solo alcanzó a asentir con la cabeza e indicarme que me acercara a su mesa.

—Me lo temía —dijo con voz grave, como un cirujano que comunica al familiar de un paciente que ha encontrado algo espantoso al abrirle el pecho.

—No puede hablar en serio. Son las cuatro. La fiesta empieza a las siete. Y es de etiqueta, maldita sea. No puede pretender que vaya.

Incrédula, volví a consultar mi reloj y traté de recordar sus palabras exactas.

—Oh, desde luego que habla en serio —me aseguró Emily mientras descolgaba el auricular del teléfono—. Te ayudaré, ¿de acuerdo? Busca el artículo del *Washington Post* y hazle una fotocopia antes de que se marche. Uri vendrá a buscarla dentro de quince minutos para llevarla a casa a fin de que la peinen y maquillen. Te conseguiré un vestido y todo lo que necesitas para esta noche. No te preocupes, todo irá bien.

Emily se puso a marcar números como una loca y a susurrar instrucciones. Yo me quedé de pie, mirándola, hasta que agitó una mano y volví a la realidad.

—Muévete —murmuró con una desacostumbrada mirada de compasión.

Y eso hice.

14

—No puedes aparecer en un taxi —dijo Lily mientras yo me clavaba en el ojo mi nuevo rímel Maybelline Great Lash—. Es una fiesta de etiqueta. Joder, pide un coche. —Tras observarme durante otro minuto, me arrebató la varita y me cerró los párpados.

—Supongo que tienes razón. —Suspiré, todavía negándome a creer que iba a pasar la noche del viernes en el Met embutida en un vestido de gala, dando la bienvenida a nuevos-ricos-pero-todavía-viejos-paletos de Georgia y Carolina del Norte y del Sur, marcando una sonrisa falsa tras otra en mi cara mal maquillada.

La noticia me había dejado con apenas tres horas para encontrar un vestido, comprar maquillaje, arreglarme y reorganizar mis planes para el fin de semana, y en medio de la confusión había olvidado ocuparme del transporte.

Por suerte, trabajar en una de las revistas de moda más importantes del país (un puesto por el que millones de chicas darían un ojo de la cara) tiene sus ventajas, y a las 16.40 ya era la orgullosa prestataria de un impresionante vestido negro hasta los pies de Óscar de la Renta, amablemente facilitado por Jeffy, gurú del ropero y amante de todo lo femenino («Chica, si has de ir de largo, has de ir de Óscar, y no se hable más. Ahora, no seas tímida, quítate esos pantalones y pruébate este vestido para Jeffy.» Empecé a desabrochármelos y Jeffy experimentó un escalofrío. Le pregunté si tan repulsivo encontraba mi cuerpo medio desnudo, y me contestó que claro que no, que lo que encontraba repulsivo eran las marcas de las bragas). Las ayudantes de moda ya habían pedido unos Manolo plateados de mi número y Samantha, de complementos, había seleccionado un bolsito plateado de Judith Leiber con una larga y sonora cadena. Yo había mostrado interés por un bolso de mano de Calvin Klein, pero Samantha soltó un bufido y, sin más, me entregó el de Judith. Stef dudaba entre si debía llevar gargantilla o colgante, y Allison, la nueva redactora de belleza, se hallaba al teléfono con la manicura que hacía visitas a la oficina. «Se reunirá contigo en la sala de conferencias a las 16.45 —me informó Allison—. Vas de negro, ¿verdad? Insiste en Chanel Rojo Rubí. Dile que nos envíe la factura.»

La oficina al completo había trabajado hasta rozar la histeria a fin de que ofreciera un aspecto presentable en la fiesta de esa noche. No porque me adoraran y estuvieran deseando ayudarme, sino porque sabían que Miranda había dado la orden y ansiaban demostrarle su elevado gusto y clase.

Lily terminó su lección de maquillaje benéfica y me pregunté si no estaba ridícula con un vestido hasta los pies de Óscar de la Renta y unos morros Bonne Belle Lipsmackers. Probablemente, pero me había negado a que una maquilladora fuera a mi apartamento. Pese a la insistencia no demasiado sutil de todo el personal de *Runway*, me había mantenido firme. Hasta yo tenía mis límites.

Entré en el dormitorio encaramada sobre los diez centímetros de mis Manolo y besé a Alex en la frente. Abrió los ojos, sonrió y se dio la vuelta.

—Estaré aquí sin falta a las once, así podremos salir a cenar o a tomar una copa, ¿de acuerdo? Siento mucho tener que hacer esto, de veras. Si decides salir con los chicos, llámame para que pueda reunirme con vosotros.

Alex había venido directamente de su colegio, como prometió, para que pasáramos la noche juntos y no le había hecho demasiada gracia la noticia de que él sí tendría una noche tranquila en casa pero yo no formaría parte del plan. Lo había encontrado sentado en el balcón de mi dormitorio leyendo un viejo número de *Vanity Fair* que rondaba por la casa y bebiendo una de las cervezas que Lily guardaba en la nevera para los invitados. Fue después de explicarle que tenía que trabajar cuando caí en la cuenta de que él y Lily no estaban juntos.

—¿Dónde está? —pregunté—. No tiene clases y sé que no trabaja los viernes hasta pasado el verano.

Alex bebió un trago de Pale Ale y se encogió de hombros.

—Creo que está en casa. Tiene la puerta cerrada y antes vi a un tipo rondando por aquí.

—¿Un tipo? ¿Podrías ser un poco más explícito? —Me pregunté si habían entrado a robar o si Chico Freudiano había sido finalmente invitado.

—Lo ignoro, pero asusta un poco. Lo tiene todo, tatuajes, *piercings*, camiseta sin mangas. No me explico dónde lo ha conocido.

Alex tomó otro trago de cerveza con aire indiferente.

Yo tampoco podía explicármelo, sobre todo teniendo en cuenta que había dejado a Lily a las once de la noche anterior en compañía de un hombre muy educado llamado William que no tenía pinta de llevar tatuajes y camisetas sin mangas.

—¡Alex! ¿Me estás diciendo que hay un criminal paseándose por mi apartamento, criminal que no sabemos si ha sido invitado, y te quedas tan tranquilo? ¡Es increíble! Tenemos que hacer algo —dije, y tras levantarme de la silla me pregunté, como siempre, si el balcón se vendría a bajo por el cambio de peso.

—Andy, tranquilízate, no es ningún criminal. —Pasó una página—. Puede que sea un *punkie-grunge*, pero no es un criminal.

—Genial, sencillamente genial. Ahora levanta el culo y vayamos a ver qué está ocurriendo. ¿O es que piensas pasarte toda la noche ahí sentado?

Alex seguía sin mirarme y por fin caí en la cuenta de que estaba molesto por lo de esa noche. Lo entendía perfectamente, pero yo estaba igual de molesta por tener que trabajar y no podía hacer nada al respecto.

—¿Por qué no me llamas si me necesitas?

—Muy bien —bufé, y entré en mi habitación echando pestes—. No te sientas culpable si encuentras mi cuerpo mutilado en el suelo del cuarto de baño. De veras, no será nada...

Me paseé por el apartamento durante un rato buscando pistas sobre la presencia de ese tipo. Lo único fuera de lugar era una botella vacía de Ketel One que descansaba en el fregadero. ¿De veras Lily había conseguido comprar, abrir y beberse una botella entera de vodka después de la medianoche del día anterior? Llamé a su puerta. Nada. Llamé con algo más de insistencia y oí a un tío manifestar el hecho obvio de que alguien estaba llamando a la puerta. Como seguía sin obtener respuesta, giré el pomo.

—Hola, ¿hay alguien ahí? —pregunté procurando no mirar, pero incapaz de aguantarme más de cinco segundos.

Deslicé la mirada por los dos tejanos apilados en el suelo, el sujetador que colgaba de la silla del escritorio y el cenicero repleto de colillas que hacía que la habitación apestara a casa de estudiantes varones, y fui directa a la cama, donde encontré a mi mejor amiga tumbada de costado, completamente desnuda. Un tío de aspecto nauseabundo, con una línea de sudor sobre el labio y la cabeza llena de pelo grasiento, yacía fundido entre las sábanas de Lily; su docena de tortuosos y aterradores tatuajes funcionaba como un camuflaje perfecto contra el edredón verdiazul. Lucía un aro dorado en la ceja, mucho metal brillante en las orejas y dos clavos pequeños en el mentón. Por suerte llevaba puestos unos calzoncillos, pero estaban tan asquerosos y viejos que casi —casi— deseé que no los llevara. Se quitó el cigarrillo de la boca, espiró lentamente y asintió en mi dirección.

—Eh, colega —dijo agitando el cigarrillo—, ¿te importaría cerrar la puerta?

¿Qué? ¿Colega? ¿Era posible que ese tipo sórdido de acento australiano estuviera fumando *crack* en la cama de mi amiga? ¿O es que siempre actuaba así?

—¿Estás fumando *crack*? —le pregunté, envalentonada y harta ya de modales.

Era más bajo que yo y no debía de pesar más de 55 kilos. En mi opinión, lo peor que podía hacerme era tocarme. Me estremecí al pensar en las numerosas formas en que con toda probabilidad había tocado a Lily, que seguía durmiendo profundamente bajo su sombra protectora.

—¿Quién coño crees que eres? Esta es mi casa y te quiero fuera de ella. ¡Ya! —añadí, mi coraje alimentado por la falta de tiempo: disponía exactamente de una hora para acicalarme para la noche más estresante de mi carrera profesional, y vérmelas con ese tío esperpéntico no había entrado en mis planes.

—Tranqui, tiiiti. —Espiró y volvió a inspirar—. No parece que tu amiga quiera que me vaya...

—¡Lo querría SI ESTUVIERA CONSCIENTE, MAMÓN! —vociferé, horrorizada ante la idea de que Lily se hubiera enrollado con ese sujeto—. Te aseguro que hablo por las dos cuando digo: ¡LARGO DE MI APARTAMENTO!

Noté una mano en el hombro y al volverme vi a Alex, que analizaba la situación con semblante grave.

—Andy, ¿por qué no vas a la ducha y me dejas esto a mí?

Aunque no podía decirse que fuera un tipo corpulento, parecía un luchador al lado del cerdo demacrado que en ese momento frotaba su metal facial contra la espalda desnuda de mi mejor amiga.

—LO. QUIERO —pronuncié lentamente para que no hubiera malentendidos— FUERA. DE. MI. CASA.

—Lo sé, y creo que ya se iba, ¿verdad, amigo? —dijo Alex con el tono que utilizaría con un perro de aspecto rabioso al que no quisiera enojar.

—Ningún problema, tiiiti. Solo me estaba divirtiendo un poco con Lily, eso es todo. Anoche se me tiró encima en Au Bair, pregúntaselo a los demás. Me suplicó que viniera a su casa.

—No lo dudo —repuso Alex con suavidad—. Es una chica muy simpática cuando quiere, pero a veces se emborracha demasiado para saber qué está haciendo. Por lo tanto, como amigo suyo que soy, debo pedirte que te vayas.

El tipo aplastó el cigarrillo y levantó burlonamente las manos para indicar que se rendía.

—Ningun problema, tío, ya me voy —trinó después de examinar a Alex y darse cuenta de que tenía que estirar el cuello para mirarle a la cara—. Me visto y me largo.

Recogió los tejanos del suelo y encontró su camiseta raída debajo del cuerpo todavía destapado de Lily, que se movió cuando el tipo tiró de la camiseta y, unos segundos después, abrió los ojos.

—¡Tápala! —le ordenó bruscamente Alex, que ahora disfrutaba de su papel de hombre intimidador.

Sin decir una palabra Chico Esperpéntico extendió la sábana sobre el cuerpo de Lily y apenas dejó al descubierto una maraña de rizos negros.

—¿Qué ocurre? —croó Lily al tiempo que se esforzaba por mantener los ojos abiertos.

Se volvió y vio que yo estaba en la puerta, temblando de furia, que Alex exhibía una pose viril y que Chico Esperpéntico intentaba atarse sus Diadoras azules y amarillas para largarse antes de que la cosa se pusiera más fea. Demasiado tarde. Su mirada se había detenido en él.

—¿Quién eres? —preguntó irguiéndose de golpe, sin darse cuenta de que estaba completamente desnuda.

Alex y yo nos volvimos de manera instintiva mientras Lily recuperaba la sábana con cara de espanto, pero Chico Esperpéntico sonrió con lascivia y le miró ávidamente los pechos.

—Nena, ¿no me dirás que no te acuerdas de mí? —preguntó con un acento australiano cada vez menos adorable—. Te aseguro que anoche sí sabías quién era.

Se acercó e hizo ademán de sentarse en la cama, pero Alex le agarró del brazo y tiró de él hacia arriba.

—Lárgate o tendré que sacarte yo —ordenó con dureza, guapísimo y muy satisfecho de sí mismo.

Chico Esperpéntico levantó las manos y chasqueó la lengua.

—Ya me largo. Llámame algún día, Lily. Anoche estuviste genial. —Salió con paso presuroso seguido de Alex—. Tío, menuda fiera —le oí decir antes de que la puerta principal se cerrara, pero Lily no pareció oírlo.

Se había puesto una camiseta y había logrado levantarse de la cama.

—Lily, ¿quién demonios era ese? En mi vida he visto un capullo semejante, y encima tan repulsivo.

Meneó lentamente la cabeza, como si estuviera esforzándose por recordar en qué momento había entrado en su vida.

—Repulsivo. Tienes razón, es totalmente repulsivo y no tengo ni idea de qué ha pasado. Recuerdo que anoche te fuiste mientras hablaba con un tío muy simpático, todo trajeado. Estábamos bebiendo chupitos de Jaeger, ignoro por qué, y no recuerdo más.

—Lily, imagina lo borracha que debías de estar no solo para aceptar acostarte con alguien así, sino para traerlo a nuestro piso.

En mi opinión estaba señalando algo evidente, pero sus ojos se abrieron de par en par.

—¿Insinúas que me enrollé con él? —preguntó, negándose a reconocer lo que era obvio.

Las palabras que Alex había pronunciado unos meses antes volvieron a mí: Lily bebía más de la cuenta. Faltaba a muchas clases, la habían arrestado y ahora había llevado a casa al mutante más asqueroso que había visto en mi vida. También recordé el mensaje que uno de sus profesores había dejado en nuestro contestador después de los exámenes finales; por lo visto, aunque el trabajo final de Lily era brillante, se había saltado demasiadas clases y había entregado las cosas demasiado tarde para que pudiera darle el sobresaliente que merecía. Decidí tantearla.

—Lil, cariño, creo que el problema no es ese tipo. Creo que el problema es la bebida.

Se estaba cepillando el pelo, y solo entonces caí en la cuenta de que eran las seis de la tarde de un viernes y acababa de levantarse. Como no se defendía, seguí hablando.

—No tengo nada contra la bebida —añadí, procurando mantener una conversación relativamente serena—. De veras, no estoy contra la bebida, pero quizá últimamente te estés excediendo un poco. ¿Va todo bien en la universidad?

Abrió la boca para decir algo, pero en ese momento Alex asomó la cabeza y me pasó el móvil.

—Es ella —anunció, y se marchó.

¡Arggghhh! Esa mujer tenía el don de amargarme la vida.

—Lo siento —dije a Lily mientras la pantallita aullaba MP

una y otra vez—. Generalmente solo tarda un segundo en humillarme, así que aguarda.

Lily dejó el cepillo y me observó.

—Desp... —Otra vez había estado a punto de contestar como si fuera el teléfono de Miranda—. Soy Andrea —rectifiqué preparándome para el ataque.

—Andrea, sabes que te espero a las seis y media, ¿verdad? —ladró Miranda sin saludarme ni identificarse.

—Dijiste a las siete. Todavía tengo que...

—Dije a las seis y media antes y lo digo ahora. Seeeis y meedia. ¿Entendido?

Clic. Había colgado. Miré mi reloj: 18.05. Estaba en un apuro.

—Me quiere allí dentro de veinticinco minutos —anuncié—. Debo asistir a una fiesta de gala.

Lily pareció aliviada por la distracción.

—Será mejor que pongamos manos a la obra.

—Estábamos en medio de una conversación importante. ¿Qué ibas a decirme antes?

Mis palabras eran sinceras, pero ambas sabíamos que mi mente se hallaba a miles de kilómetros de distancia. Ya había decidido que no tenía tiempo de ducharme, pues solo disponía de quince minutos para vestirme y subir a un coche.

—En serio, Andy, tienes que arreglarte. Ya hablaremos luego.

Una vez más me vi obligada a actuar a toda prisa y con el corazón acelerado para meterme en el vestido, pasarme un cepillo por el pelo y tratar de relacionar los nombres con las fotos de los invitados que Emily me había entregado. Lily contemplaba la escena con cierto regocijo, pero yo sabía que le preocupaba lo sucedido con Chico Esperpéntico y lamenté terriblemente no poder quedarme con ella para hablar. Alex estaba al teléfono con su hermano pequeño, intentando convencerle de que era demasiado joven para ir al cine a las nueve de la noche y que su madre no era cruel por prohibírselo.

Le di un beso en la mejilla mientras él me silbaba y me informaba de que cenaría con unos amigos pero que le llamara si quería quedar después, y corrí tanto como me lo permitían los tacones de aguja hasta la sala, donde encontré a Lily sosteniendo una preciosa tela de seda negra. La miré sin comprender.

—Un chal para tu gran noche —dijo sacudiéndolo como si fuera una sábana—. Quiero que mi Andy vaya tan elegante como esos paletos millonarios de Carolina a los que tendrá que atender como una vulgar camarera. Mi abuela me lo regaló hace muchos años para la boda de Eric. No sé si me gusta o me repele, pero es elegante y de Chanel.

La abracé.

—Prométeme que si Miranda me mata por decir algo inapropiado quemarás este vestido y me enterrarás con mis pantalones de chándal Brown. ¡Prométemelo!

—Estás fantástica, Andy, de veras. Jamás pensé que te vería en un vestido de Óscar para ir a una fiesta de Miranda Priestly. Estás deslumbrante. Ahora, vete. —Me tendió el bolso odiosamente brillante de Judith Leiber y me sostuvo la puerta mientras salía al rellano—. ¡Diviértete!

El coche me esperaba frente a la portería y John, que iba camino de convertirse en un pervertido de primer orden, silbó cuando el chófer me abrió la portezuela.

—Déjalos sin habla, bombón —dijo con un guiño exagerado—. Hasta luego.

John ignoraba por completo mi destino, claro, pero me tranquilizó que diera por hecho que iba a volver. Quizá no lo pasaría tan mal, me dije mientras entraba en el Town Car. En ese momento, el vestido se me subió hasta las rodillas y mis pantorrillas tocaron el cuero helado, erizándome el vello recién afeitado. O quizá lo pasaría tan mal como esperaba.

El chófer se apeó y corrió a abrirme la portezuela, pero yo ya me hallaba de pie en la acera. Solo había estado en el Met en una ocasión, durante una visita de un día a Nueva York con mamá y Jill. No recordaba las exposiciones que vimos, solo el daño que me hacían los zapatos nuevos, pero sí me acordaba de la interminable escalinata blanca y la sensación de que podía pasarme la vida subiéndola.

Se hallaba donde la recordaba, pero parecía diferente a la luz del crepúsculo. Todavía acostumbrada a los días cortos y tristes de invierno, se me hacía extraño que el cielo apenas hubiera empezado a apagarse a las seis y media. Esa noche, la escalinata tenía un aspecto ciertamente regio, era más hermosa que la Escalera Española, los escalones de la biblioteca de Columbia, e incluso que la impresionante escalinata del edificio del Capitolio. Fue al alcanzar el décimo peldaño cuando empecé a detestarla. ¿Qué sádico cruel haría que una mujer con un vestido de noche ceñido hasta los pies y tacones de aguja subiera por semejante colina infernal? Como no podía odiar al arquitecto ni a la persona que le había encargado el proyecto, no tuve más remedio que odiar a Miranda, a quien podía culpar directa o indirectamente de todas mis desgracias.

La cima se me aparecía inalcanzable y me remonté a las clases de *spinning* que había tomado cuando aún tenía tiempo de ir al gimnasio. En dichas clases una instructora nazi subía a su bicicleta y ladraba órdenes con entonación militar: «¡Bombea, bombea! ¡Respira, respira! Adelante, adelante con esa colina. Ya casi habéis llegado, no os desaniméis ahora. ¡Subid como si en ello os fuera la vida!».

Cerré los ojos e imaginé que pedaleaba con el viento azotándome el cabello, que atropellaba a la instructora y seguía subiendo, subiendo. Cualquier cosa con tal de olvidar el dolor feroz que me atacaba desde el meñique hasta el talón. Diez escalones más, eso era todo, solo diez escalones más. Dios mío, ¿era sangre esa humedad que notaba en los zapatos? ¿Tendría que presentarme ante Miranda con un vestido de Óscar sudado y sangrando por los pies? Por favor, por favor, dime que ya casi he llegado... ¡Ya! ¡Por fin! Mi sensación de triunfo no fue menor que la de un velocista profesional que acabara de ganar su primera medalla de oro. Respiré hondo, apreté los dedos para luchar contra la necesidad del cigarrillo de la victoria y me retoqué los labios. Había llegado el momento de comportarse como una dama.

El vigilante me abrió la puerta, se inclinó y sonrió. Probablemente pensaba que era una invitada.

—Hola, señorita, usted debe de ser Andrea. Ilana ha dicho que la espere ahí sentada, que enseguida estará con usted. —Habló discretamente a un micrófono prendido de una manga y asintió al recibir una respuesta—. Sí, justo ahí, señorita. Ilana enseguida estará con usted.

Contemplé el enorme vestíbulo, mas no me apetecía pasar por la incomodidad de ajustarme todo el vestido para poder sentarme. Además, ¿cuándo tendría otra oportunidad de estar en el Metropolitan Museum of Art después de la hora de cierre, aparentemente sin otra persona salvo yo? Las taquillas estaban vacías y las galerías de la planta baja a oscuras, pero el olor a historia, a cultura, inspiraba mucho respeto. Reinaba un silencio ensordecedor.

Después de quince minutos de contemplación, cuidando de no alejarme demasiado del aspirante a agente secreto, una chica de aspecto corriente con un vestido azul marino cruzó el amplio vestíbulo. Me sorprendió que una persona con un empleo tan glamouroso (trabajaba en la oficina de eventos especiales del museo) vistiera con tanta sencillez, y de repente me sentí ridícula, como una muchacha de provincias acicalada para una fiesta de etiqueta en la gran ciudad, justamente lo que era. Ilana daba la impresión de que no se hubiese molestado en cambiarse, y más tarde supe que no lo había hecho. «¿Por qué iba a molestarme? —había dicho entre risas—. Esta gente no ha venido a mirarme a mí.»

Llevaba el cabello moreno limpio y liso, pero le faltaba elegancia, y sus zapatos marrones estaban pasados de moda. Sus ojos eran brillantes y amables, y enseguida supe que me caería bien.

—Tú debes de ser Ilana —dije, e intuí que, por mi posición, esperaba que yo tomara el mando de la situación—. Yo soy Andrea, ayudante de Miranda, y estoy aquí para echar una mano en lo que haga falta.

Me miró con tal alivio que al instante me pregunté qué le había dicho Miranda. Las posibilidades eran infinitas, pero supuse que algo relacionado con su vestimenta a lo *Lady's Home Journal*. Me estremecí al imaginar los comentarios crueles que había dirigido a esa dulce chica y recé para que no se echara a llorar, pero en lugar de eso se volvió hacia mí con sus ojos grandes e inocentes y declaró sin bajar la voz:

—Tu jefa es una hija de puta de primer orden.

La miré atónita por un instante.

—¿Verdad que sí? —dije, y rompimos a reír—. ¿Qué deseas que haga? Miranda no tardará ni diez segundos en intuir que he llegado, así que he de fingir que estoy ocupada.

—Te enseñaré la mesa —anunció Ilana mientras me conducía por un pasillo oscuro hasta la exposición de Egipto—. Es una pasada.

Llegamos a una galería menor, quizá del tamaño de una pista de tenis, con una mesa rectangular dispuesta en el centro para veinticuatro comensales. Robert Isabell merecía la pena, me dije. Era el organizador de fiestas de Nueva York por antonomasia, el único en cuyo gusto se podía confiar y que prestaba una atención asombrosa a los detalles: modernidad y elegancia, lujo sin ostentación, exclusividad sin exageración. Miranda había insistido en que Robert se encargara de todo («Siempre está irritado y puede ser muy perverso, pero es el mejor»), si bien yo solo había visto su trabajo en la fiesta de cumpleaños de Cassidy y Caroline. Sabía que podía convertir la sala de estilo colonial de Miranda en un elegante club para niñas (con barra para refrescos servidos en copas de martini, naturalmente, bancos de ante y una pista de baile bajo una gran tienda marroquí en una terraza con calefacción), pero esto era realmente espectacular.

Todo era blanco. Blanco pálido, blanco liso, blanco chillón, blanco con relieve, blanco luminoso. De la mesa brotaban ramilletes de peonías blancas deliciosamente exuberantes pero lo bastante bajas para que la gente pudiera hablar por encima de ellas. La vajilla, de porcelana de color blanco hueso (con un dibujo de cuadros blancos), descansaba sobre un impecable mantel de hilo blanco, y las sillas de roble estaban forradas de un exquisito ante blanco (¡peligro!), todo ello sobre una lujosa alfombra blanca especialmente dispuesta para la ocasión. Velas blancas sobre candelabros de porcelana blanca proyectaban una suave luz blanca que hacía resaltar las peonías, sin achicharrarlas, y proporcionaba una iluminación tenue alrededor de la mesa. El único toque de color lo brindaban los elaborados lienzos de las paredes con sus sorprendentes azules, verdes y dorados, que representaban la vida del antiguo Egipto. El blanco de la mesa contrastaba deliberadamente con los inestimables cuadros.

Cuando miré en derredor para absorber el exquisito contraste («¡Este Robert es un genio!»), una vibrante silueta roja me llamó la atención. En un rincón, tiesa como un palo debajo de un cuadro, estaba Miranda, ataviada con el vestido de cuentas de Chanel encargado, confeccionado, retocado y limpiado en seco exclusivamente para esa noche. Aunque habría sido una exageración decir que valía la pena cada centavo gastado (pues dichos centavos sumaban muchos miles de dólares), había que reconocer que cortaba la respiración. Miranda era, en sí misma, un *objet d'art*. Con su mentón elevado y sus músculos perfectamente tonificados parecía un relieve neoclásico vestido de Chanel. Miranda no era hermosa —tenía los ojos demasiado redondos, el cabello demasiado severo y una expresión demasiado dura—, pero resultaba impresionante de una forma que no alcanzaba a explicar y, por mucho que intentara actuar con indiferencia y fingir que estaba admirando la sala, no podía apartar la vista de ella.

Como siempre, su voz me sacó de mi ensimismamiento.

—An-dre-aaa, espero que te sepas los nombres y las caras de nuestros invitados. Supongo que habrás estudiado las fotografías. Confío en que no nos humilles esta noche por no saludarles por su nombre —dijo a nadie en particular.

La mención de mi nombre fue lo único que me indicó que sus palabras iban dirigidas a mí.

—Me los sé —afirmé, reprimiendo el instinto de saludar y consciente de que seguía mirándola fijamente—, pero me tomaré unos minutos para repasarlos.

Miranda me miró como diciendo: «Más te vale, idiota», tras lo cual me obligué a desviar la mirada y abandonar la galería. Ilana me siguió.

—¿De qué habla? —susurró—. ¿Fotos de invitados? ¿Está loca?

Abrumadas por la necesidad de ocultarnos, nos sentamos en un banco de madera de un pasillo oscuro.

—Ah, eso. Bueno, en otras circunstancias me habría pasado la semana buscando fotos de los invitados de esta noche para memorizar su cara y poder recibirles por su nombre —expliqué a Ilana, que me miraba horrorizada—. Pero como Miranda no me ha dicho hasta hoy que tenía que venir, solo he tenido unos minutos en el coche para memorizarlas. ¿Qué? —pregunté—. ¿Te parece extraño? Pues todo es así con las fiestas de Miranda.

—Pensaba que esta noche no vendría nadie famoso —observó, pues estaba al tanto de las otras fiestas que había celebrado Miranda en el Met.

Como hacía importantes donaciones, solían otorgarle el privilegio especial de alquilar el Metropolitan Museum of Art para fiestas y cócteles privados. El señor Tomlinson solo tuvo que pedírselo una vez y Miranda enseguida puso manos a la obra para que la fiesta de su cuñado fuera la mejor de las celebradas hasta la fecha en el Met. Había supuesto que a los ricos del sur y sus esposas trofeo les impresionaría cenar una noche en el Met. Y tenía razón.

—No habrá nadie a quien nosotras conozcamos, solo un montón de millonarios con casas por debajo de la línea Mason-Dixon. Normalmente, cuando tengo que memorizar la cara de los invitados, las busco en la red o en *WWD*. Es fácil dar con una foto de la reina Noor, Michael Bloomberg o Yohji Yamamoto, pero intenta encontrar al señor y la señora Packard de algún barrio residencial de San Francisco y verás que no es tan fácil. La otra ayudante de Miranda se puso a buscar a toda esa gente mientras el resto del personal me ponía a punto. Al final encontró a casi todos los invitados en las páginas de sociedad de sus periódicos locales y en las páginas web de sus empresas, pero fue un palo.

Ilana seguía mirándome con estupefacción.

Yo me daba cuenta de que hablaba como un robot, pero no podía parar. Su estupor solo me hizo sentir aún peor.

—Solamente me falta por identificar a una pareja, así que la reconoceré por descarte —dije.

—Caray, no entiendo cómo lo aguantas. Yo estoy molesta por tener que pasarme aquí la noche de un viernes, pero no me imagino haciendo tu trabajo. ¿Cómo lo soportas? ¿Por qué permites que te hablen y traten de ese modo?

Tardé un momento en comprender que la pregunta me pillaba desprevenida; hasta ese instante nadie había hecho ningún comentario negativo sobre mi trabajo. Siempre había pensado que yo era la única —de los millones de chicas que «darían un ojo de la cara por mi empleo»— que veía algo mínimamente preocupante en mi situación. Me horrorizó más el estupor de la cara de Ilana que las infinitas ridiculeces que veía cada día en la oficina. La forma en que Ilana me miraba, con verdadera compasión, accionó algo dentro de mí e hice lo que no había hecho en todos esos meses de trabajo en condiciones infrahumanas para una jefa inhumana, lo que siempre conseguía aplazar para un momento más adecuado. Rompí a llorar.

Ilana estaba más atónita que nunca.

—¡Oh, cariño, ven aquí! ¡Lo siento mucho! No era mi intención hacerte llorar. Eres una santa por soportar a esa bruja, ¿me oyes? Ven conmigo. —Me cogió de la mano y me condujo por otro pasillo oscuro hasta un despacho—. Ahora siéntate y olvídate de la cara de toda esa gente.

Sorbí por la nariz y empecé a sentirme como una estúpida.

—Y no te cohibas, ¿me oyes? Tengo la sensación de que llevas mucho, mucho tiempo guardándote eso y una buena llorera es necesaria de vez en cuando.

Se puso a buscar algo en la mesa mientras yo me quitaba el rímel de las mejillas.

—Mira esto —dijo con satisfacción—. Lo destruiré después de que lo hayas visto, y si alguna vez se lo cuentas a alguien te destrozaré la vida. Pero tienes que verlo, es formidable.

Me tendió un sobre amarillo sellado con una pegatina que rezaba «Confidencial» y sonrió. Arranqué la pegatina y extraje una carpeta verde. Dentro había una foto —en realidad, una fotocopia en color— de Miranda estirada sobre un banco de un restaurante. Inmediatamente reconocí la foto que había hecho un fotógrafo famoso durante una fiesta de cumpleaños de Donna Karan en Pastis. Había aparecido en las páginas de la revista *New York*.

Miranda lucía su característica trinchera de piel de serpiente marrón y blanca, la que yo siempre pensaba que le daba aspecto de serpiente.

Por lo visto no era la única, porque en esa versión alguien había pegado hábilmente sobre las piernas el recorte del cascabel de una serpiente. El efecto era una transformación fabulosa de Miranda en Serpiente, que aparecía con el codo apoyado sobre el banco, la palma de la mano en el mentón y el cuerpo estirado a lo largo del cuero con el cascabel en forma de medio círculo colgando del borde del asiento. Era perfecta.

—¿No te parece genial? —preguntó Ilana inclinándose sobre mi hombro—. Linda entró una tarde en mi despacho con ella. Se había pasado todo un día al teléfono con Miranda seleccionando la galería para una cena. Linda, como es lógico, insistía en una galería porque es, con mucho, la más bonita, pero Miranda ordenó que se celebrara en la galería de Egipto situada al lado de la tienda de regalos. Discutieron hasta que al final Linda, tras varios días de negociaciones, obtuvo permiso del consejo para organizarla en la otra galería y llamó toda ilusionada a Miranda a fin de darle la buena noticia. Adivina qué ocurrió entonces.

—Miranda cambió de parecer, naturalmente —dije con voz queda, percibiendo su irritación—. Decidió hacer exactamente lo que Linda había propuesto desde el principio, pero solo después de asegurarse de que todo el mundo había pasado por el aro.

—Exacto. Pues bien, eso me indignó. Jamás había visto el museo puesto patas arriba por nadie. Caray, si ni siquiera dejarían celebrar aquí una cena para el Departamento de Estado aunque lo pidiera el mismísimo presidente de Estados Unidos. Y para colmo tu jefa se cree que puede presentarse aquí y dar órdenes a todo el mundo, convirtiendo nuestra vida en un infierno interminable. En fin, el caso es que confeccioné este pequeño retrato como reconstituyente para Linda. ¿Y sabes lo que hizo con él? Reducirlo en la fotocopiadora para poder llevarlo en el billetero. Pensé que te gustaría verlo, aunque solo sea para recordarte que no estás sola. Eres la peor parada, de eso no hay duda, pero no estás sola.

Devolví la foto al sobre y se lo tendí.

—Eres estupenda —dije acariciándole el hombro—. Te lo agradezco de veras. Si te prometo que nunca contaré a nadie de dónde lo he sacado, ¿me lo enviarías por correo? No me cabe en el bolso Leiber, pero daría cualquier cosa porque me lo enviaras a casa. Te lo ruego.

Ilana sonrió y me indicó que escribiera mi dirección. Nos levantamos y regresamos (yo cojeando) al vestíbulo. Iban a dar las siete y los invitados llegarían en cualquier momento. Miranda y MUSYC estaban hablando con el hermano de este, el invitado de honor y novio, que parecía que hubiera jugado a fútbol, lacrosse y rugby en un instituto del Sur, siempre rodeado de dulces rubias. La dulce rubia de veintiséis años que iba a convertirse en su esposa estaba a su lado mirándole con adoración. Sostenía una copa y se reía ahogadamente de los chistes de su prometido.

Miranda estaba agarrada al brazo de MUSYC con la más falsa de las sonrisas emplastada en la cara. No necesitaba oír la conversación para saber que se limitaba a responder en los momentos oportunos. La cortesía no era su fuerte, pues no toleraba las charlas banales, pero yo sabía que esa noche su comportamiento sería impecable. Había llegado a la conclusión de que sus «amigos» se dividían en dos categorías. En primer lugar estaban aquellos a quienes veía como «superiores» a ella y a los que debía impresionar. La lista era corta e incluía a gente como Irv Ravitz, Óscar de la Renta, Hillary Clinton y todas las estrellas de cine de primer orden. Luego estaban los «inferiores» a ella, aquellas personas a quienes debía rebajar y tratar con condescendencia para que no olvidaran su lugar, y ese grupo lo formaba, básicamente, el resto: todo el personal de *Runway*, todos los miembros de su familia, todos los padres de los amigos de sus hijas —a menos que, casualmente, pertenecieran a la primera categoría—, casi todos los diseñadores y directores de revistas, y cada uno de los individuos del sector de servicios, tanto en el país como en el extranjero. Yo siempre disfrutaba de las raras ocasiones en que conseguía ver cómo Miranda trataba de impresionar a otros, sobre todo porque la simpatía no era en ella un don natural.

Intuí la llegada de los primeros invitados antes de divisarlos.

La tensión en la sala era palpable. Recordando los retratos, me acerqué a la pareja que acababa de entrar y me ofrecí a recoger la estola de pieles de ella.

—Señor y señora Wilkinson, muchas gracias por acompañarnos esta noche. Por favor, yo me encargo de su estola. Ilana les conducirá hasta el atrio donde se están sirviendo los cócteles.

Confiaba en estar disimulando mi pasmo, porque el espectáculo era ciertamente escandaloso. Había visto a mujeres vestidas de fulanas, a hombres vestidos de mujeres y a modelos sin atuendo alguno en las fiestas de Miranda, pero jamás había visto a nadie con semejante pinta. Sabía que no acudiría gente chic de Nueva York y había esperado que los invitados parecieran salidos de *Dallas*. En lugar de eso me encontré con una versión más engalanada del reparto de la película *Defensa*.

El hermano del señor Tomlinson, con su pelo plateado y su aspecto distinguido, había cometido el terrible error de ponerse frac —para colmo, a finales de abril—, el cual acompañaba con un pañuelo escocés y un bastón. Su prometida lucía una pesadilla de tafetán verde esmeralda que giraba, se hinchaba, se apelotonaba y hacía que su enorme busto de silicona sobresaliera por el escote del vestido amenazando con asfixiarla. De sus orejas colgaban brillantes del tamaño de tazones y uno aún mayor refulgía en su mano izquierda. Llevaba el pelo blanco oxigenado, y también los dientes, y unos tacones tan altos y finos que caminaba como si hubiera corrido en la Liga Nacional de Fútbol durante los últimos doce años.

—Queridos, estoy encantada de que hayáis podido acompañarnos en nuestra fiestecita. A la gente le encantan las fiestas, ¿no es cierto? —trinó Miranda con voz de falsete.

La señora Wilkinson parecía a punto de desmayarse. ¡Ahí mismo, ante sus ojos, estaba la grande y única Miranda Priestly! Su entusiasmo nos incomodó a todos, y los invitados se dirigieron al atrio encabezados por Miranda.

El resto de la velada transcurrió más o menos como su inicio. Reconocí los nombres de todos los invitados y conseguí no decir nada demasiado humillante. El desfile de esmóquines blancos, gasas, peinados llamativos, joyas aún más llamativas y mujeres casi adolescentes dejó de divertirme a medida que pasaban las horas, pero nunca me cansé de mirar a Miranda. Era la verdadera dama y la envidia de todas las mujeres que había esa noche en el museo. Aunque sabían que ni todo el dinero del mundo podría comprarles su clase y elegancia, nunca dejaban de ambicionarlo.

Sonreí a gusto cuando Miranda me despachó a media cena, naturalmente sin un gracias ni un buenas noches. («An-dre-aaa, ya no vamos a necesitarte. Puedes irte.») Busqué a Ilana, pero ya se había marchado. El coche solo tardó diez minutos en llegar —había considerado la posibilidad de ir en metro, pero no estaba segura de que Óscar o mis pies pudieran superar la prueba— y me hundí, exhausta pero tranquila, en el asiento trasero.

Cuando me dirigía al ascensor, John introdujo una mano debajo de su mesa y sacó un sobre amarillo.

—Han traído esto hace unos minutos. Pone «Urgente».

Le di las gracias y me senté en un rincón del vestíbulo preguntándome quién podía haberme enviado un sobre a las diez de la noche de un viernes. Lo abrí y encontré una nota:

> Querida Andrea:
>
> Ha sido un placer conocerte esta noche. ¿Crees que podríamos vernos la semana que viene para comer sushi o lo que sea? Te he dejado esto camino de mi casa. Pensé que te iría bien el reconstituyente después de la noche que hemos tenido. Disfrútalo.
>
> Un abrazo,
>
> ILANA

Dentro estaba la foto de Miranda la Serpiente, pero Ilana la había aumentado a 25 x 30. La contemplé con detenimiento mientras me hacía un masaje en los pies, que por fin había liberado de los Manolo, y observé los ojos de Miranda. Parecía imponente, mala y exactamente la hija de puta que veía cada día. Sin embargo, esa noche también parecía triste y muy sola. Añadir esa foto a mi nevera y reírme de ella con Lily y Alex no aliviaría mi dolor de pies ni me devolvería mi noche del viernes. La rompí y subí a casa.

15

—Andrea, soy Emily —croó una voz—. ¿Me oyes bien?

Hacía meses que Emily no me telefoneaba a casa por la noche y enseguida supuse que ocurría algo.

—Sí, te oigo. Tu voz suena horrible —dije mientras me incorporaba en la cama preguntándome si Miranda le había hecho algo.

La última vez que Emily había llamado a esas horas fue el día que Miranda la telefoneó a las once de la noche de un sábado para ordenarle que fletara un avión privado que les llevara a ella y al señor Tomlinson de Miami a Nueva York, porque debido al mal tiempo habían cancelado su vuelo regular. Emily se disponía a salir de casa para asistir a su fiesta de cumpleaños cuando se produjo la llamada, y enseguida se puso en contacto conmigo para rogarme que me hiciera cargo del asunto. No obstante, yo no había recibido el mensaje hasta el día siguiente, y cuando por fin la llamé aún lloraba.

—Me he perdido mi propia fiesta de cumpleaños, Andrea —aulló en cuanto descolgó el auricular—. ¡Me he perdido mi fiesta de cumpleaños porque tuve que fletarles un avión!

—¿No podían ir a un hotel y regresar al día siguiente como la gente normal? —pregunté.

—¿Crees que no lo pensé? A los siete minutos de su primera llamada ya les había reservado la suite del ático del Shore Club, del Albion y del Delano, segura de que Miranda no podía hablar en serio. Señor, era un sábado por la noche. ¿Cómo iba a fletar un avión un sábado por la noche?

—Supongo que tu idea no le gustó —dije con suavidad. Me sentía culpable por no haber estado localizable para ayudarla y feliz, al mismo tiempo, de haberme salvado.

—Supones bien. Me llamaba cada diez minutos para saber por qué no le había resuelto aún el problema, y cada vez que lo hacía yo tenía que poner a la gente en espera, y cuando volvía a ellos ya habían colgado. —Tomó aire—. Fue una pesadilla.

—¿Y qué ocurrió al fin? Casi no me atrevo a preguntarlo.

—¿Que qué ocurrió al fin? Querrás decir qué no ocurrió al fin. Llamé a todas las compañías aéreas privadas del estado de Florida y, como supondrás, ninguna respondió al teléfono un sábado a medianoche. Llamé a pilotos privados y a compañías aéreas nacionales para que me asesoraran, hasta conseguí hablar con un supervisor del aeropuerto internacional de Miami. Le dije que necesitaba un avión al cabo de media hora para llevar a dos personas a Nueva York. ¿Sabes qué hizo?

—¿Qué?

—Se echó a reír a carcajada limpia. Me acusó de ser una tapadera para terroristas, traficantes de drogas y demás. Dijo que tenía más probabilidades de que me cayeran veinte rayos seguidos que de conseguir un avión y un piloto a esas horas por mucho dinero que estuviera dispuesta a pagar. Y que si volvía a llamar, se vería obligado a dirigir mi petición al FBI. ¿Puedes creerlo? —Para entonces estaba gritando—. ¿Puedes creerlo? ¡El FBI!

—Supongo que a Miranda no le gustó.

—Qué va, eso le encantó. Luego se pasó veinte minutos negándose a creer que no había un solo avión disponible. Le aseguré que eso no significaba que todos estuvieran ocupados, sino que era imposible fletar un vuelo a esas horas de la noche.

—¿Qué ocurrió entonces?

No presentía un final feliz.

—En torno a la una y media aceptó por fin que esa noche no llegaría a su casa, aunque tampoco importaba porque las niñas se encontraban con su padre y Annabelle iba a estar en el apartamento todo el domingo por si la necesitaban. Entonces me ordenó que le comprara dos billetes para el primer vuelo de la mañana.

No entendí eso último. Si su vuelo había sido cancelado, era de esperar que la compañía se hubiera encargado de que embarcara en el primer vuelo de la mañana, sobre todo teniendo en cuenta su condición, por acumulación de kilómetros, de miembro VIP-prioritario-plus-oro-platino-diamante-ejecutivo y el coste original de sus billetes de primera clase. Así se lo dije.

—Es cierto que Continental los incluyó en el primer vuelo, el de las 6.50, pero cuando Miranda se enteró de que alguien había conseguido plaza en el vuelo Delta de las 6.35, se puso furiosa. Me llamó idiota e incompetente, y me preguntó una y otra vez qué clase de ayudante era si no podía hacer algo tan sencillo como fletarle un avión privado.

Emily sorbió por la nariz y bebió algo, probablemente café.

—Oh, no, sé lo que ocurrió a continuación. ¡Dime que no lo hiciste!

—Lo hice.

—¿Bromeas? ¿Por quince minutos?

—¡Lo hice! ¿Qué otra opción tenía? Miranda estaba muy descontenta conmigo. Por lo menos así daba la impresión de que había hecho algo bien. Supuso otros dos mil dólares, no gran cosa, y Miranda estaba casi contenta cuando colgó. ¿Qué más puedo pedir?

Para entonces ambas estábamos desternillándonos. Sabía sin necesidad de que Emily me lo dijera —y ella sabía que yo lo sabía— que había comprado dos billetes en clase preferente en el vuelo Delta para que Miranda cerrara la boca, para poner fin a sus exigencias e insultos.

A esas alturas estaba a punto de ahogarme.

—Un momento. Cuando conseguiste un coche que la llevara al hotel Delano...

—... eran casi las tres de la noche y me había llamado al móvil exactamente veintidós veces desde las once. El conductor esperó mientras ellos se duchaban y cambiaban de ropa en la suite del ático y los devolvió al aeropuerto a tiempo de coger su vuelo de madrugada.

—¡Basta, no sigas, te lo ruego! —exclamé, doblada de la risa—. No puede ser verdad.

Emily dejó de reír y fingió seriedad.

—¿Ah, no? Pues si esto te ha gustado, espera a oír lo mejor.

—¡Oh, habla, habla!

Estaba encantada de que Emily y yo hubiéramos encontrado, por una vez, algo de que reírnos juntas. Era agradable sentirse parte de un equipo, una mitad en la batalla contra el opresor. Entonces me di cuenta de lo diferente que habrían resultado los meses que llevaba trabajando en *Runway* si Emily y yo hubiéramos sido amigas, si nos hubiéramos cubierto y protegido, si hubiéramos confiado la una en la otra lo bastante para resistir ante Miranda como un frente unido.

—¿Lo mejor? —Hizo una pausa para prolongar la diversión—. Miranda no llegó a enterarse, claro, pero el caso es que, aunque el vuelo de Delta despegó antes, tenía programado aterrizar ocho minutos más tarde que el vuelo de Continental.

—¡Para! —aullé, entusiasmada con ese nuevo dato—. ¡Tienes que estar bromeando!

Cuando por fin colgamos, observé con asombro que habíamos hablado durante más de una hora, tal como habrían hecho dos buenas amigas. El lunes, claro está, habíamos recuperado nuestra hostilidad contenida, pero después de aquel fin de semana mis sentimientos hacia Emily fueron un poco más cálidos. Hasta ese día, naturalmente. No me caía tan bien como para querer oír el irritante asunto que se disponía a volcar sobre mí.

—En serio, tu voz suena horrible. ¿Estás enferma? —Me esforcé por dar a mis palabras un tono compasivo, pero la pregunta sonó agresiva y acusadora.

—Sí —respondió con voz áspera antes de ponerse a toser—. Muy enferma.

Cuando alguien decía que estaba muy enfermo, nunca lo creía; sin un diagnóstico oficial y en potencia mortal, uno siempre estaba lo bastante sano para trabajar en *Runway*. Así pues, cuando Emily dejó de toser y repitió que estaba muy enferma, en ningún momento consideré la posibilidad de que no fuera a trabajar el lunes. Después de todo, ella y Miranda debían viajar a París el 12 de octubre para los desfiles de primavera y solo faltaban cuatro días. Además, yo había superado dos infecciones de garganta, unos cuantos ataques de bronquitis, una espantosa intoxicación alimentaria y una tos crónica de fumadora sin pedir un solo día de baja en casi un año de trabajo.

Había colado una única visita al médico ante la necesidad desesperada de antibióticos para aliviar una de las infecciones de garganta (entré en su consulta y le ordené que me atendiera enseguida mientras Miranda y Emily pensaban que estaba buscando un coche nuevo para el señor Tomlinson), pero no había tiempo para la medicina preventiva. Aunque había disfrutado de una docena de citas para hacerme mechas en Marshall, algunos masajes gratuitos en balnearios que se sentían honrados de tener de invitada a la ayudante de Miranda e incontables manicuras y pedicuras, hacía un año que no visitaba al dentista o al ginecólogo.

—¿Puedo hacer algo por ti? —pregunté procurando mostrarme despreocupada, mientras me devanaba los sesos tratado de dilucidar por qué me había llamado para decirme que no se encontraba bien.

En mi opinión, el problema carecía de importancia, pues el lunes Emily iría a trabajar se encontrara como se encontrara.

Tosió con fuerza y oí un borboteo de flema en las profundidades de su garganta.

—Pues la verdad es que sí. ¡Dios, no puedo creer que esto me esté pasando a mí!

—¿El qué? ¿Qué sucede?

—No puedo ir a Europa con Miranda. Tengo mononucleosis.

—¿Qué?

—Ya me has oído. No puedo ir a Europa. El doctor me ha llamado hoy para comunicarme los resultados de los análisis de sangre y no puedo salir de mi apartamento durante las próximas tres semanas.

¡Tres semanas! Debía de ser una broma. No tenía tiempo de compadecerme de ella, acababa de decirme que no iba a Europa cuando era justamente esa idea —la idea de que ella y Miranda estarían fuera de mi vida dos semanas enteras— lo que me había permitido sobrevivir los dos últimos meses.

—Em, Miranda te matará. ¡Tienes que ir! ¿Lo sabe ya?

Se produjo un silencio amenazador.

—Sí, lo sabe.

—¿La has telefoneado?

—Sí. Bueno, en realidad pedí a mi médico que la llamara porque Miranda no creía que por tener mononucleosis se me pudiera considerar una enferma, así que él tuvo que decirle que podía infectarlos a ella y a todos los demás. El caso es que... —Su voz se apagó y comprendí que se avecinaba algo mucho peor.

—¿Qué?

Mi instinto de conservación se había disparado.

—El caso es que... quiere que vayas con ella.

—Quiere que vaya con ella, ¿eh? Qué mona. ¿Qué dijo en realidad? No te amenazó con despedirte por estar enferma, ¿verdad?

—Andrea, hablo... —Una tos mucosa le quebró la voz y por un momento pensé que iba a palmarla en ese mismo instante—. Hablo en serio, totalmente en serio. Dijo que las ayudantes que le asignan en el extranjero son unas incompetentes y que hasta era preferible tenerte a ti que a ellas.

—Ah, bueno, si me lo pide así, encantada. No hay nada como un buen elogio para convencerme de que haga algo. En serio, no tenía por qué decir cosas tan halagadoras. ¡Hasta me he puesto colorada!

No sabía si concentrarme en el hecho de que Miranda quería que la acompañara a París o en que solo quería que fuera porque me consideraba ligeramente menos incompetente que los clones anoréxicos franceses de, en fin... mi persona.

—Andrea, calla de una vez —espetó Emily entre ataques de tos ahora enojosos—. Joder, eres la persona más afortunada del mundo. Yo llevo dos años, dos años, esperando este viaje y ahora no puedo ir. ¿No te parece irónico?

—¡Por supuesto! Este viaje es tu única razón de existir y una pesadilla para mí; sin embargo, yo voy y tú no. Qué graciosa es la vida, ¿no crees? No puedo parar de reír —dije sin la menor alegría.

—A mí también me fastidia, pero no podemos hacer nada. Ya he llamado a Jeffy para que te prepare el vestuario. Necesitarás ropa para todos los desfiles y cenas a los que tendrás que asistir y, naturalmente, para la fiesta que ofrecerá Miranda en el hotel Costes. Allison te ayudará con el maquillaje. Habla con Stef, de complementos, para los bolsos, los zapatos y las joyas. Solo dispones de cuatro días, así que ponte las pilas mañana mismo, ¿entendido?

—Todavía no puedo creer que Miranda espere eso de mí.

—Pues créelo, porque te aseguro que no bromea. Como esta semana no podré ir a la oficina, también tendrás...

—¿Qué? ¿No vendrás a la oficina?

Era cierto que yo no había pedido un solo día de baja ni me había ausentado una sola hora de la oficina estando Miranda presente, pero Emily tampoco. El único día que estuvo a punto de hacerlo —cuando murió su bisabuelo— consiguió llegar a Filadelfia, asistir al entierro y volver a su mesa sin perderse un solo minuto de trabajo. Así funcionaban las cosas y punto. Únicamente en caso de fallecimiento (de los familiares más inmediatos), mutilación (propia) y guerra nuclear (si el gobierno de Estados Unidos confirmaba que afectaba directamente a Manhattan) podía una ausentarse. La situación de Emily representaba un momento único en el régimen Priestly.

—Andrea, tengo mononucleosis, una enfermedad muy contagiosa. No es ninguna broma. Si no puedo salir de mi apartamento para tomar un café, cómo quieres que vaya a trabajar. Miranda lo ha comprendido, así que tendrás que arreglártelas sola. Habrá mucho que preparar para vuestro viaje a París.

—¿Que Miranda lo ha comprendido? ¡Venga ya! Dime lo que dijo en realidad. —Me negaba a creer que Miranda hubiera aceptado como una razón válida para no estar a su disposición algo tan prosaico como una mononucleosis—. Dame ese pequeño placer, aunque solo sea porque mi vida será un infierno durante las próximas semanas.

Emily suspiró y supuse que ponía los ojos en blanco.

—Bueno, no le hizo ninguna gracia. En realidad yo no hablé con ella, pero mi médico me ha dicho que no paraba de preguntar si la mononucleosis era una enfermedad «de verdad». Cuando le aseguró que sí, se mostró muy comprensiva.

Solté una carcajada.

—No lo dudo, Em, no lo dudo. No te preocupes por nada, ¿de acuerdo? Concéntrate en curarte y yo me ocuparé de todo lo demás.

—Te enviaré una lista por correo electrónico para que no te olvides de nada.

—No me olvidaré de nada. Miranda ha estado en Europa cuatro veces durante el último año y me acuerdo de todo. Recoger el dinero en efectivo en el banco del sótano, cambiar unos cuantos miles a francos, comprar algunos grandes en cheques de viaje y confirmar tres veces sus citas con peluquería y maquillaje durante su estancia en París. ¿Qué más? Ah, sí, asegurarme de que esta vez el Ritz le entrega el móvil correcto y hablar con los chóferes para que comprendan que no pueden hacerla esperar ni un segundo. Ya estoy pensando en toda la gente que necesitará copias de su programa de actividades, que yo misma imprimiré y me encargaré de repartir. Miranda, naturalmente, recibirá un programa detallado de las clases, lecciones, ejercicios y días de juego de las gemelas, y una lista completa de los horarios de todo su personal de servicio. ¿Lo ves? No hay razón para preocuparse, lo tengo todo controlado.

—No te olvides del terciopelo —me regañó como un robot—. ¡Ni de los pañuelos!

—¡Claro que no! Los tengo en mi lista.

Generalmente, antes de que Miranda —o mejor dicho su criada— hiciera las maletas, Emily o yo comprábamos un montón de rollos de terciopelo. Una vez en casa de Miranda, procedíamos junto con la criada a cortar pedazos del tamaño y la forma exactos de cada prenda y envolvíamos esta con la lujosa tela. A renglón seguido apilábamos los fardos de terciopelo en docenas de maletas Louis Vuitton junto con un montón de prendas adicionales para cuando Miranda rechazara inevitablemente la primera partida tras abrirla en París. La mitad de una maleta solía destinarse a media docena de cajas naranjas de Hermès, cada una con un pañuelo blanco en el interior a la espera de ser extraviado, olvidado o simplemente descartado.

Colgué tras esforzarme por mostrarme compasiva con Emily y encontré a Lily estirada en el sofá fumando un cigarrillo y bebiendo un líquido transparente que, sin duda, no era agua.

—Pensaba que no podíamos fumar dentro —observé mientras me dejaba caer a su lado y ponía los pies en la mesita de madera arañada que nos habían pasado mis padres—. No es que me importe, pero fuiste tú quien impuso la norma.

Lily no era una fumadora a tiempo completo como una servidora. Por lo general solo fumaba cuando bebía y no era dada a comprar tabaco. Sin embargo, una cajetilla de Camel Special Lights asomaba por el bolsillo de su enorme camisa. Le zarandeé el muslo con el pie y señalé con la cabeza los cigarrillos. Me pasó uno junto con un mechero.

—Sabía que no te importaría —dijo, y dio una lenta calada a su cigarrillo—. Estoy haciendo tiempo y me ayuda a concentrarme.

—¿Tienes que entregar algo? —pregunté.

Encendí mi cigarrillo y le devolví el mechero. Lily estaba haciendo ese semestre diecisiete créditos para subir su nota media después del desastre de la primavera. La observé mientras daba otra calada y la bajaba con un buen sorbo de esa bebida que no era agua. No parecía que estuviera en el buen camino.

Suspiró pesada, intencionadamente, y habló con el cigarrillo suspendido de la comisura del labio. El pitillo subía y bajaba amenazando con desprenderse en cualquier momento; eso sumado a su pelo sucio y despeinado y su maquillaje corrido, hizo que pareciera —por un momento— una acusada de la juez Judy (o quizá una querellante, pues todos eran iguales: desdentados, pelo grasiento y ojos apagados).

—Un artículo para el periódico académico, esotérico y confeccionado de forma aleatoria que nadie leerá pero que debo escribir para poder decir que he publicado.

—Menudo palo. ¿Cuándo tienes que entregarlo?

—Mañana —contestó sin inmutarse.

—¿Mañana? ¿Hablas en serio?

Me lanzó una mirada de advertencia para recordarme que se suponía que estaba de su parte.

—Sí, mañana. Un rollo, sobre todo porque ha de corregirlo Chico Freudiano. A nadie parece importarle que estudie psicología en lugar de literatura rusa, porque tienen pocos correctores. Es imposible que pueda entregárselo a tiempo. Que se joda. —Volvió a verter líquido por su garganta haciendo un esfuerzo visible por no degustarlo e hizo una mueca.

—Lil, ¿qué ha pasado? La última vez que me hablaste de él dijiste que estabais yendo despacio y que era perfecto. Claro que eso fue antes de que trajeras aquella cosa a casa, pero...

Otra mirada de advertencia, esta vez feroz. Había intentado hablar con ella del incidente con Chico Esperpéntico, pero nunca conseguíamos estar solas y últimamente ninguna tenía demasiado tiempo para conversaciones íntimas. Las dos ocasiones en que había abordado el asunto, Lily había cambiado inmediatamente de tema. Me daba cuenta de que, ante todo, sentía vergüenza. Había reconocido que el tipo era repugnante, pero se negaba a hablar del exceso de alcohol que había provocado ese episodio.

—Sí, bueno, por lo visto aquella noche le llamé desde Au Bar y le supliqué que se reuniera conmigo —explicó evitando mi mirada y concentrada en utilizar el mando a distancia para cambiar las canciones del lúgubre CD de Jeff Buckley que sonaba permanentemente en el apartamento.

—¿Y qué pasó? ¿Fue y te vio hablando con otro?

Procuré no mostrarme crítica para no incomodarla. Era evidente que tenía la cabeza como un torbellino con los problemas de la universidad, el alcohol y el surtido ilimitado de hombres que pasaban por su vida, y yo quería que se sincerara con alguien. Nunca me había ocultado nada, aunque únicamente fuera porque solo me tenía a mí, pero en los últimos tiempos no me contaba muchas cosas.

—No, no exactamente —respondió con amargura—. El caso

es que hizo todo el trayecto desde Morningside Heights para no encontrarme en Au Bar. Por lo visto me llamó al móvil y contestó Kenny. No fue muy agradable que digamos.

—¿Kenny?

—La cosa que traje a casa, ¿recuerdas? —Lo dijo con sarcasmo, pero esta vez sonrió.

—Ajá, y supongo que a Chico Freudiano no le hizo demasiada gracia.

—Ninguna. En fin, igual que vienen se van.

Fue a la cocina con la copa vacía y vi cómo se servía de una botella medio llena de Ketel One. Un chorrito de agua con gas y de vuelta al sofá.

Me disponía a preguntarle con la mayor delicadeza posible por qué estaba ingiriendo vodka cuando tenía que escribir un artículo para el día siguiente cuando sonó el interfono.

—¿Quién es? —pregunté a John por el auricular.

—El señor Fineman ha venido a ver a la señorita Sachs —anunció formalmente, muy serio ahora que había gente delante.

—¿De veras? Dígale que suba.

Lily enarcó las cejas y comprendí que, una vez más, la conversación no tendría lugar.

—Qué cara de alegría —exclamó con evidente sarcasmo—. No parece que te haga mucha gracia que tu novio te sorprenda.

—Claro que sí —repliqué poniéndome a la defensiva, pero ambas sabíamos que mentía.

La relación con Alex había sido tirante en las últimas semanas. Muy tirante. Hacíamos todo lo que una pareja debía hacer, pues después de casi tres años sabíamos lo que el otro quería oír o necesitaba hacer. No obstante, Alex había compensado el tiempo que yo pasaba en el trabajo volcándose aún más en la escuela, ofreciéndose a promover, preparar, enseñar y dirigir casi todas las actividades imaginables, y el tiempo que nos veíamos era, de hecho, tan estimulante como si lleváramos treinta años casados. Aunque ninguno lo dijera, ambos estábamos esperando a que mi año de servidumbre terminara, pero yo me resistía a pensar qué rumbo tomaría entonces nuestra relación.

Así pues, dos personas próximas a mí —primero Jill, que una noche me había recalcado por teléfono que la relación no iba viento en popa, y ahora Lily— me habían señalado ya que Alex y yo no éramos una pareja demasiado adorable últimamente, y debía reconocer que Lily tenía razón al intuir que no me alegraba de ver a Alex. Temía decirle que debía viajar a Europa, temía la inevitable pelea, una pelea que hubiera preferido retrasar unos días, hasta que me hallara en Europa. Pero no hubo suerte, porque ya estaba llamando a la puerta.

—¡Hola! —saludé con exagerado entusiasmo al abrirle y arrojarme a sus brazos—. ¡Qué sorpresa tan agradable!

—No te importa que me haya pasado, ¿verdad? Acabo de tomar una copa con Max aquí al lado y se me ocurrió subir para verte.

—¡Claro que no me importa, tonto! Estoy encantada. Entra, entra.

Sabía que parecía una maníaca, pero cualquier psiquiatra habría deducido que mi entusiasmo externo trataba de compensar carencias internas. Alex cogió una cerveza, besó a Lily en la mejilla y se instaló en el sillón naranja chillón que mis padres habían conservado desde los setenta, sabedores de que algún día podrían legarlo orgullosamente a alguno de sus descendientes.

—¿Qué ocurre? —preguntó señalando con la cabeza el equipo de música, donde sonaba una versión desgarradora de «Aleluya».

Lily se encogió de hombros.

—Haciendo tiempo, nada más.

—Tengo una noticia —dije con entusiasmo para convencerme no solo a mí misma sino también a Alex de que se trataba de un paso positivo.

Él había preparado con tanta ilusión nuestro fin de semana para la reunión de antiguos alumnos —y yo le había insistido tanto en que lo hiciera— que era una verdadera crueldad informarle de que no le acompañaría cuando faltaba menos de una semana. Habíamos pasado una noche entera decidiendo a quién queríamos invitar al desayuno del domingo y hasta sabíamos dónde y con quién quedaríamos antes del partido Brown-Cornell del sábado.

Los dos me miraron con cautela hasta que Alex por fin habló:

—¿En serio? ¿De qué se trata?

—Veréis, acabo de recibir una llamada. ¡Me voy dos semanas a París! —Lo dije con la euforia de quien comunica a una pareja estéril que va a tener gemelos.

—¿Adónde dices que vas? —preguntó Lily, desconcertada y no del todo interesada.

—¿Por qué? —preguntó simultáneamente Alex con la misma alegría que si le hubiera anunciado que tenía sífilis.

—Emily tiene mononucleosis y Miranda quiere que yo la acompañe a los desfiles. ¿No es fabuloso? —exclamé con una sonrisa.

Era agotador. Me horrorizaba la idea de ir, pero tener que convencer a Alex de que era una gran oportunidad multiplicaba el horror por diez.

—No lo entiendo. ¿Acaso Miranda no va a esos desfiles unas ocho veces al año? —inquirió Alex. Asentí con la cabeza—. Entonces ¿por qué necesita de repente que la acompañes?

Para entonces Lily había desconectado y estaba hojeando un viejo número del *New Yorker*. Yo había guardado todos los ejemplares de los últimos cinco años.

—Porque en los desfiles de primavera en París organiza una macrofiesta y quiere tener a su lado a una de sus ayudantes estadounidenses. Primero irá a Milán y luego nos reuniremos en París. Para supervisarlo todo, ya sabes.

—Y esa ayudante estadounidense has de ser tú, lo que significa que te perderás la reunión de antiguos alumnos —espetó.

—Bueno, normalmente no ocurre así. Se considera un gran privilegio, por lo que suele ir la primera ayudante, pero, como Emily está enferma, debo sustituirla. Salgo el miércoles, así que no puedo ir a Providence el fin de semana. Lo siento muchísimo.

Me levanté de la silla y me senté a su lado en el sillón, pero Alex se puso rígido.

—Así de sencillo, ¿eh? Por si no lo sabes, ya he pagado la habitación para que no me subieran el precio. Qué importa que yo haya reorganizado toda mi agenda para poder acompañarte ese fin de semana. Dije a mi madre que tenía que buscarse un canguro porque te hacía ilusión ir. Pero qué importa eso, ¿eh? Las obligaciones con *Runway* son lo primero.

Jamás le había visto tan enfadado en todos los años que llevábamos juntos. Hasta Lily levantó la vista de la revista el tiempo suficiente para disculparse y salir disparada de la habitación antes de que estallara la guerra.

Me acerqué a Alex e intenté acurrucarme en su regazo, pero cruzó las piernas y sacudió una mano.

—En serio, Andrea. —Solo me llamaba así cuando estaba muy irritado—. ¿De verás merece la pena todo esto? Sé franca conmigo. ¿Merece la pena?

—¿El qué? ¿Que me pierda una reunión de ex alumnos, cuando habrá muchas más, para hacer algo que me exige mi trabajo? ¿Un trabajo que me abrirá puertas que jamás imaginé y mucho antes de lo que esperaba? ¡Sí, merece la pena!

Alex bajó la cabeza y por un momento pensé que estaba llorando, pero cuando volvió a levantarla su cara solo mostraba rabia.

—¿No crees que preferiría ir contigo a ser la esclava de alguien las veinticuatro horas del día durante dos semanas enteras? —exclamé, olvidando por completo que Lily estaba en casa—. ¿Te has parado a pensar que quizá no quiera ir pero no tenga opción?

—¿Que no tienes opción? ¡Tienes un montón de opciones! Andy, este empleo ya no es un empleo, por si no lo has notado. ¡Se ha apropiado de tu vida! —gritó él a su vez, y la rojez de su cara se extendió hasta el cuello y las orejas.

Por lo general eso me parecía encantador, incluso sexy, pero esa noche solo quería irme a dormir.

—Alex, escucha, sé que...

—¡No, escúchame tú a mí! Olvídate de mí por un minuto, aunque no creo que te resulte muy difícil, y olvida que ya no nos vemos debido a todas las horas que pasas en el trabajo y a tus interminables urgencias laborales. ¿Qué me dices de tus padres? ¿Cuándo fue la última vez que los viste? ¿Y tu hermana? ¿Eres consciente de que acaba de tener su primer hijo y todavía no lo conoces? ¿Eso no te hace pensar? —Bajó la voz y se inclinó hacia mí. Creí que iba a disculparse, pero en lugar de eso añadió—: ¿Y qué hay de Lily? ¿Te has percatado de que tu mejor amiga se ha convertido en una alcohólica? —Mi cara debió de ser de puro estupor, porque agregó—: No me digas que no te has dado cuenta, Andy, porque es evidente.

—Claro que bebe. También bebemos tú y yo, y toda la gente que conozco. Lily es estudiante, y eso es lo que hacen los estudiantes, Alex. ¿Qué tiene de raro?

Al decirlo en voz alta me pareció aún más patético y Alex se limitó a menear la cabeza. Permanecimos callados unos minutos, hasta que habló.

—No lo entiendes, Andy. No sé muy bien cómo ha ocurrido, pero tengo la sensación de que ya no te conozco. Creo que necesitamos un descanso.

—¿Qué? ¿De qué estás hablando? ¿Quieres cortar? —pregunté. Tardé en darme cuenta de que Alex hablaba muy en serio.

Era un hombre tan comprensivo, dulce y atento que había empezado a dar por hecho que siempre estaría a mi lado para escucharme y confortarme después de un duro día, o animarme cuando todos los demás se habían creído con derecho a machacarme. El único problema era que yo no cumplía del todo con mi parte.

—No, no quiero cortar, solo quiero que nos demos un descanso. Creo que nos ayudará a reflexionar sobre lo que está ocurriendo. Es obvio que últimamente tú no estás bien conmigo y yo no puedo decir que sea feliz contigo. Probablemente a los dos nos venga bien dejar de vernos por un tiempo.

—¿A los dos? ¿Crees que eso nos ayudará? —Quería gritar a esas palabras trilladas, a la idea de que una separación nos uniría de nuevo. Me parecía egoísta que Alex actuara así justo en ese momento cuando me disponía a iniciar lo que esperaba fuera la última fase de mi condena en *Runway* y el mayor reto de mi vida profesional. La tristeza y la preocupación de unos minutos atrás habían dado paso a la indignación—. Muy bien, démonos un descanso —dije con sarcasmo—. Un descanso me parece un plan estupendo.

Alex me miró, y sus grandes ojos marrones expresaban un

dolor y un desconcierto abrumadores. Luego los cerró con fuerza, como si quisiera apartar la imagen de mi cara.

—Está bien, Andy, no contribuiré a aumentar tu evidente desdicha y me iré. Espero que te diviertas en París, en serio. Ya nos llamaremos.

Antes de que me percatara de que todo eso estaba ocurriendo de verdad, ya me había besado en la mejilla, como habría hecho con Lily o con mi madre, y se dirigía a la puerta.

—Alex, ¿no crees que deberíamos hablar? —inquirí procurando mantener la voz serena y preguntándome si de verdad se marcharía.

Me sonrió con tristeza y respondió:

—Por hoy es suficiente, Andy. Deberíamos haber hablado durante los últimos meses, durante el último año, en lugar de haber esperado hasta ahora. Medita sobre todo lo ocurrido, ¿de acuerdo? Te llamaré dentro de dos semanas, cuando hayas vuelto. Y buena suerte en París. Sé que lo harás muy bien. —Abrió la puerta, salió y la cerró lentamente tras de sí.

Entré corriendo en la habitación de Lily para que me dijera que Alex estaba exagerando, que yo debía ir a París porque era lo mejor para mi futuro, que ella no tenía ningún problema con el alcohol, que yo no era una mala hermana por salir del país cuando Jill acababa de tener su primer hijo. La encontré inconsciente sobre la colcha de la cama, totalmente vestida, la copa vacía en la mesita de noche. Su Toshiba portátil descansaba sobre el colchón, abierto a su lado, y me pregunté si habría logrado escribir algo. Miré. ¡Bravo! Había escrito su nombre, la asignatura, el apellido del profesor y el título, seguramente provisional, del artículo: «Las ramificaciones psicológicas de enamorarte de tu lector». Solté una carcajada, pero Lily ni se movió. Así pues, devolví el ordenador a su escritorio, le puse el despertador a las siete y apagué las luces.

Nada más entrar en mi habitación sonó el móvil. Transcurridos los cinco segundos de palpitaciones que sufría cada vez que me llamaban por temor a que fuera Ella, lo abrí a toda prisa convencida de que era Alex. Sabía que no podía dejar las cosas así.

Era el mismo niño que no podía dormirse sin que le dieran un beso de buenas noches y le desearan dulces sueños; era imposible que se hubiera marchado tan tranquilo tras proponer que no nos habláramos durante dos semanas.

—Hola, cielo —dije con un suspiro. Ya le echaba de menos, pero me sentía feliz de tenerlo en ese momento al teléfono, en lugar de hablar del asunto cara a cara. Me dolía la cabeza y sentía como si tuviera los hombros pegados a las orejas. Tan solo quería oírle decir que todo había sido un gran error y que me telefonearía al día siguiente—. Me alegro de que hayas llamado.

—¿Cielo? ¡Vaya, vamos progresando, Andy! A este paso tendré que creerme que me quieres —dijo Christian con una sonrisa que percibí a través del teléfono—. Yo también me alegro de haberte llamado.

—Ah, eres tú.

—He recibido bienvenidas más calurosas. ¿Qué ocurre, Andy? Últimamente me evitas.

—Qué va —mentí—. No ocurre nada, simplemente he tenido un mal día, como de costumbre. ¿Qué tal tú?

Soltó una risa.

—Andy, Andy, Andy, no tienes motivos para estar tan triste. Estás camino de conseguir grandes cosas. Y hablando de eso, llamaba para invitarte a una cena de la Asociación Internacional de Escritores que tendrá lugar mañana por la noche en la James Beard House. Habrá mucha gente interesante y hace tiempo que no te veo. Estrictamente profesional, desde luego.

Después de leer durante años artículos en *Cosmopolitan* sobre «Cómo saber si está listo para el compromiso», era de esperar que me saltara la alarma. Y saltó, pero decidí no prestarle atención. Había tenido un día duro, así que me concedí el permiso de creer —aunque solo fuera por unos minutos— que tal vez, solo tal vez, Christian era sincero. Al cuerno con todo. Me sentaría bien hablar con un varón imparcial durante unos minutos, aunque se negara a aceptar que estaba cogida. Sabía que no aceptaría la invitación, pero unos minutos de inocente coqueteo por teléfono no hacía daño a nadie.

—¿De veras? —pregunté tímidamente—. Cuéntamelo todo.

—Voy a enumerarte todas las razones por las que deberías acompañarme, Andy, y la primera es la más simple: porque sé qué te conviene. Punto.

Caramba, qué arrogancia. ¿Por qué lo encontraba tan encantador? Le seguí el juego y en pocos minutos el viaje a París, la inquietante adicción al vodka de Lily y la mirada de tristeza de Alex se desvanecieron en el fondo de mi conversación malsana-y-emocionalmente-peligrosa-pero-muy-sexy-y-divertida con Christian.

16

Cuando yo llegara a París, Miranda ya llevaría unos días en Europa. Se había conformado con ayudantes locales en los desfiles de Milán, y tenía previsto llegar a París la misma mañana que yo para que pudiéramos comentar los pormenores de su fiesta como viejas amigas. Ja. Delta se negó a sustituir el nombre de Emily por el mío en el billete, así que, en lugar de estresarme más de lo que ya estaba, me limité a comprar uno nuevo. Mil ochocientos dólares, pues era la semana de la moda y lo estaba adquiriendo en el último minuto. Vacilé como una estúpida por un instante antes de facilitar el número de tarjeta de la empresa. Qué importa, pensé, Miranda se gasta eso mismo en una semana de peluquería y maquillaje.

Como segunda ayudante de Miranda, en *Runway* yo era el ser humano de menor rango. No obstante, si el acceso a ella era sinónimo de poder, Emily y yo éramos las personas más poderosas dentro del mundo de la moda: decidíamos qué reuniones debían celebrarse y cuándo (preferiblemente a primera hora de la mañana, porque el maquillaje estaba aún fresco y la ropa poco arrugada) y las personas cuyos mensajes serían transmitidos a Miranda (si tu nombre no estaba en el Boletín, no existías).

Por lo tanto, cuando Emily o yo necesitábamos ayuda, el resto del personal estaba obligado a sacarnos del apuro. No negaré que me resultaba ligeramente inquietante saber que, de no trabajar para Miranda Priestly, esa misma gente no tendría reparo alguno en atropellarnos con su Town Car. En cualquier caso, tan pronto como los convocábamos se ponían a correr, buscar y recoger para nosotras cual perritos bien entrenados.

La elaboración del último número de *Runway* se interrumpió durante tres días para que todo el personal pudiera dejarse la piel en enviarme a París debidamente preparada. Tres ayudantes del departamento de moda reunieron a toda prisa un vestuario que comprendía hasta el último artículo necesario para todos los actos a los que Miranda podía exigirme que asistiera. Lucía, la directora de moda, prometió que el día de mi partida tendría en mi posesión no solo una colección de ropa adecuada para cualquier situación, sino un libro completo de dibujos con todas las formas imaginables de combinar dichas prendas a fin de maximizar la elegancia y minimizar el ridículo. En otras palabras: no dejéis nada a mi elección y posiblemente tendré alguna posibilidad, aunque mínima, de resultar presentable.

¿Que tenía que acompañar a Miranda a un restaurante y permanecer como una momia en un rincón mientras ella bebía un Burdeos? Pantalón Theory gris carbón con jersey de cuello alto Celine de seda negra. ¿Que tenía que personarme en el club de tenis donde Miranda recibiría sus clases privadas para llevarle agua y tal vez un pañuelo blanco? Conjunto completo de pantalón de deporte, chaqueta con cremallera y capucha (corta, para lucir barriga, naturalmente), camiseta sin mangas de 185 dólares y zapatillas de deporte de ante, todo de Prada. ¿Y si por casualidad —solo por casualidad— llegaba a sentarme en la primera fila de uno de esos desfiles, como todo el mundo juraba que haría? Las opciones eran ilimitadas. Mi conjunto favorito hasta el momento (y aún estábamos a lunes) era una falda plisada de colegiala Anna Sui, una blusa Miu Miu muy fina y recargada, unas botas muy pícaras de Christian Laboutin a media pantorrilla y una chaqueta de cuero de Katayone Adeli tan ceñida que rayaba en la obscenidad. Mis vaqueros Express y mis mocasines Franco Sarto llevaban meses acumulando polvo en el armario, y tenía que reconocer que no los echaba de menos.

También descubrí que Allison, la redactora de belleza, tenía bien merecido ese título, porque era, literalmente, la industria de la belleza. A las cinco horas de comunicarle que necesitaría maquillaje y algunos consejos, me puso delante un «tocador» Burberry (en realidad era una maleta con ruedas algo más voluminosa que esas que las líneas aéreas aceptan como equipaje de mano) surtido con toda clase imaginable de sombras de ojos, lociones, brillos, cremas, lápices y coloretes. Había barras de labios mates, brillantes, de larga duración y transparentes. Seis tonos de rímel —desde el azul claro al negro azabache— iban acompañados de un rizador de pestañas y dos peinecitos por si (¡glups!) se formaban grumos.

Los polvos, que sumaban la mitad de los productos y reparaban/acentuaban/ocultaban los párpados, el tono del cutis y las mejillas, formaban un abanico de colores más complejo y sutil que la paleta de un pintor: unos bronceaban, otros iluminaban y algunos conseguían que el rostro pareciera más fino, más rellenito o más pálido. Podía elegir si añadir un saludable tono sonrosado a mi cara en forma de líquido, crema o polvos, o una combinación de los tres. La base de maquillaje fue lo que más me impresionó; era como si alguien hubiera extraído una muestra de mi piel directamente de mi cara y creado, a partir de ella, un par de litros de base. Ya fuera para «añadir brillo» o «tapar manchas», cada frasco armonizaba con el tono de mi piel más que mi propia piel. Un estuche con estampado de cuadros escoceses contenía el instrumental: bolas y discos de algodón, bastoncillos, esponjas, dos docenas de pinceles de diferentes tamaños, toallitas, dos desmaquilladores de ojos (hidratantes y sin aceite) y al menos doce —¡doce!— cremas (facial, corporal, con factor de protección solar 15, brillante, con color, con olor, sin olor, hipoalergénica, con alfa hidroxi, antibacteriana y —por si el antipático sol parisino de octubre la tomaba conmigo— con áloe vera).

En un bolsillo lateral del estuche había unas hojas con unas caras impresas que ocupaban toda la página. Cada rostro mostraba una obra de maquillaje impecable. Allison les había aplicado los productos que contenía el tocador. Uno se titulaba «Glamour para una noche relajada», y debajo, en grandes letras en negrita, advertía: ¡¡¡NI SE TE OCURRA EN UN ACTO DE ETIQUETA!!! ¡¡¡DEMASIADO INFORMAL!!! El rostro lucía una capa de base mate bajo una ligera pincelada de polvos bronceadores, un pizca de colorete líquido o cremoso, un línea de ojo muy oscura y sexy y párpados con mucha sombra acentuados por un rímel negro azabache y lo que parecía una pasada rápida de lápiz de labios brillante. Cuando murmuré a Allison que no sería capaz de recrearlo, me miró exasperada.

—Confiemos en que no tengas que hacerlo —dijo. Parecía tan harta que temí que fuera a desmoronarse bajo el peso de mi ignorancia.

—¿No? Entonces ¿por qué tengo veinte «caras» que muestran veinte formas diferentes de utilizar todas estas cosas?

Su mirada fulminante no tenía nada que envidiar a la de Miranda.

—Andrea, por favor, este tocador es para casos de emergencia, por si Miranda te pide en el último momento que la acompañes a algún lado, o por si tu peluquero o tu maquillador no llegan a tiempo. Ah, hablando de peluquero, deja que te enseñe los artículos para el cabello que te he puesto.

Mientras Allison me hacía una demostración de cómo utilizar cuatro cepillos diferentes para alisarme el pelo, traté de comprender lo que acababa de decirme. ¿Significaba eso que yo también tendría peluquero y maquillador? No había buscado a nadie para mí cuando contraté a la gente para Miranda. ¿Quién lo había hecho en mi lugar?

—La oficina de París —respondió Allison con un suspiro—. Representas a *Runway*, ¿comprendes?, y Miranda presta mucha atención a ese tema. Asistirás a algunos de los actos más glamourosos del mundo al lado de Miranda Priestly. No pensarás que puedes conseguir el aspecto debido por ti sola, ¿o sí?

—No, claro que no. Es mucho mejor que me ayude un profesional. Gracias.

Después de que Allison me tuviera dos horas acorralada (no me soltó hasta que tuvo la certeza de que, si alguna de las catorce citas que tenía programadas con el peluquero o el maquillador fallaba, no humillaría a mi jefa untándome rímel en los labios o afeitándome los lados de la cabeza para hacerme una cresta), pensé que por fin dispondría de un momento para ir al comedor y coger una sopa supercalórica, pero en ese momento Allison descolgó el teléfono de Emily —su antiguo teléfono— y marcó el número de Stef, del departamento de complementos.

—Hola, ya he terminado con ella y la tengo aquí al lado. ¿Quieres venir?

—¡Espera! —exclamé—. ¡Necesito comer algo antes de que llegue Miranda!

Allison puso los ojos en blanco, como solía hacer Emily. Me pregunté si era ese puesto en particular el que provocaba semejante gesto de irritación.

—De acuerdo. No, no, estaba hablando con Andrea —dijo Allison al teléfono enarcando las cejas como, sorpresa, sorpresa, Emily—. Por lo visto tiene hambre. Lo sé. Sí, lo sé. Se lo he dicho, pero se empeña en... comer.

Fui al comedor, cogí un tazón de crema de brécol con queso cheddar y regresé a la oficina tres minutos después para encontrar a Miranda sentada a su mesa. Sostenía el auricular del teléfono a un metro de la cara, como si tuviera piojos.

—El teléfono suena, Andrea, pero cuando descuelgo el auricular, pues está visto que tú no pareces interesada en hacerlo, no hay nadie. ¿Puedes explicarme este fenómeno? —preguntó.

Claro que podía explicarlo, pero no a ella. En las rarísimas ocasiones en que Miranda se quedaba sola en su despacho, de vez en cuando le daba por atender las llamadas. El que telefoneaba, como es lógico, se quedaba tan pasmado al oír su voz que enseguida colgaba. El caso es que nadie esperaba hablar con Miranda cuando llamaba, pues las probabilidades de que le pasaran con ella eran prácticamente nulas. Yo había recibido docenas de correos electrónicos de redactores y ayudantes que me comunicaban —como si yo no lo supiera— que Miranda había vuelto a contestar al teléfono. «Dónde estáis, chicas» —preguntaban los atemorizados mensajes—. «¡Está atendiendo su propio teléfono!»

Murmuré que a mí también me colgaban de vez en cuando, pero para entonces Miranda había perdido el interés. Tenía la mirada fija en mi tazón de sopa. La crema verde había empezado a chorrear lentamente por un lado. Cuando advirtió que no solo sostenía algo comestible, sino que tenía intención de engullirlo, me miró con cara de auténtico asco.

—¡Tira eso inmediatamente! —ladró a cuatro metros de distancia de mí—. Solo el olor me produce náuseas.

Arrojé la ofensiva sopa a la basura y la contemplé con tristeza antes de que la voz de Miranda me devolviera a la realidad.

—¡Estoy lista para la inspección! —aulló mientras se recostaba relajadamente en su butaca ahora que la comida que había descubierto en *Runway* descansaba en la basura—. Y en cuanto terminemos, convoca la reunión de Crónicas.

Cada palabra que pronunciaba me producía una descarga de adrenalina. Como nunca sabía qué iba a pedirme exactamente, nunca sabía si sería capaz de hacerlo. Dado que correspondía a Emily programar las inspecciones y reuniones semanales, tuve que correr hasta su mesa para consultar su agenda. A las tres en punto había garabateado: «Inspección reportaje Sedona, Lucía/Helen». Marqué la extensión de Lucía y hablé en cuanto descolgó el auricular.

—Está lista —dije como un comandante.

Helen, la ayudante de Lucía, colgó sin pronunciar palabra y supe que ella y Lucía se encontraban ya a medio camino del despacho. Si no llegaban en menos de veinticinco segundos, Miranda me enviaría a buscarlas para recordarles en persona —por si lo habían olvidado— que cuando les llamé treinta segundos antes y dije que Miranda estaba lista en ese momento, quería decir en ese momento. En realidad no representaba un gran esfuerzo, pero sí otro motivo para que mis tacones de aguja me amargaran un poco más la vida. Correr por la oficina en busca de alguien que probablemente se estaba escondiendo de Miranda no tenía ninguna gracia, pero lo peor era cuando la persona se hallaba en el lavabo. Independientemente de lo que estuviera haciendo en el servicio de hombres o de mujeres, no era motivo para no estar disponible en el instante exacto en que se requería su presencia, de modo que me tocaba entrar —y a veces hasta mirar por debajo de las puertas para ver si reconocía el calzado— y pedir cortésmente a la persona que terminara y se presentara de inmediato en el despacho de Miranda.

Por fortuna para todos los afectados, Helen llegó a los pocos segundos empujando un perchero repleto de ropa y tirando de otro. Se detuvo ante la puerta del despacho de Miranda hasta recibir uno de sus asentimientos imperceptibles de la cabeza e hizo rodar los percheros por la gruesa moqueta.

—¿Eso es todo? ¿Dos percheros? —preguntó Miranda sin apenas levantar la mirada de la revista que estaba leyendo.

Helen se quedó atónita porque, por regla general, Miranda jamás hablaba a las ayudantes. No obstante, como Lucía no había aparecido aún con sus percheros, no había tenido más remedio.

—¿Eh? No, no, Lucía llegará enseguida y traerá los otros dos. ¿Quieres que empiece a mostrarte lo que hemos encargado? —preguntó Helen con nerviosismo, tirando hacia abajo de su blusa acanalada.

—No. —Acto seguido Miranda añadió—: ¡An-dre-aaa! Ve a buscar a Lucía. Mi reloj marca las tres en punto. Si no está preparada, tengo mejores cosas que hacer que estar aquí sentada esperándola.

Lo cual no era del todo cierto, pues aún no había terminado de leer el número de la revista y solo habían pasado treinta y cinco segundos desde que había llamado a Lucía. Pero no iba a ser yo quien se lo hiciera ver.

—No hace falta, Miranda, ya estoy aquí. —Lucía entró jadeando y pasó a mi lado empujando un perchero y tirando de otro—. Lo siento mucho, estábamos esperando el último abrigo de YSL.

Dispuso los percheros, organizados por prendas (camisas, abrigos, pantalones/faldas y vestidos), en un semicírculo delante de la mesa, e indicó a Helen que se marchara. Miranda y Lucía procedieron a examinar las prendas una a una y a decidir cuáles se incluirían en el reportaje de moda que se realizaría en Sedona

(Arizona). Lucía buscaba un estilo urbano «vaquero y chic» porque opinaba que iría muy bien con el fondo de montañas rojizas, pero Miranda insistió sarcásticamente en que prefería un estilo «solo chic», puesto que «vaquero y chic» eran dos términos claramente contradictorios. Quizá ya había tenido su dosis de estilo «vaquero chic» en la fiesta del hermano de MUSYC. Yo había conseguido desconectar, hasta que Miranda mencionó mi nombre, esta vez para ordenarme que convocara a la gente de complementos para la inspección.

Volví a consultar la agenda de Emily y comprobé lo que ya me temía: no había ninguna inspección de complementos programada. Rezando para que Emily hubiera olvidado anotarlo en la agenda, llamé a Stef y le dije que Miranda estaba lista para la inspección de Sedona.

No hubo suerte. La inspección no estaba prevista hasta la tarde del día siguiente y todavía tenían que recibir la mitad de los artículos que habían pedido.

—Imposible, no puedo —me informó Stef con mucha menos seguridad de la que expresaban sus palabras.

—¿Y qué demonios esperas que le diga? —susurré.

—Dile la verdad, que la inspección estaba prevista para mañana y aún faltan muchas cosas. Hablo en serio. Todavía estamos esperando un bolso de noche, una cartera, tres bolsos de flecos, cuatro pares de zapatos, dos collares, tres...

—De acuerdo, se lo diré, pero no te separes del teléfono por si vuelvo a llamarte. Y yo en tu lugar me prepararía. Apuesto a que a Miranda le trae sin cuidado que la inspección estuviera programada para mañana.

Stef colgó sin más y yo me acerqué a la puerta de Miranda, donde esperé pacientemente a que me prestara atención. Cuando miró vagamente en mi dirección, dije:

—Acabo de hablar con Stef y dice que, como la inspección estaba prevista para mañana, todavía están esperando algunos artículos, pero que llegarán...

—An-dre-aaa, no puedo visualizar el aspecto que tendrán las modelos con esta ropa si no veo los zapatos, bolsos y joyas que llevarán. Di a Stef que quiero que me enseñe lo que tenga y las fotos de lo que todavía no ha llegado. —Dicho eso, se volvió hacia Lucía y continuaron con los percheros.

Cuando informé a Stef, se quedó de piedra.

—No puedo preparar una inspección en treinta jodidos segundos, ¿joder? ¡Es imposible, joder! Cuatro de mis cinco ayudantes están fuera y la quinta es una gilipollas. Joder, Andrea, ¿qué voy a hacer?

Estaba histérica, pero la negociación no era una opción.

—Estupendo —dije con suavidad mirando de reojo a Miranda, que tenía el don de oírlo todo—. Diré a Miranda que enseguida estarás aquí. —Y colgué antes de que Stef rompiera a llorar.

No me sorprendió verla llegar dos minutos y medio más tarde con su ayudante gilipollas, con una ayudante de moda prestada y con James, también prestado, todos con cara de pánico y cargados con enormes cestas de mimbre. Permanecieron ocultos junto a mi mesa hasta que Miranda hizo otro gesto de asentimiento, con la cabeza, momento en que avanzaron para los ejercicios de genuflexión. Como Miranda siempre se negaba a salir de su despacho, exigía que todos los percheros, carros de zapatos y cestas de complementos fueran arrastrados hasta ella.

Una vez que la gente de complementos hubo dispuesto toda su mercancía sobre la moqueta en hileras ordenadas para que Miranda la examinara, el despacho se transformó en un bazar beduino con más aire de Madison Avenue que de Sharm-el-Sheik. Una redactora le ofrece cinturones de piel de serpiente de dos mil dólares mientras otra intenta venderle un bolso Kelly. Una tercera le muestra un vestido corto Fendi mientras alguien trata de convencerla de las ventajas de la gasa. Stef ha conseguido organizar una inspección casi perfecta en apenas treinta segundos y con un montón de artículos ausentes. Observo que ha llenado los huecos con cosas de antiguos reportajes tras explicar a Miranda que los complementos que están esperando son parecidos e incluso mejores. Todos son maestros en su oficio, pero Miranda se lleva la palma. Es la cliente reservada que pasa altivamente de un puesto a otro sin mostrar el menor interés. Cuando finalmente toma una decisión, señala y ordena (como una jueza en un concurso de perros: «Bob, ha elegido el pastor escocés...»), y los redactores asienten obsequiosamente, «una elección excelente», «sin duda la más acertada», tras lo cual recogen su mercancía y regresan a sus respectivos departamentos antes de que Miranda cambie inevitablemente de parecer.

La infernal sesión duró solo unos minutos, pero cuando hubo acabado estábamos todos agotados a causa de la angustia. Miranda había anunciado por la mañana que se marcharía sobre las cuatro para pasar un rato con las niñas antes de emprender el gran viaje, así que cancelé la reunión de Crónicas, para alivio de todo ese departamento. A las 15.58 procedió a llenar su bolso para marcharse, actividad poco fatigosa puesto que yo tenía el encargo de llevar todo cuanto fuera de peso o importancia a su casa esa misma noche, junto con el Libro. Básicamente, consistía en meter el billetero Gucci y el móvil Motorola en el bolso Fendi que Miranda seguía maltratando. Durante las últimas semanas esa preciosidad de diez mil dólares había hecho de bolsa del colegio de Cassidy, y muchas de las cuentas —además de un asa— se habían desprendido. Un día, Miranda lo arrojó sobre mi mesa, me ordenó que lo mandara arreglar y, si no tenía arreglo, lo tirara. Con gran orgullo había resistido la tentación de decirle que no tenía arreglo para quedármelo y conseguí que se lo repararan por solo veinticinco dólares.

En cuanto se marchó, descolgué instintivamente el teléfono para llamar a Alex y desahogarme un poco. Llevaba medio número marcado cuando recordé que nos estábamos dando un descanso. Caí en la cuenta de que era el primer día en tres años que no hablaríamos. Permanecí con el auricular en la mano contemplando un correo electrónico que me había enviado el día anterior, uno que había firmado con un «Te quiero», y me pregunté si no había cometido un terrible error al aceptar ese descanso. Volví a marcar, esta vez decidida a decirle que debíamos hablar, averiguar qué habíamos hecho mal y, por mi parte, asumir la responsabilidad que me correspondía en el lento y gradual deterioro de nuestra relación. Pero antes de que sonara el primer tono Stef apareció ante mi escritorio con el Plan Bélico de Complementos para mi viaje a París, reanimada por el éxito de la inspección con Miranda. Había zapatos, bolsos, cinturones, joyas, medias y gafas de sol que comentar, así que colgué y traté de concentrarme en sus instrucciones.

Sería lógico pensar que un vuelo de siete horas en clase económica vestida con pantalón de cuero ajustado, sandalias de tiras, camiseta y americana sería una experiencia infernal. Pues no. Las siete horas que pasé en el aire fueron las más relajantes en mucho tiempo. Como Miranda y yo volábamos simultáneamente en aviones distintos —ella desde Milán y yo desde Nueva York—, caí en la cuenta de que no podría llamarme durante siete horas seguidas. Por una vez no era culpable de mi inaccesibilidad.

Por razones que todavía no entendía, mis padres no habían mostrado demasiado entusiasmo cuando les llamé para contarles lo del viaje.

—¿No me digas? —repuso mi madre con ese tono suyo que implicaba mucho más que esas tres palabras—. ¿Te vas a París justo ahora?

—¿Qué quieres decir con lo de «justo ahora»?

—No sé... no me parece el mejor momento para viajar a Europa, eso es todo —contestó vagamente, aunque presentí que un alud de recriminaciones judeomaternales estaba a punto de precipitarse sobre mí.

—¿Y por qué? ¿Cuándo sería un buen momento?

—No te enfades, Andy, pero es que hace meses que no te vemos, y no es una queja. Papá y yo comprendemos que tienes un trabajo muy absorbente, pero ¿no quieres conocer a tu sobrino? Ya tiene un mes y aún no lo has visto.

—¡Mamá! No me hagas sentir culpable. Estoy deseando ver a Isaac, pero sabes que no...

—Sabes que papá y yo te pagaríamos el billete a Houston, ¿verdad?

—¡Sí, me lo has dicho cien veces! Lo sé y os lo agradezco,

pero el problema no es el dinero. No puedo dejar el trabajo e irme así como así. Ni siquiera dispongo libremente de mis fines de semana. ¿Crees que merece la pena cruzar el país para tener que regresar si Miranda me llama el sábado por la mañana para que recoja su ropa sucia?

—Claro que no, Andy. El caso es que pensaba... bueno, pensábamos que tendrías la oportunidad de ir a verle durante las próximas dos semanas porque Miranda iba a estar ausente, y que papá y yo podríamos ir contigo. Pero ahora te vas a París. —dijo esto último con un tono que expresaba lo que de verdad pensaba: «Pero ahora te vas a París para huir de todas tus obligaciones familiares».

—Mamá, permite que deje algo muy claro. No me voy de vacaciones. No he elegido ir a París en lugar de conocer a mi sobrino. La decisión no ha sido mía, como probablemente sabes pero te niegas a aceptar. Es muy sencillo: o dentro de tres días me voy con Miranda a París para pasar dos semanas o me despiden. ¿Se te ocurre alguna solución? Porque si te ocurre alguna, me encantaría oírla.

Mamá guardó silencio antes de decir:

—No, claro que no, cariño. Sabes que lo entendemos. Solo espero... en fin, solo espero que estés contenta con la forma en que te van las cosas.

—¿Qué quieres decir con eso? —pregunté con tono irritado.

—Nada, nada —se apresuró a contestar—. No significa más de lo que he dicho. Papá y yo solo queremos tu felicidad y parece que últimamente has estado... en fin, forzándote un poco. ¿Va todo bien?

Me ablandé al reparar en lo mucho que ponía de su parte para no discutir.

—Sí, mamá, todo va bien, pero no me alegro de ir a París, para que lo sepas. Me esperan dos semanas infernales, pero mi año está a punto de terminar y pronto podré dejar atrás esta vida.

—Lo sé, cariño. Sé que ha sido un año muy duro para ti. Solo espero que te haya valido la pena, eso es todo.

—Lo sé. Yo también lo espero.

Colgamos amistosamente, pero me quedé con la sensación de que mis padres estaban decepcionados conmigo.

La recogida de equipajes en De Gaulle fue una pesadilla, pero tras superar la aduana encontré a un elegante chófer que agitaba un letrero con mi nombre. En cuanto hubo cerrado la portezuela del coche, me entregó un móvil.

—La señora Priestly pidió que la llamara nada más llegar. Me he tomado la libertad de programar el número del hotel en la memoria. Está en la suite Coco Chanel.

—Muy bien, gracias. Supongo que puedo llamar ahora —dije innecesariamente.

Aún no había pulsado el primer número cuando el teléfono gimió y proyectó un rojo aterrador. Si el chófer no hubiera estado observándome, habría ahogado el sonido y fingido que no lo había oído, pero tenía el presentimiento de que le habían ordenado que me vigilara de cerca. Algo en la expresión de su cara me dijo que no me convenía hacer caso omiso de la llamada.

—¿Diga? Andrea Sachs al habla —anuncié con profesionalidad mientras hacía apuestas conmigo misma sobre si era o no Miranda.

—¡An-dre-aaa! ¿Qué hora marca tu reloj?

¿Era una pregunta con segundas? ¿Un preámbulo para acusarme de llegar tarde?

—Déjame ver. Marca las cinco y cuarto de la madrugada, pero todavía no he cambiado la hora. Por lo tanto, mi reloj debería marcar las once y cuarto —respondí animadamente, confiando en poder iniciar la primera conversación de nuestro interminable viaje con el mejor pie posible.

—Gracias por tu interminable relato, An-dre-aaa. ¿Puedo preguntarte qué has estado haciendo durante los últimos treinta y cinco minutos?

—El caso es que el avión aterrizó con unos minutos de retraso y luego tuve que...

—Porque en el horario que me elaboraste leo que tu vuelo llegaba a las 10.35.

—Esa era la hora prevista, pero verás...

—No me digas lo que debo ver, An-dre-aaa. Tu comportamiento es inaceptable. Espero que no te conduzcas así durante las próximas dos semanas, ¿entendido?

—Sí, claro, lo siento.

El corazón empezó a latirme a un millón de pulsaciones por minuto y noté que la cara me ardía de humillación. Humillación porque me hablaran de ese modo, pero sobre todo por consentirlo. Acababa de disculparme atentamente con alguien por no haber conseguido que mi vuelo aterrizara a la hora debida y por no haber sido lo bastante espabilada para encontrar la forma de evitar la aduana francesa.

Apoyé la cabeza contra la ventanilla y contemplé las calles bulliciosas de París. Las mujeres de esta ciudad parecían mucho más altas, los hombres mucho más corteses y casi todo el mundo vestía bien, era delgado y tenía un porte distinguido. Solo había estado en París una vez, pero cargar con una mochila y alojarse en una pensión en el lado equivocado de la ciudad no producía la misma sensación que ver las elegantes tiendas de ropa y los adorables cafés desde el asiento trasero de una limusina. Podría acostumbrarme a eso, pensé mientras el conductor se volvía para indicarme dónde estaban las botellas de agua por si tenía sed.

Cuando el coche se detuvo ante la entrada del hotel, un caballero de aspecto distinguido, ataviado con un traje seguramente confeccionado a medida, me abrió la portezuela.

—Mademoiselle Sachs, es un placer conocerla al fin. Soy Gerard Renuad.

Su voz era suave y firme. El cabello plateado y las profundas arrugas del rostro me indicaron que era mucho mayor de lo que había supuesto cuando hablábamos por teléfono.

—Monsieur Renuad, me alegro de conocerle.

De repente solo deseé meterme en una cama blanda y limpia y recuperar el sueño, pero Renuad enseguida ahogó mis esperanzas.

—Mademoiselle Andrea, madame Priestly desea verla en su habitación inmediatamente. Antes de que se instale en la suya, me temo.

Me miró como disculpándose y por un instante me compadecí más de él que de mí. Era evidente que no le gustaba transmitir esa clase de noticias.

—Joder, qué bien —murmuré antes de percatarme de lo mucho que mi comentario había perturbado a monsieur Renuad. Sonreí y empecé de nuevo—. Lo siento, pero el viaje ha sido muy largo. ¿Podría alguien decirme dónde puedo encontrar a Miranda?

—Por supuesto, mademoiselle. Está en su suite y creo que deseosa de verla.

Cuando levanté la vista me pareció que monsieur Renuad ponía los ojos en blanco, y aunque siempre lo había encontrado agobiantemente correcto por teléfono, en ese momento cambié de opinión. Si bien era demasiado profesional para mostrarlo, y aún más para expresarlo, sospeché que detestaba a Miranda tanto como yo. No tenía pruebas de ello, desde luego, pero era imposible creer que alguien no la odiara.

Monsieur Renuad sonrió cuando el ascensor se abrió, me invitó a entrar y dijo algo en francés al botones que debía acompañarme. Se despidió y el botones me condujo hasta la suite de Miranda. Entonces llamó a la puerta y salió huyendo.

Me pregunté si sería Miranda quien abriría, aunque me costaba creerlo. Durante los once meses que había entrado y salido de su apartamento, no la había pillado ni una vez haciendo algo que pudiera considerarse una tarea ordinaria, como responder al teléfono, sacar una chaqueta de un armario o servir un vaso de agua. Daba la impresión de que todos sus días era *sabbat*, ella la judía observante y yo la gentil, la *goy*.

Una bonita criada uniformada abrió la puerta y me invitó a pasar con los ojos húmedos y la mirada clavada en el suelo.

—¡An-dre-aaa! —oí desde algún lugar remoto del salón más impresionante que había visto en mi vida—. An-dre-aaa, necesito que planchen mi traje Chanel para esta noche, porque el vuelo lo ha dejado hecho un desastre. Pensaba que el Concorde sabía manejar el equipaje, pero todas mis cosas se hallan en un estado lamentable. Llama a Horace Mann y confirma que las niñas han llegado bien al colegio. Lo harás cada día. No me fío de esa Annabelle. Asegúrate de hablar cada noche con Caroline y Cassidy, y haz una lista de sus deberes y exámenes. Esperaré un informe escrito cada mañana, antes del desayuno. Ah, y ponme inmediatamente con el senador Schumer. Es urgente. Por último, quiero que digas a ese idiota de Renuad que espero que me proporcione personal competente durante mi estancia, y que si eso le resulta tan difícil, estoy segura de que el director general podrá complacerme. La estúpida que me ha enviado es una disminuida mental.

Volví la vista hacia la afligida muchacha que se escondía en el vestíbulo. Temblorosa y esforzándose por no llorar, parecía tan asustada como un hámster acorralado. Supuse que entendía el inglés, así que le dediqué mi mirada más solidaria, pero siguió temblando. Miré alrededor en tanto me esforzaba por memorizar cuanto Miranda acababa de soltar.

—Entendido —dije en dirección al lugar de donde procedía su voz, más allá del pequeño piano de cola y los diecisiete centros de flores que adornaban la gigantesca suite—. Volveré enseguida tras hacer todo lo que has pedido.

Eché un último vistazo a la estancia. Era, sin duda, el lugar más lujoso que había visto en mi vida, con cortinajes de brocado, una gruesa moqueta de color crema, la colcha adamascada sobre la cama extragrande y las figuritas doradas que descansaban discretamente en estantes y mesas de caoba. Solo el televisor de pantalla plana y el lustroso equipo de música indicaban que la habitación no había sido creada y diseñada en el siglo XIX por diestros artesanos.

Pasé junto a la criada y salí al pasillo. El aterrado botones había reaparecido.

—¿Podría enseñarme mi habitación, por favor? —pregunté con suma amabilidad.

Debió de pensar que yo también iba a maltratarle, porque enseguida echó a andar.

—Es aquí, mademoiselle. Espero que le parezca aceptable.

Unos veinte metros más allá había una puerta sin número que daba paso a una minisuite, prácticamente una réplica exacta de la suite de Miranda pero con una sala más pequeña y una cama grande en lugar de extragrande. Un enorme escritorio de caoba equipado con un teléfono de oficina, ordenador, impresora láser, escáner y fax ocupaba el lugar del piano de cola, pero por lo demás ambas estancias guardaban un parecido extraordinario.

—Señorita, esta puerta conduce al pasillo privado que conecta su habitación con la de la señorita Priestly —explicó el botones al tiempo que hacía ademán de abrirla.

—¡No! No necesito verlo; con saber que está ahí me basta. —Miré la placa que llevaba prendida del bolsillo de su impecable camisa—. Gracias, Stephan. —Busqué el bolso para darle una propina, hasta que caí en la cuenta de que no había cambiado los dólares a francos y todavía no había pasado por un cajero automático—. Lo siento, solo tengo dólares. ¿Le importa?

Stephan enrojeció y empezó a disculparse profusamente.

—Oh, no, señorita, se lo ruego, no se preocupe por esas cosas. La señora Priestly se ocupa de esos detalles antes de irse. Ahora, como necesitará moneda local cuando salga del hotel, permítame que le muestre algo.

Caminó hasta el escritorio, abrió el cajón superior y me tendió un sobre con el logo francés de *Runway*. Dentro había un montón de francos por valor de unos cuatro mil dólares. La nota, escrita por Briget Jardin, la directora que había llevado el peso de la organización del viaje y la fiesta de Miranda, rezaba:

> Emily, querida, me alegro de que estés con nosotros. Dentro encontrarás 33.210 francos para tu uso personal mientras estés en París. He hablado con monsieur Renuad y estará a disposición de Miranda las veinticuatro horas del día. Te incluyo una lista de sus teléfonos laborales y personales, así como los números del cocinero, el preparador físico, el director de transportes y, por supuesto, el director del hotel. Todos están familiarizados con las estancias de Miranda durante los desfiles, de modo que no debería haber ningún problema. Naturalmente, siempre podrás encontrarme en el trabajo o, si es necesario, en el móvil, el teléfono de casa, el fax o el buscador. Estoy impaciente por verte en la gran fiesta del sábado, si es que no nos vemos antes. Un fuerte abrazo, BRIGET.

En una hoja con el membrete de *Runway* había una lista de casi cien números de teléfono que incluían todo cuanto una podía necesitar en París, desde una floristería elegante a un cirujano. Estos números también aparecían en la última página del minucioso horario que yo había elaborado para Miranda empleando la información que Briget había actualizado y enviado diariamente por fax, de modo que por el momento nada iba a impedir —salvo una guerra mundial— que Miranda Priestly viera los desfiles de primavera con la menor cantidad posible de estrés y preocupación.

—Muchísimas gracias, Stephan. Me será muy útil.

Fui a entregarle unos billetes, pero fingió no darse cuenta y se marchó. Me alegró comprobar que parecía mucho menos aterrado que unos minutos antes.

Conseguí localizar a la gente que Miranda había solicitado y supuse que disponía de un rato para descansar mi cabeza en la almohada, pero el teléfono sonó en cuanto cerré los ojos.

—An-dre-aaa, ven inmediatamente a mi habitación —ladró antes de colgar.

—Por supuesto, Miranda, gracias por pedirlo con tanta amabilidad, será un placer —dije absolutamente a nadie.

Levanté de la cama mi extenuado cuerpo y puse todo mi empeño en que no se me atascaran los tacones en la moqueta del pasillo que conectaba mi habitación con la de ella. Cuando llamé, me abrió de nuevo una criada.

—An-dre-aaa, una ayudante de Briget acaba de llamarme para saber cuánto durará mi discurso del almuerzo de hoy —explicó Miranda.

Estaba hojeando un número de *Women's Wear Daily* que alguien de la oficina —probablemente Allison, que había trabajado en el despacho de Miranda y conocía bien el oficio— le había pasado por fax, mientras dos hombres guapísimos la peinaban y maquillaban. Un plato con queso descansaba en una mesita que tenía al lado.

¿Discurso? ¿Qué discurso? Lo único que indicaba el horario de ese día, aparte de los desfiles, era un almuerzo con entrega de premios donde Miranda planeaba pasar sus habituales quince minutos antes de largarse de puro aburrimiento.

—Perdona, ¿has dicho un discurso?

—Así es. —Cerró cuidadosamente el periódico, lo dobló despacio y lo arrojó con furia al suelo, evitando por los pelos dar al hombre que tenía arrodillado delante—. ¿Por qué no se me ha informado de que voy a recibir un maldito premio en el almuerzo de hoy? —preguntó entre dientes con el rostro deformado por un odio que no había visto antes.

¿Disgusto? Por supuesto. ¿Insatisfacción? Siempre. ¿Irritación, frustración, infelicidad generalizada? Desde luego, cada minuto de cada día. Pero nunca la había visto con semejante cabreo.

—Miranda, lo siento. En realidad es la oficina de Briget la que te ha informado del acto de hoy y nunca...

—Cierra la boca. ¡Cierra la boca ahora mismo! Solo me ofreces excusas. Eres mi ayudante, la persona que nombré para que lo dirigiera todo en París. Eres tú quien debería mantenerme informada de estas cosas. —Casi gritaba. Un maquillador preguntó suavemente en francés si queríamos estar un momento a solas, pero Miranda no le hizo el menor caso—. Son las doce y tengo que salir dentro de 45 minutos. Antes de eso, espero un discurso sucinto, bien escrito y legible en mi habitación. Si no puedes hacerlo, ya puedes marcharte a casa. Para siempre. Eso es todo.

Eché a correr por el pasillo a una velocidad que no había alcanzado hasta entonces con zapatos de tacón y abrí mi móvil internacional antes de llegar a la habitación. Me temblaban tanto las manos que casi no podía marcar el número de Briget pero, no sé cómo, logré hacerlo. Contestó una de sus ayudantes.

—¡Necesito a Briget! —aullé con la voz entrecortada—. ¿Dónde está? ¿Dónde está? ¡Necesito hablar con ella ahora mismo!

Estupefacta, la chica guardó silencio un instante.

—¿Eres Andrea?

—La misma, y necesito a Briget. Es una urgencia. ¿Dónde coño está?

—En un desfile, pero no te preocupes, siempre lleva el móvil conectado. ¿Estás en el hotel? Le diré que te llame enseguida.

El teléfono del escritorio sonó apenas unos segundos después, aunque me pareció una semana.

—Andrea —trinó con su encantador acento francés—. ¿Qué ocurre? Monique ha dicho que estabas histérica.

—¿Histérica? ¡Desde luego que lo estoy! Briget, ¿cómo has podido hacerme esto? Tu oficina ha organizado este puto almuerzo y nadie se ha molestado en comunicarme que Miranda no solo va a recibir un premio, sino que debe pronunciar un discurso.

—Andrea, cálmate, estoy segura de que comunicamos...

—¡Y tengo que escribirlo yo! ¿Me oyes? Es la hostia. Tengo 45 putos minutos para escribir un discurso de agradecimiento por un premio del que no sé nada en un idioma que desconozco. De lo contrario estoy acabada. ¿Qué voy a hacer?

—Muy bien, relájate, yo te ayudaré. En primer lugar, el almuerzo se celebrará en el mismo Ritz, en uno de sus salones, así que Miranda solo tendrá que bajar. Lo ofrece el Consejo Francés de la Moda, una organización parisina que siempre entrega sus premios durante los desfiles porque es cuando todo el mundo está en la ciudad. *Runway* recibirá un premio por Reportajes de Moda. No es gran cosa, casi una formalidad.

—Bueno, al menos ya sé qué es. ¿Qué debo escribir exactamente? ¿Por qué no me lo dictas en inglés y luego pido a monsieur Renuad que me lo traduzca? Adelante, estoy lista.

Mi voz había recuperado cierta firmeza, pero apenas conseguía sostener el bolígrafo. La mezcla de agotamiento, tensión y hambre me impedía enfocar debidamente la mirada en el papel del Ritz que tenía sobre el escritorio.

—Andrea, vuelves a estar de suerte.

—¿De veras? Pues ahora mismo no me siento muy afortunada que digamos, Briget.

—Estos actos son siempre en inglés, así que no hace falta traducción. Bueno, empecemos. ¿Tienes boli?

Comenzó a dictar deprisa mientras yo me afanaba por escribir las frases asombrosamente elocuentes que parecían fluir de su boca sin esfuerzo alguno. Cuando colgué y procedí a teclearlas a un ritmo de sesenta palabras por minuto —la mecanografía era la única clase útil que había recibido en el instituto—, me di cuenta de que Miranda apenas tardaría dos o tres minutos en leer el discurso. Tuve el tiempo justo para beber algo de Pellegrino y devorar algunas fresas que alguien había dejado atentamente en mi pequeño bar. Ojalá hubiera dejado una hamburguesa con queso, pensé. Recordé que había metido un Twix en el equipaje, que descansaba pulcramente apilado en un rincón, pero no tenía tiempo de buscarlo. Habían pasado exactamente cuarenta minutos desde que recibiera la orden. Era el momento de descubrir si había aprobado.

Una criada diferente —pero igualmente aterrada— abrió la puerta de Miranda y me invitó a pasar al salón. Naturalmente, hubiera debido quedarme de pie, pero los pantalones de cuero, que llevaba puestos desde el día anterior, parecían haberse pegado a mis piernas, y las sandalias de tiras, que no me habían molestado durante el vuelo, se estaban convirtiendo en cuchillas de afeitar sobre mis dedos y talones. Decidí sentarme en el sofá, pero nada más doblar las rodillas y entrar en contacto con el cojín la puerta del dormitorio se abrió y me incorporé de un salto.

—¿Dónde está mi discurso? —preguntó Miranda mientras otra criada la seguía sosteniendo un pendiente que había olvidado ponerse—. Supongo que habrás escrito algo.

Vestía uno de sus clásicos trajes Chanel —cuello redondo ribeteado de pieles— y un collar de perlas enormes.

—Por supuesto, Miranda —dije con satisfacción—. Creo que esto servirá.

Caminé hasta ella puesto que ella no parecía dispuesta a acercarse, y antes de que pudiera tenderle la hoja me la arrebató de las manos. Solo cuando sus ojos dejaron de ir de izquierda a derecha me di cuenta de que había estado conteniendo la respiración.

—Bien. Está bien. Nada del otro mundo, pero correcto. Vamos.

Cogió un bolso Chanel a juego y se llevó la cadena al hombro.

—¿Cómo?

—He dicho vamos. Esa estúpida ceremonia empieza dentro de quince minutos. Con suerte habremos terminado dentro de veinte. Cómo detesto esos actos.

No podía negarlo, había dicho «vamos». Era evidente que esperaba que la acompañara. Me miré la chaqueta y el pantalón de cuero, y pensé que si ella no tenía reparos con mi aspecto —pues de haberlos tenido seguro que me lo habría hecho saber—, yo tampoco. Probablemente habría un montón de ayudantes atendiendo a sus jefes y a nadie le importaría cómo vestíamos.

El salón era una estancia para reuniones típica de hotel a la que habían añadido dos docenas de mesas redondas y un estrado con un podio. Me quedé en la pared del fondo con otros empleados mientras el presidente del consejo mostraba un vídeo increíblemente soso y aburrido sobre cómo afectaba la moda a nuestras vidas. Algunos asistentes acapararon el micrófono durante media hora, y acto seguido, antes de la entrega de los premios, un ejército de camareros empezó a servir ensaladas y llenar copas de vino. Miré con cautela a Miranda, que parecía muy harta e irritada, y me encogí detrás del arbolito contra el que estaba apoyada para evitar dormirme. Ignoro cuánto tiempo permanecí con los ojos cerrados, pero justo cuando perdía el control de los músculos del cuello y la cabeza empezaba a caerme, oí su voz.

—¡An-dre-aaa, no tengo tiempo para estas tonterías! —susurró lo bastante alto para que unas cuantas ayudantes de moda de una mesa cercana levantaran la vista—. No se me dijo que iba a recibir un premio y no tengo ánimo para eso. Me voy.

Dio media vuelta y echó a andar hacia la puerta. Fui tras ella reprimiendo el deseo de agarrarla del hombro.

—¡Miranda! ¡Miranda! ¿Quién quieres que acepte el premio en nombre de *Runway*? —murmuré.

Se volvió y me miró directamente a los ojos.

—¿Crees que me importa? Sube y recógelo tú misma. —Y sin darme tiempo a responder, se fue.

Dios, no podía ser verdad. Seguro que de un momento a otro me despertaría en mi cama y descubriría que todo ese día —caray, todo ese año— había sido una pesadilla especialmente espantosa. Esa mujer no esperaba que yo, la segunda ayudante, subiera al estrado y aceptara en nombre de *Runway* el premio a reportajes. ¿O sí? Miré frenéticamente alrededor para ver si había alguien más de *Runway*, pero no hubo suerte. Me derrumbé en mi asiento y traté de decidir si debía pedir consejo a Emily o Briget, o si simplemente debía marcharme yo también, dado que a Miranda le traía sin cuidado recibir el galardón. Mi móvil acababa de conectar con la oficina de Briget (confiaba en que llegara a tiempo para que recogiera ella el maldito premio) cuando oí las palabras «... expresar nuestro más profundo reconocimiento a *Runway* de Estados Unidos por sus reportajes de moda precisos, entretenidos y siempre informativos. Por favor, den la bienvenida a su directora, célebre en todo el mundo e icono de la moda, señora Miranda Priestly».

La sala estalló en aplausos justo en el momento en que noté que el corazón dejaba de latirme.

No tenía tiempo de pensar, de maldecir a Briget por dejar que estuviera ocurriendo todo eso, de maldecir a Miranda por marcharse y llevarse el discurso consigo, de maldecirme a mí misma por haber aceptado ese odioso empleo. Mis piernas avanzaron solas, derecha-izquierda, derecha-izquierda, y subieron los tres peldaños del estrado sin incidentes. Si no hubiera estado tan desconcertada, quizá habría notado que los aplausos habían dado paso a un silencio sepulcral mientras la gente trataba de dilucidar quién era yo. Pero no lo noté. Una fuerza superior me impulsó a sonreír, alargar los brazos para aceptar la placa de las manos del severo presidente y colocarla con calma sobre el podio. Cuando levanté la cabeza y vi cientos de ojos clavados en mí—intrigados, penetrantes, desconcertados—, tuve la certeza de que iba a dejar de respirar y morir ahí mismo.

Supongo que permanecí así no más de diez o quince segundos, pero el silencio era tan abrumador que me pregunté si, de hecho, ya estaba muerta. Nadie pronunció una palabra. No se oía ni un cubierto rozando un plato, ni el tintineo de una copa. Nadie preguntó en un susurro a su vecino quién era la persona que ocupaba el lugar de Miranda Priestly. Solo me observaban, un segundo tras otro, hasta que no me quedó más remedio que hablar. No recordaba una sola palabra del discurso que Briget me había dictado, así que debía arreglármelas sola.

—Hola —comencé, y la voz me resonó en los oídos. No sabía si era el micrófono o el ruido de mi sangre palpitando en mi cabeza, pero poco importaba. De lo único que estaba segura era de que temblaba... descontroladamente—. Me llamo Andrea Sachs y soy la... y trabajo para *Runway*. Por desgracia, Miranda... la señora Priestly ha tenido que salir un momento, pero me gustaría aceptar este premio en su nombre y, naturalmente, en nombre de todo el equipo de *Runway*. Gracias... —me interrumpí, pues no recordaba el nombre del consejo ni de su presidente— por este... este maravilloso honor. Sé que hablo por todos cuando digo que nos sentimos muy honrados.

¡Idiota! Estaba tartamudeando, mascullando, temblando, y ahora estaba lo bastante alerta para notar que la gente había empezado a reírse por lo bajo. Sin pronunciar otra palabra bajé del estrado de la forma más digna que pude y no fue hasta que alcancé la puerta del fondo cuando advertí que me había olvidado la placa. Una empleada me siguió hasta el vestíbulo, donde me había desplomado atacada de agotamiento y humillación, y me la entregó. Esperé a que se marchara y pedí a un portero que la tirara. Se encogió de hombros y la guardó en su bolsa.

¡La muy hija de puta!, pensé, demasiado enfadada y cansada para concebir un nombre más original o un método para terminar con su vida. El móvil sonó y, sabiendo que era ella, ahogué el sonido y pedí un gin-tonic a una recepcionista.

—Por favor, por favor, haga que alguien me lo traiga.

La mujer me miró y asintió con la cabeza. Apuré la copa en dos tragos y subí para ver qué quería Miranda. Apenas eran las dos de la tarde de mi primer día en París y ya quería morirme, solo que la muerte no era una opción.

17

—Habitación de Miranda Priestly —contesté desde mi nuevo despacho parisino.

Las gloriosas cuatro horas que debían conformar una noche entera de sueño habían quedado bruscamente interrumpidas por una llamada frenética de una ayudante de Karl Lagerfeld a las seis de la madrugada, momento en que descubrí que todas las llamadas de Miranda estaban siendo desviadas a mi habitación. Era como si toda la ciudad y alrededores supieran que Miranda se alojaba en ese hotel durante los desfiles, de modo que mi teléfono había sonado incesantemente desde el momento en que entré en él, por no mencionar las dos docenas de mensajes que me esperaban en el buzón de voz.

—Hola, soy yo. ¿Cómo está Miranda? ¿Va todo bien? ¿Ha ocurrido algo? ¿Dónde está y por qué no estás con ella?

—¡Hola, Em! Gracias por tu interés. ¿Cómo te encuentras?

—¿Qué? Oh, estoy bien. Un poco débil, pero voy mejorando. ¿Cómo está ella?

—Bueno, yo también estoy bien, gracias por preguntar. Sí, fue un vuelo largo y no he dormido más de veinte minutos seguidos porque el teléfono no ha parado de sonar y estoy segura de que nunca dejará de hacerlo. Ah, y pronuncié un discurso improvisado, después de haberlo escrito improvisadamente, ante un grupo de gente que deseaba la compañía de Miranda pero que, por lo visto, no era lo bastante interesante para merecerla. En realidad hice un ridículo espantoso y casi me dio un infarto pero, aparte de eso, todo bien.

—¡Andrea, por favor! He estado muy preocupada. No tuvimos mucho tiempo para prepararte, y sabes que si algo va mal Miranda me echará la culpa a mí.

—Emily, no te lo tomes a mal, pero ahora mismo no puedo hablar contigo.

—¿Por qué? ¿Ocurre algo? ¿Cómo le fue la reunión de ayer? ¿Llegó a tiempo? ¿Tienes todo lo que necesitas? ¿Te aseguras de ponerte la ropa adecuada? Recuerda que estás representando a *Runway* y que has de estar siempre a la altura.

—Emily, tengo que colgar.

—¡Andrea, estoy preocupada! Cuéntame qué has estado haciendo.

—Veamos, en todo el tiempo libre que he tenido me han hecho media docena de masajes, dos limpiezas de cutis y algunas manicuras. Miranda y yo nos hemos unido mucho en el balneario, es genial. Se está esforzando por no ser demasiado exigente, quiere que disfrute de París porque es una ciudad maravillosa y tengo la suerte de estar aquí. Por lo tanto, básicamente salimos juntas, nos divertimos, bebemos buen vino, vamos de compras, ya sabes, lo de siempre.

—¡Andrea, no tiene gracia! Ahora cuéntame qué demonios está pasando.

Mi humor mejoraba a medida que la irritación de Emily aumentaba.

—Emily, no sé muy bien qué contarte. ¿Qué quieres oír? ¿Cómo ha ido todo hasta ahora? Verás, me paso el rato buscando la forma de dormir en compañía de un teléfono que no para de sonar y al tiempo que engullo suficiente comida entre las dos de la noche y las seis de la madrugada para poder aguantar las siguientes veinte horas. Joder, esto parece el Ramadán, Em, nadie come durante el día. Yo en tu lugar estaría muy triste por estar perdiéndote todo esto.

La luz de la otra línea empezó a parpadear y puse a Emily en espera. Cada vez que sonaba el teléfono, pensaba automáticamente en Alex y me preguntaba si llamaría para decirme que todo iba a salir bien. Le había telefoneado dos veces desde mi llegada a París y él había contestado en ambas ocasiones, pero yo había colgado nada más oír su voz. Era la primera vez que pasábamos tanto tiempo seguido sin hablar y quería saber cómo estaba, si bien sentía que la vida era mucho más sencilla, en cuanto a discusiones y sentimientos de culpa, desde que habíamos decidido darnos un descanso. Aun así, contuve la respiración hasta que oí la voz de Miranda.

—An-dre-aaa, ¿cuándo está previsto que llegue Lucía?

—Hola, Miranda. Deja que consulte su horario. Veamos, aquí dice que hoy vuela directamente a París desde el reportaje de Estocolmo. En principio debería estar en el hotel.

—Pásamela.

—Sí, Miranda, un momento.

La puse en espera y volví a Emily.

—Era ella, tengo que colgar. Espero que te mejores. ¿Miranda? Ya tengo el teléfono de Lucía, ahora mismo te la paso.

—Espera, An-dre-aaa. Saldré del hotel dentro de veinte minutos y no volveré en todo el día. Necesitaré algunos pañuelos antes de mi regreso y un cocinero nuevo. Ha de tener una experiencia mínima de diez años en restaurantes principalmente franceses y estar disponible para cenas familiares cuatro noches a la semana y para fiestas sociales dos veces al mes. Ahora, pásame con Lucía.

Sabía que hubiera debido quedarme sin habla ante el hecho de que Miranda quisiera que le contratara un cocinero para Nueva York desde París, pero solo podía pensar en que iba a marcharse del hotel sin mí y que estaría fuera todo el día. Llamé a Emily y le conté que Miranda necesitaba un nuevo cocinero.

—Déjamelo a mí, Andy —dijo mientras tosía—. Haré una selección preliminar y luego tú hablarás con los finalistas. Pregunta a Miranda si quiere esperar a regresar a casa para conocerlos o si prefiere que le envíe un par de ellos a París.

—No hablas en serio.

—Por supuesto que sí. Miranda contrató a Erika el año pasado cuando se encontraba en Marbella. Su última niñera acababa de despedirse y me ordenó que le enviara a tres finalistas en avión para que pudiera escoger a una. Pregúntaselo, ¿de acuerdo?

—Sí, sí —murmuré—. Y gracias.

Después de telefonear a la oficina de Briget para solicitar que uno de sus empleados fuera a Hermès a recoger los pañuelos de Miranda, me quedé sola. Hablar de los masajes me había proporcionado tanto placer que decidí reservarme uno. No pudieron darme hora hasta la tarde, de modo que llamé al servicio de habitaciones y pedí un desayuno completo. Cuando el camarero llegó, yo ya lucía uno de los lujosos albornoces con zapatillas a juego, lista para disfrutar de la tortilla, los cruasanes, las madalenas, las patatas, los cereales y las crepes que desprendían un delicioso aroma. Tras devorarlo todo junto con dos tazas de expreso, volví a la cama, en la que todavía no había dormido debidamente, y me dormí con tal rapidez que me pregunté si alguien había puesto algo en el zumo de naranja.

El masaje fue la guinda de un día maravillosamente relajado. El resto de la gente estaba haciendo el trabajo por mí y Miranda solo me había despertado una vez —¡una vez!— para pedirme que le reservara una mesa para la comida del día siguiente. Esto no está tan mal, pensé mientras las fuertes y hábiles manos de la mujer amasaban los tensos y desdichados músculos de mi cuello. Justo cuando volvía a adormecerme, el móvil que de mala gana llevaba conmigo empezó a sonar.

—¿Diga? —Mi voz sonó enérgica, como si no estuviera tumbada en cueros sobre una mesa, cubierta de aceite y amodorrada.

—An-dre-aaa, cambia la cita con el peluquero y el maquillador, y comunica a la gente de Ungaro que esta noche no podré ir. Asistiré a una fiesta y espero que me acompañes. Te quiero lista dentro de una hora.

—Claro... claro —tartamudeé, y colgué mientras intentaba asimilar el hecho de que iba a salir con Miranda.

Recordé el día anterior —cuando me dijo en el último momento que debía acompañarla— y temí que me diera un soponcio. Di las gracias a la mujer, cargué el masaje a la habitación aunque solo había durado diez minutos y subí a toda prisa para decidir la manera de sortear ese nuevo obstáculo. Empezaba a estar harta.

Apenas tardé unos minutos en dar con el peluquero y el maquillador de Miranda (dicho sea de paso, no eran los míos. A mí me había tocado una mujer gruñona cuya mirada de desesperación la primera vez que me vio todavía me perseguía. Miranda, en cambio, tenía un par de gays que parecían recién salidos de las páginas de *Maxim*) y cambiarles la hora.

—Muy bien —aulló Julien con un fuerte acento francés—. Estaremos allí... ¿cómo decís?, en menos que canta un gallo. Hemos despejado nuestras agendas para esta semana por si madame Priestly nos necesita a horas diferentes.

Localicé de nuevo a Briget y le pedí que hablara con la gente de Ungaro. Había llegado el momento de atacar el ropero. La libreta con los diferentes «estilos» descansaba en un lugar destacado sobre la mesita de noche, a la espera de que una ignorante de la moda como yo la abriera en busca de orientación espiritual. Leí el título de los apartados y subapartados con la esperanza de entenderlos.

DESFILES

1. Día
2. Noche

COMIDAS

1. Desayuno
2. Comida
    a. Informal (hotel o cafetería)
    b. Formal (The Espadon, en el Ritz)
3. Cena
    a. Informal (cafetería, servicio de habitaciones)
    b. Intermedio (restaurante, cena informal)
    c. Formal (restaurante Le Grand Vefour, cena formal)

FIESTAS

1. Informal (desayunos con champán, té por la tarde)
2. Semielegante (cócteles de gente poco importante, fiestas literarias, copas)

3. Elegante (cócteles de gente importante, fiestas en museos o galerías, fiestas posdesfile del equipo del diseñador)

MISCELÁNEA

1. Hasta y desde el aeropuerto
2. Acontecimientos deportivos (lecciones, torneos, etc.)
3. Compras
4. Recados
   a. A salones de alta costura
   b. A tiendas y boutiques de diseño
   c. A supermercado y/o gimnasio y salón de belleza locales.

No había consejo alguno sobre qué ponerse cuando desconocías el grado de importancia de los anfitriones. Corría el riesgo de cometer un gran error. Podía catalogar el acto en el apartado de Fiestas, lo cual ya era algo, pero a partir de ahí la cosa se complicaba. ¿Era esa fiesta una «b», con lo que elegiría algo simplemente chic, o una «c», en cuyo caso debía decantarme por algo más elegante? No había instrucciones para los casos ambiguos, si bien alguien había escrito una nota de última hora debajo del índice que rezaba: «Cuando no estés segura (aunque siempre deberías estarlo), mejor vestir informal con algo fabuloso que elegante con algo fabuloso». Eso significaba que mi caso pertenecía a la categoría Fiesta y la subcategoría Semielegante. Consulté los seis conjuntos que Jocelyn me había dibujado en ese apartado y traté de imaginar con cuál me vería menos ridícula.

Tras una pelea especialmente vergonzosa con un cuerpo de plumas y unas botas de charol hasta el muslo, elegí el conjunto de la página 33, una falda vaporosa confeccionada con retales de Roberto Cavalli, un camiseta minúscula de Chloe y unas botas negras de ciclista de D&G. Un conjunto sexy y moderno —pero no demasiado elegante— que no me hacía parecer una avestruz, una carroza de los ochenta o una fulana. ¿Qué más podía pedir? Estaba buscando un bolso adecuado cuando la peluquera-maquilladora llegó para iniciar sus esfuerzos destinados a darme un aspecto la mitad de espantoso del que claramente me atribuía.

—¿Podría aligerarme la parte baja de los ojos? —pregunté con tiento para no ofenderla.

Habría preferido maquillarme sola, sobre todo porque disponía de más material e instrucciones que un constructor de naves espaciales, pero la Gestapo del Maquillaje había llegado con una puntualidad de reloj.

—¡No! —ladró, muy lejos de mostrar el mismo tiento que yo—. Así está mucho mejor.

Terminó de aplicar la espesa pintura en mis pestañas inferiores y desapareció con la misma rapidez con que había llegado. Cogí mi bolso Gucci de piel de cocodrilo y me dirigí al vestíbulo quince minutos antes de la hora prevista para comprobar que el conductor estaba preparado. Estaba consultando con Renuad si mi jefa preferiría que viajáramos en coches diferentes, para no tener que hablarme ni arriesgarse a pillar algo por compartir el asiento con su ayudante, cuando Miranda llegó. Me miró de arriba abajo, con suma lentitud, el semblante pasivo e indiferente. ¡Había aprobado! Por primera vez desde mi incorporación a *Runway* no había recibido una mirada de disgusto ni un comentario afilado, y para eso solo había necesitado un equipo completo de redactores de moda de Nueva York, un equipo de estilistas parisinos y una imponente selección de la ropa más cara y delicada del mundo.

—¿Ha llegado el coche, An-dre-aaa? —Estaba impresionante con su vestido corto de terciopelo fruncido.

—Sí, señora Priestly, por aquí —intervino monsieur Renuad.

En el vestíbulo había lo que parecía otro grupo de supermodernas superayudantes de moda estadounidenses que estaban allí para los desfiles. Guardaron un silencio reverente cuando pasamos por su lado, Miranda dos pasos por delante de mí, muy delgada, impresionante y con aspecto muy, muy infeliz. Casi me vi obligada a correr para seguir su ritmo a pesar de que era quince centímetros más baja que yo. Una vez fuera aguardé hasta que me clavó una mirada que significaba: «¿Y bien? ¿Qué demonios estás esperando?», y entré en la limusina después de ella.

Por fortuna el conductor sabía adónde íbamos, porque me

había pasado la última hora temiendo que Miranda se volviera hacia mí y me preguntara dónde era la fiesta. Se volvió hacia mí, pero no dijo nada y optó por charlar desde su móvil con MUSYC, a quien repitió varias veces que esperaba que el sábado llegara con mucho tiempo de antelación para cambiarse y tomar una copa antes de la gran fiesta. MUSYC tenía previsto viajar en el avión privado de su empresa, y ahora discutían sobre si debía llevar consigo a Caroline y Cassidy, pues él no pensaba regresar antes del lunes y Miranda no quería que las niñas se perdieran un día de colegio. No fue hasta que nos detuvimos frente a una casa de cinco pisos de una calle arbolada del Marais cuando me pregunté qué se suponía que debía hacer durante toda la noche. Miranda siempre procuraba no humillarnos en público a mí, a Emily y al resto del personal, lo cual indicaba —al menos hasta cierto punto— que sabía que la mayor parte del tiempo lo hacía. Por lo tanto, si no podía ordenarme que fuera a buscarle el café, le localizara a alguien por teléfono o llamara a la tintorería, ¿qué debía hacer?

—An-dre-aaa, esta fiesta la organiza una pareja de la que era amiga cuando vivía en París. Me pidieron que trajera conmigo a una ayudante para entretener a su hijo, que suele encontrar bastante tediosas estas reuniones. Estoy segura de que os llevaréis bien.

Aguardó a que el conductor le abriera la portezuela y se apeó grácilmente con sus perfectos Jimmy Choo de charol. Antes de que yo abriera la mía, ella ya había subido los tres escalones y tendía su abrigo al mayordomo, quien era evidente que había estado al tanto de su llegada. Me derrumbé sobre el suave cuero del asiento para intentar digerir el nuevo dato que con tanta frialdad me había transmitido Miranda. El pelo, el maquillaje, el cambio de programa, la consulta estresante de los dibujos, las botas de ciclista, todo para poder pasar la noche atendiendo al niño mimado de un matrimonio rico. Y para colmo, francés.

Me pasé tres minutos enteros recordándome que el *New Yorker* se hallaba a solo un par de meses, que mi año de servidumbre estaba a punto de terminar, que seguro que podía soportar otra noche tediosa para conseguir el trabajo de mis sueños. No funcionó. De repente sentí un deseo desesperado de ovillarme en el sofá de mis padres y pedir a mi madre que me hiciera un té en el microondas mientras papá sacaba el tablero de Scrabble. Jill e incluso Kyle vendría de visita con el pequeño Isaac, que balbucearía y sonreiría al verme, y Alex llamaría para decirme que me quería. A nadie le importaría que mis pantalones de chándal tuvieran manchas, que los dedos de mis pies no lucieran unas uñas perfectas o que me comiera un enorme y calórico bizcocho de chocolate. Ninguno de ellos sabría que al otro lado del Atlántico se estaban celebrando desfiles de moda y no tendrían el más mínimo interés en saberlo. Sin embargo, todo eso parecía increíblemente lejano, de hecho toda una vida, y ahora mismo tenía que vérmelas con una pandilla de gente que vivía y moría en las pasarelas. Por no mencionar al niño, mimado y gritón, que solo diría tonterías en francés.

Cuando por fin bajé de la limusina, el mayordomo ya no estaba. Se oía música de una orquesta en directo, y el olor a piñas se filtraba por una ventana situada sobre el pequeño jardín. Respiré hondo, y justo cuando tendía la mano hacia el pomo de la puerta esta se abrió. No me equivoco si digo que jamás, jamás en mi joven vida, me he llevado una sorpresa tan grande como la de esa noche: delante tenía a Christian, sonriente.

—Andy, cariño, cómo me alegro de que hayas venido —dijo antes de inclinarse y besarme en la boca, acto algo íntimo teniendo en cuenta que estaba abierta por la sorpresa.

—¿Qué haces aquí?

Sonrió y se apartó el eterno rizo de la frente.

—¿No debería preguntarte yo lo mismo? Tengo la sensación de que me sigues a todas partes. Empiezo a sospechar que quieres acostarte conmigo.

Me sonrojé y, como era una dama, solté un bufido.

—Más o menos. En realidad no he venido como invitada, solo soy una canguro muy bien vestida. Miranda me pidió que la acompañara y no me dijo hasta el último segundo que tenía que vigilar al hijo mocoso de los anfitriones. De modo que, si me disculpas, voy a asegurarme de que tiene toda la leche y los lápices que necesita.

—Oh, el hijo está perfectamente y tengo la certeza de que lo único que necesita esta noche es otro beso de su canguro.

Tomó mi cara entre sus manos y volvió a besarme. Abrí la boca para protestar, para preguntarle qué demonios estaba pasando, pero él lo interpretó como entusiasmo y deslizó la lengua en ella.

—¡Christian! —susurré, preguntándome cuánto tardaría Miranda en despedirme si me pillaba morreándome con un invitado a la fiesta—. ¿Qué coño haces? ¡Suéltame!

Me retorcí hasta liberarme, pero él siguió esbozando esa sonrisa tan irritantemente adorable.

—Andy, como veo que te cuesta pillarlo, te daré una pista. Esta es mi casa. Mis padres son los anfitriones de la fiesta y yo fui lo bastante astuto para hacer que pidieran a tu jefa que te trajera. ¿Te dijo ella que yo era un crío o simplemente lo supusiste?

—Bromeas. Dime que estás bromeando, por favor.

—No. ¿No te parece gracioso? En vista de que nunca consigo cazarte, pensé que este método funcionaría. Mi madrastra y Miranda eran amigas cuando tu jefa trabajaba para el *Runway* francés. Es fotógrafa y siempre hace reportajes para ellos. Por lo tanto, solo tuve que pedirle que dijera a Miranda que a su solitario hijo le gustaría un poco de compañía en forma de una ayudante atractiva. Me ha salido redondo. Vamos a pedirte una copa.

Me puso una mano en la cintura y me condujo hasta una enorme barra de caoba que había en el salón, atendida por tres camareros uniformados que distribuían martinis, whiskies y elegantes copas de champán.

—A ver si lo he entendido bien: ¿no tengo que cuidar de nadie esta noche? ¿No tienes un hermano pequeño ni nada que se le parezca?

No me cabía en la cabeza que hubiese acudido a una fiesta con Miranda Priestly y no tuviera otra responsabilidad en toda la noche que entretenerme con un Escritor Inteligente y Guapísimo. Tal vez me hubieran invitado porque querían que distrajera a los presentes bailando o cantando, o porque les faltaban camareras y pensaron que yo era una buena solución de última hora. O tal vez acabaría en el guardarropía, sustituyendo a la chica que lo atendía con cara de cansancio y aburrimiento. Mi mente se negaba a tragarse la historia de Christian.

—Yo no he dicho que no tengas que cuidar de nadie en toda la noche, porque presiento que voy a necesitar muchos cuidados. De todos modos, creo que esta noche te lo pasarás mejor de lo que habías previsto. Espera aquí.

Me besó en la mejilla y desapareció entre la multitud de mujeres y hombres distinguidos, de entre cuarenta y cincuenta y cinco años; parecía una mezcla de banqueros y gente del mundo editorial con algunos diseñadores, fotógrafos y modelos añadidos para dar el equilibrio justo. Al fondo había un elegante patio de piedra, iluminado con velas blancas, donde un violinista tocaba música suave. Me asomé y enseguida reconocí a Anna Wintour, que estaba absolutamente radiante con un vestido de seda de color crema y unas sandalias Manolo de cuentas. Charlaba animadamente con un hombre que supuse era su novio, aunque las enormes gafas de sol Chanel de Anna me impedían adivinar si estaba contenta, aburrida o triste. A la prensa le encantaba comparar los comportamientos y actitudes de Anna y Miranda, pero a mí me era imposible creer que pudiera haber alguien tan insoportable como mi jefa.

Detrás de ella había un grupo de mujeres que supuse eran redactoras de *Vogue,* las cuales la miraban con cautela y cansancio, como nuestras ayudantes de moda miraban a Miranda, y al lado había una chillona Donatella Versace. Llevaba tanto maquillaje en la cara y la ropa tan sorprendentemente ceñida que parecía una caricatura de sí misma. Como la primera vez que visité Suiza y no pude evitar pensar lo mucho que se parecía a la maqueta de EPCOT, Donatella se parecía más al personaje que la imita en *Saturday night live* que a ella misma.

Bebí champán (¡y pensaba que no iba a probarlo!) y charlé con un italiano —el primer italiano feo que veía en mi vida— que me habló en prosa florida sobre lo mucho que apreciaba el cuerpo femenino, hasta que Christian reapareció.

—Oye, ven un momento conmigo —dijo, y de nuevo me condujo entre los invitados con suma habilidad.

Vestía su uniforme: unos Diesel perfectamente gastados, camiseta blanca, chaqueta informal oscura y mocasines Gucci.

—¿Adónde vamos? —pregunté manteniendo la mirada apartada de Miranda, quien, por mucho que dijera Christian, probablemente todavía esperaba que estuviera desterrada en un rincón, enviando faxes o poniendo al día el horario.

—En primer lugar, vamos a pedirte otra copa y puede que otra para mí. Luego te enseñaré a bailar.

—¿Qué te hace pensar que no sé? De hecho soy una bailarina muy dotada.

Me tendió una copa de champán que me pareció caída del cielo y me llevó hasta el salón de sus padres, decorado en preciosos tonos castaños. Una orquesta de seis músicos tocaba música *hip* y las dos docenas de invitados menores de treinta y cinco años se habían congregado allí. De pronto, la banda empezó a tocar «Let's get it on», de Marvin Gaye, y Christian me atrajo hacia sí. Olía a colonia masculina pija, algo de la vieja escuela como Polo Sport. Sus caderas se movían con naturalidad al son de la música. Nos deslizábamos por la pista de baile mientras él me cantaba al oído. El resto de la sala se tornó borrosa, apenas era consciente de la presencia de otros bailarines y alguien estaba proponiendo un brindis por algo, pero en ese momento lo único nítido era Christian. En algún lugar remoto de mi mente algo me recordaba con insistencia que ese cuerpo pegado a mí no era el de Alex, pero no me importaba. Ahora no, esta noche no.

Era más de la una cuando recordé que había ido allí con Miranda. Hacía horas que no la veía y tuve el convencimiento de que se había olvidado de mí y había regresado al hotel. Sin embargo, cuando finalmente me arranqué del sofá del estudio, la vi hablar animadamente con Karl Lagerfeld y Gwyneth Paltrow, los tres aparentemente ajenos al hecho de que en pocas horas tendrían que asistir al desfile de Christian Dior. Dudaba entre acercarme o no cuando ella me vio.

—¡An-dre-aaa, ven aquí! —indicó con una voz casi alegre por

encima del bullicio de la fiesta, que se había animado considerablemente en las últimas horas.

Alguien había atenuado la iluminación y era obvio que los sonrientes camareros habían cuidado bien de los invitados. En mi estado de aturdimiento producido por el champán, la irritante pronunciación de mi nombre ni siquiera me molestó. Aunque pensaba que la noche no podía ser mejor, era evidente que me había llamado para presentarme a sus célebres amigos.

—¿Sí, Miranda? —triné con mi tono más zalamero de gracias-por-haberme-traído-a-esta-fabulosa-fiesta.

No se dignó mirarme.

—Pídeme un Pellegrino y ve a ver si el chófer está fuera. Estoy lista para irme.

Dos mujeres y un hombre que había al lado rieron con disimulo, y noté que me ruborizaba.

—Muy bien. Volveré enseguida.

Pedí el agua, que Miranda aceptó sin un gracias, y me abrí paso entre la gente hasta el coche. Pensé en buscar a los padres de Christian para darles las gracias, pero descarté la idea y fui directa a la puerta, donde encontré a Christian apoyado contra el marco, con cara de satisfacción.

—Y bien, mi pequeña Andy, ¿te lo he hecho pasar bien esta noche? —preguntó arrastrando ligeramente las palabras, y me pareció increíblemente adorable.

—No ha estado mal.

—¿No ha estado mal? Yo diría que te habría gustado que te llevara a la habitación de arriba, ¿no? Todo a su debido tiempo, amiga mía, todo a su debido tiempo.

Le golpeé juguetonamente el brazo.

—No estés tan seguro, Christian. Da las gracias a tus padres de mi parte. —Y por una vez me adelanté y le besé en la mejilla—. Buenas noches.

—¡Una provocadora! —exclamó, arrastrando las palabras un poco más—. Eres una pequeña provocadora. Seguro que a tu novio le encanta, ¿verdad?

Sonrió, y no de forma cruel. Para él todo eso formaba parte

del juego de la seducción, pero la referencia a Alex me serenó un instante, el tiempo suficiente para caer en la cuenta de que esa noche me había divertido como no lo hacía en muchos años. El champán, el baile, sus manos sobre mi espalda cuando me apretaba contra su cuerpo me habían hecho sentir más viva que todos los meses que llevaba trabajando en *Runway*, meses llenos únicamente de frustración, humillación y un cansancio paralizador. Tal vez por eso lo hacía Lily, pensé. Los tíos, las fiestas, el puro gozo de sentirse joven y viva. Estaba impaciente por llamarla y contárselo.

Miranda subió a la limusina cinco minutos más tarde y hasta parecía contenta. Me pregunté si estaba algo achispada, pero enseguida descarté esa posibilidad: lo máximo que le había visto beber era un sorbo de esto o aquello, y solo porque la situación lo exigía. Ella prefería Perrier o Pellegrino al champán y desde luego un batido o un café con leche a un Cosmo, de modo que las probabilidades de que estuviera borracha eran nulas.

Después de interrogarme sobre el horario del día siguiente durante los primeros cinco minutos de trayecto (por fortuna yo había guardado una copia en el bolso), se volvió y me miró por primera vez en toda la noche.

—Emily, esto... An-dre-aaa, ¿cuánto tiempo llevas trabajando para mí?

Lo dijo así, sin más, y mi mente no fue lo bastante rápida para dilucidar el motivo de tan inesperada pregunta. Se me hacía raro ser el objeto de una pregunta de Miranda que no tuviera como propósito averiguar por qué era tan idiota por no encontrar, recoger o enviar algo con la suficiente diligencia. Jamás me había preguntado nada sobre mi vida. A menos que Miranda recordara los detalles de nuestra entrevista de trabajo —algo improbable teniendo en cuenta que me había mirado con pasmo la primera vez que me vio en la oficina—, ignoraba en qué *college* había estudiado, dónde vivía —si es que vivía— en Manhattan y qué hacía —si es que hacía algo— durante las pocas horas del día que no estaba dando vueltas alrededor de ella. Aunque la pregunta también incluía a Miranda, intuía que quizá, solo quizá, la conversación podría versar sobre mí.

—El mes que viene hará un año, Miranda.

—¿Y crees que has aprendido cosas que podrían ayudarte en el futuro?

Me miró atentamente y suprimí la tentación de bombardearla con todas las cosas que había «aprendido»: cómo encontrar una tienda en una ciudad o la crítica de un restaurante en una docena de periódicos sin apenas pistas sobre su origen; cómo complacer a chicas apenas adolescentes que ya habían tenido más experiencias en la vida que mis padres juntos; cómo rogar, gritar, persuadir, presionar, seducir o engatusar a la gente, desde el inmigrante repartidor de comida hasta el director de una editorial de renombre, para conseguir lo que necesitaba cuando lo necesitaba y, naturalmente, cómo superar casi cualquier reto en menos de una hora porque las expresiones «no sé cómo» y «no es posible» no eran opciones. Había sido un año muy enriquecedor.

—Oh, por supuesto —farfullé—. He aprendido más en un año trabajando para ti de lo que habría aprendido en cualquier otro empleo. Ha sido fascinante ver cómo funciona una revista importante, la más importante, su proceso de producción y el cometido de cada departamento. Y, naturalmente, he tenido la oportunidad de ver cómo lo diriges todo y las decisiones que tomas. Ha sido un año asombroso. Te estoy muy agradecida, Miranda.

Agradecida también de que, desde hacía varios meses, me dolieran dos muelas pero no tuviera tiempo para ir al dentista. Mis profundos conocimientos sobre el arte de Jimmy Choo merecían tanto dolor.

¿Podía sonar eso creíble? La miré de reojo y vi que asentía gravemente con la cabeza.

—El caso, An-dre-aaa, es que si después de un año mis chicas han hecho bien su trabajo las considero listas para un ascenso.

El corazón me dio un vuelco. ¿Estaba ocurriendo al fin? ¿Iba a decirme ahora que se había adelantado y me había asegurado un puesto en el *New Yorker*? Qué importaba que ella no supiera que yo mataría por trabajar allí, tal vez lo había supuesto porque se preocupaba por mí.

—Tengo mis dudas sobre ti, como es lógico. No creas que no he notado tu falta de entusiasmo o esos suspiros y muecas que haces cuando te ordeno algo que no te apetece hacer. Solo espero que sea un síntoma de tu inmadurez, puesto que pareces bastante competente en otras áreas. ¿Qué te interesa hacer exactamente?

¡Bastante competente! Me sentía como si hubiera declarado que yo era la mujer más inteligente, sofisticada, encantadora y capaz que había conocido en su vida. ¡Miranda Priestly acababa de decirme que era bastante competente!

—Bueno, no es que no me guste la moda, porque claro que me gusta. ¿A quién no? —me apresuré a decir evaluando detenidamente la expresión de su cara, que, como siempre, permanecía impasible—. Pero siempre he soñado con ser escritora y esperaba poder explorar ese campo.

Cruzó las manos sobre el regazo y miró por la ventanilla. Era evidente que esa conversación de cuarenta y cinco segundos empezaba a aburrirla, de modo que tenía que actuar con rapidez.

—No tengo la menor idea de si sabes escribir, pero no me opongo a que escribas algunos artículos cortos para la revista a fin de descubrirlo. Quizá una crítica de teatro o una pequeña crónica en la sección de sociedad, siempre y cuando no interfiera en tus responsabilidades y lo hagas únicamente en tu tiempo libre, claro.

—Claro, claro. Eso sería maravilloso. —Estábamos hablando, comunicándonos, y aún no habíamos mencionado las palabras «desayuno» ni «tintorería». La cosa iba demasiado bien para no sacarle partido, así que dije—: Mi sueño es trabajar algún día en el *New Yorker*.

Eso pareció llamarle la atención y volvió a mirarme con detenimiento.

—¿Cómo es posible que quieras eso? Es un mundo sin glamour donde solo hay chiflados.

Ignoraba si la pregunta requería una respuesta, así que fui a lo seguro y mantuve la boca cerrada.

Me quedaban como mucho veinte segundos, en primer lugar porque nos acercábamos al hotel, y en segundo lugar porque el interés de Miranda por mí empezaba a desvanecerse. Estaba consultando las llamadas hechas a su móvil, a pesar de lo cual comentó de forma despreocupada:

—Mmm, el *New Yorker*. Condé Nast. —Yo asentía enérgicamente, pero ella no me miraba—. Como es lógico, conozco a mucha gente allí. Según cómo transcurra el resto del viaje, podría hacerles una llamada cuando volvamos.

El coche se detuvo en la entrada y monsieur Renuad, que parecía agotado, se adelantó al portero que se había inclinado abrir la portezuela.

—¡Damas, espero que hayan tenido una velada agradable! —trinó esforzándose por sonreír pese al cansancio.

—Necesitaremos el coche mañana a las nueve para ir al desfile de Christian Dior. Tengo una reunión con desayuno a las ocho y media. Asegúrese de que no me molesten hasta entonces —ladró Miranda.

La humanidad que había mostrado en el coche se evaporó como el agua en una acera caliente. Antes de que pudiera pensar en la forma de terminar la conversación o, al menos, agradecerle un poco más el haberla tenido siquiera, Miranda caminó hasta los ascensores y desapareció en uno de ellos. Dirigí una mirada de solidaridad a monsieur Renuad y entré en otro.

Los bombones dispuestos elegantemente en una bandeja de plata sobre mi mesita de noche fueron la guinda de una velada perfecta. En una noche inesperada me había sentido como una modelo, había estado acompañada de uno de los tíos más impresionantes que había visto en persona, y Miranda Priestly me había dicho que era bastante competente. Parecía que todo empezaba a cuajar, que el año de sacrificio mostraba los primeros signos de haber merecido la pena. Me derrumbé sobre la colcha, todavía vestida, y contemplé el techo, incapaz de creer que había dicho a Miranda Priestly que quería trabajar en el *New Yorker* y que ella no había prorrumpido en carcajadas. O gritado. O alucinado. Ni siquiera se había burlado ni me había dicho que estaba loca por no querer un ascenso dentro de *Runway*. Era como si —y tal vez no sean más que meras suposiciones, pero no lo creo— me hubiera escuchado y comprendido.

Comprendido y aceptado. Era tan sorprendente que me costaba entenderlo.

Me desvestí lentamente, decidida a saborear cada minuto de esa noche, recordando una y otra vez la forma en que Christian me había llevado de habitación en habitación y guiado por la pista de baile, la forma en que me había mirado a través de esos párpados entrecerrados con el insistente rizo, la forma en que Miranda había asentido imperceptiblemente cuando le dije que lo que de verdad quería era escribir. Una noche realmente gloriosa, pensé, una de las mejores en los últimos tiempos. Eran las tres y media en París, o sea, las nueve y media de la noche en Nueva York, una hora perfecta para pillar a Lily antes de que saliera. Aunque hubiera debido marcar el número antes de tener en cuenta la lucecita intermitente que me anunciaba —sorpresa, sorpresa— que tenía mensajes, cogí un bloc del Ritz y me dispuse a transcribirlos. Seguro que serían largas listas de peticiones irritantes de gente irritante, pero nada podía robarme mi noche de Cenicienta.

Los tres primeros eran de monsieur Renuad y sus ayudantes para confirmar los chóferes y las citas del día siguiente. Siempre se acordaban de desearme buenas noches, como si yo fuera una persona en lugar de una esclava, lo cual era de agradecer. Entre el tercer y el cuarto mensaje me descubrí deseando y no deseando que uno de ellos fuera de Alex, así que me alegré y me inquieté cuando oí su voz.

«Hola, Andy, soy yo, Alex. Oye, lamento molestarte porque imagino que estás muy ocupada, pero tengo que hablar contigo, así que, por favor, llámame al móvil en cuanto recibas este mensaje. No importa la hora, llámame sin falta, ¿de acuerdo? Adiós.»

Qué extraño que no hubiera dicho que me quería, añoraba o estaba deseando que volviera, aunque supongo que esas cosas pertenecen a la categoría de «inadecuadas» cuando dos personas deciden «darse un descanso». Borré el mensaje y decidí, arbitrariamente, que la falta de urgencia en su voz significaba que mi respuesta podía esperar hasta el día siguiente. No podía afrontar una larga conversación sobre «el estado de nuestra relación» a las tres de la madrugada después de la maravillosa velada que había tenido.

El último mensaje era de mi madre, y también me pareció extraño y ambiguo. «Hola, cariño, soy mamá. Aquí son las ocho, ignoro qué hora es para ti. Oye, no te inquietes, todo va bien, pero me gustaría que nos llamaras en cuanto oigas esto. Papá y yo todavía estaremos levantados un buen rato, así que puedes llamarnos cuando quieras, pero mucho mejor esta noche que mañana. Ambos esperamos que lo estés pasando de maravilla. Hablaremos más tarde. ¡Te queremos!»

Qué extraño. Alex y mi madre me habían telefoneado a París antes de que yo hubiera tenido la oportunidad de llamarles, y ambos me pedían que me pusiera en contacto con ellos a la hora que fuera. Teniendo en cuenta que para mis padres trasnochar significaba estar despiertos para el monólogo inicial de Letterman, supe que había ocurrido algo. Por otro lado, no parecían nerviosos ni preocupados. Lo mejor sería que me diera un baño de burbujas con algunos de los productos del Ritz y reuniera energías para telefonearlos. La noche había sido demasiado agradable para estropearla hablando con mi madre de alguna nimiedad o con Alex de «nuestra situación».

El baño fue tan caliente y lujoso como cabía esperar de la suite menor contigua a la suite Coco Chanel del Ritz de París, y dediqué unos minutos más a untarme la aromática crema hidratante del tocador por todo el cuerpo. Finalmente, envuelta en el albornoz más suave que había tocado en mi vida, me senté junto al teléfono. De manera instintiva llamé primero a mi madre, lo cual fue probablemente un error: hasta su «diga» sonó preocupado.

—Hola, soy yo. ¿Va todo bien? Pensaba llamaros mañana porque no he tenido ni un minuto libre, ¡pero espera a que te cuente la noche de hoy!

Tenía previsto omitir todo comentario romántico referido a Christian porque aún no les había hablado de mi situación con Alex, pero sabía que les encantaría oír que Miranda había reaccionado bien cuando saqué el tema del *New Yorker*.

—Cariño, lamento interrumpirte, pero ha ocurrido algo. Nos han llamado del hospital Lenox Hill, que está en la calle Setenta y siete, creo. Por lo visto Lily ha tenido un accidente.

Aunque sea una expresión estereotipada, el corazón se me paró.

—¿Qué? ¿De qué estás hablando? ¿Qué clase de accidente?

Mamá procuraba emplear un tono tranquilo y un discurso lógico, siguiendo sin duda el consejo de mi padre de que me transmitiera una sensación de calma y control.

—Un accidente de coche, cariño, me temo que bastante grave. Lily iba al volante y le acompañaba un compañero de universidad. Por lo visto giró por una calle de dirección contraria y chocó contra un taxi a casi ochenta kilómetros por hora. El agente de policía con el que hablé dijo que era un milagro que estuviera viva.

—¿Cuándo ocurrió? ¿Se pondrá bien? —Había empezado a llorar, pues, por mucha serenidad que intentara transmitirme mi madre, percibía la gravedad de la situación en la cuidada selección de sus palabras—. Mamá, ¿dónde está ahora mismo Lily? ¿Se pondrá bien?

Fue en ese momento cuando me percaté de que ella también estaba llorando.

—Andy, te paso a papá. Habló hace poco con los médicos. Te quiero, cariño. —Esto último sonó como un aullido.

—Hola, cariño, ¿cómo estás? Lamento tener que llamarte con una noticia como esta.

La voz de mi padre era profunda y tranquilizadora, y tuve la fugaz impresión de que todo saldría bien. Seguro que iba a decirme que Lily se había roto una pierna, quizá un par de costillas, y que habían avisado a un buen cirujano plástico para que le tratara algunos arañazos en la cara. Seguro que se pondría bien.

—Papá, cuéntame qué ha ocurrido exactamente, por favor. Mamá dice que Lily estaba conduciendo a mucha velocidad y chocó contra un taxi. No entiendo nada. Lily no tiene coche y no le gusta conducir, jamás se pasearía por Manhattan al volante. ¿Cómo os enterasteis? ¿Quién os llamó? ¿Y cómo se encuentra?

Estaba al borde de la histeria. En cambio, la voz de papá volvió a sonar firme y serena.

—Respira hondo y te contaré todo lo que sé. El accidente ocurrió ayer, pero no nos hemos enterado hasta hoy.

—¡Ayer! ¿Cómo es posible que ocurriera ayer y nadie me llamara? ¿Ayer?

—Cariño, te llamaron. El médico me contó que Lily te había puesto en su agenda como contacto en casos de urgencia, dado que su abuela está delicada. Supongo que los del hospital te llamaron a casa y al móvil pero, lógicamente, no te encontraron y dejaron un mensaje. En vista de que habían pasado veinticuatro horas sin que nadie se pusiera en contacto con ellos, consultaron la agenda de Lily y se dieron cuenta de que nosotros teníamos el mismo apellido que tú, de modo que nos llamaron para ver si sabíamos cómo dar contigo. Mamá y yo no recordábamos el nombre de tu hotel y telefoneamos a Alex para que nos lo dijera.

—Dios mío, ha pasado un día entero. ¿Ha estado sola todo este tiempo? ¿Sigue en el hospital?

No paraba de hacer preguntas, pero tenía la sensación de que no recibía ninguna respuesta. Lo único que sabía era que Lily me había elegido como la persona primordial en su vida, el contacto para casos de urgencia que anotas en la agenda pero nunca te tomas en serio. Y justo cuando me había necesitado —de hecho, no tenía a nadie más— yo no había estado localizable. El llanto había amainado, pero las lágrimas continuaban rodando con rabia por mis mejillas y sentía la garganta como si la hubieran raspado con una piedra pomez.

—Sí, sigue en el hospital. Seré muy sincero contigo, Andy. No estoy seguro de que vaya a salir de esta.

—¿Qué? ¿Qué estás diciendo? ¿Puede alguien ser más específico?

—Cariño, he hablado media docena de veces con el médico y tengo la certeza de que Lily está muy bien atendida, pero se halla en coma. El médico me ha asegurado que...

—¿En coma? ¿Lily está en coma? —No entendía nada, las palabras se negaban a cobrar sentido.

—Cariño, tranquilízate. Sé que es un fuerte golpe y lamento que hayas tenido que enterarte por teléfono. Consideramos la posibilidad de no contártelo hasta que regresaras pero, como todavía falta una semana y media, pensamos que tenías derecho a saberlo. También has de saber que mamá y yo hacemos todo lo posible para que Lily reciba la mejor atención. Sabes que siempre ha sido como una hija para nosotros, así que no estará sola.

—Dios mío, tengo que volver a casa, papá. ¡Tengo que volver a casa! Lily solo me tiene a mí y estoy al otro lado del Atlántico. Pero, joder, la fiesta es pasado mañana; es la única razón por la que Miranda me trajo y me despedirá si no asisto. ¡Piensa! ¡Necesito pensar!

—Andy, es muy tarde. Creo que lo mejor es que duermas un poco y reflexiones antes de tomar una decisión. Sabía que querrías volver a casa enseguida, porque tú eres así, pero ten en cuenta que ahora Lily está inconsciente. El médico me aseguró que existen muchas probabilidades de que salga del coma entre las próximas cuarenta y ocho y setenta y dos horas, que su cuerpo está aprovechando este largo sueño para recuperarse, pero no hay nada seguro.

—Y si sale del coma, ¿qué probabilidades hay de que sufra alguna parálisis o lesión cerebral? Dios, no lo soporto.

—Todavía no lo saben. Dicen que responde a los estímulos en los pies y las piernas, lo cual es un buen indicio de que no hay parálisis, pero tiene la cabeza muy hinchada y no podrán saber nada con certeza hasta que despierte. Solo nos queda esperar.

Hablamos unos minutos más antes de que yo colgara bruscamente para llamar al móvil de Alex.

—Soy yo. ¿La has visto? —pregunté sin siquiera un hola. Me había convertido en una mini-Miranda.

—Hola, Andy, así que ya lo sabes.

—Sí, acabo de hablar con mis padres. ¿La has visto?

—Sí, ahora mismo me encuentro en el hospital. No me dejan entrar en su habitación porque ya ha acabado el horario de visitas y no soy pariente, pero quería estar aquí por si despierta. —Alex parecía muy distante, totalmente absorto en sus pensamientos.

—¿Qué ocurrió? Mamá dice que estaba conduciendo y chocó contra un taxi, pero eso no tiene sentido.

—Buf, es una pesadilla. —Suspiró, evidentemente molesto porque nadie me hubiera contado aún la historia—. No estoy seguro de saberlo con exactitud, pero hablé con el tío que iba con Lily en el coche. ¿Te acuerdas de Benjamin, el tipo con el que salía cuando estudiábamos segundo en el *college* y al que pilló haciendo un trío con aquellas chicas?

—Claro, ahora trabaja en mi edificio y a veces me lo encuentro. ¿Qué demonios hacía Lily con él? Siempre le ha odiado.

—Eso pensaba yo, pero por lo visto últimamente quedaban de vez en cuando y anoche salieron juntos. Benjamin me contó que tenían entradas para ver a Phish en el Nassau Coliseum y fueron en coche. Supongo que fumó demasiado, decidió que no podía conducir de vuelta a casa y Lily se ofreció. Regresaron a la ciudad sin problemas hasta que Lily se saltó un semáforo en rojo y giró por Madison en contra dirección. Chocaron contra un taxi por el lado del conductor y, bueno… ya te imaginas.

Alex había empezado a sollozar y sospeché que la situación era más grave de lo que me habían hecho creer.

Llevaba media hora haciendo preguntas —a mamá, a papá y ahora a Alex—, pero todavía no había osado hacer la más importante: ¿por qué Lily se había saltado un semáforo en rojo e intentado conducir en dirección sur por una avenida por la que solo se circulaba en dirección norte? No obstante, no me hizo falta, pues Alex, como siempre, sabía exactamente qué estaba pensando.

—Andy, su concentración etílica en la sangre era casi el doble del límite permitido. —Pronunció las palabras con fuerza, procurando no tartamudear para que no le pidiera que las repitiera.

—Dios.

—Si... cuando despierte, tendrá que hacer frente a algo más que su salud. Está metida en un buen lío. Por suerte, el taxista solo se hizo algunos rasguños, y Benjamin tiene la pierna izquierda destrozada pero se pondrá bien. Solo nos queda tener noticias de Lily. ¿Cuándo vienes?

—¿Qué?

Todavía intentaba digerir el hecho de que Lily hubiera estado saliendo con un tío que yo siempre había creído que odiaba, de que se hallara en coma porque había estado totalmente borracha cuando se encontraba con él.

—Te he preguntado que cuándo vienes. —Como no respondía, Alex prosiguió—. Vas a venir, ¿no? No estarás pensando en quedarte ahí mientras tu mejor amiga yace en una cama de hospital, ¿verdad?

—¿Qué insinúas, Alex? ¿Insinúas que es culpa mía porque no lo vi venir? ¿Que Lily está en el hospital porque me encuentro en París? ¿Que si hubiera sabido que volvía a salir con Benjamin nada de esto habría sucedido? ¿Qué? ¿Qué estás insinuando exactamente? —vociferé.

Las confusas emociones de la noche hervían en mi interior y me hacían gritar.

—Yo no he dicho nada de eso; lo dices tú. Simplemente daba por hecho que vendrías lo antes posible para estar a su lado. No te estoy juzgando, Andy, lo sabes. Ahora es muy tarde para ti y no hay nada que puedas hacer en las próximas dos horas. ¿Por qué no duermes un poco y me llamas cuando tengas la información de tu vuelo? Te iré a recoger al aeropuerto y podremos ir directos al hospital.

—De acuerdo. Gracias por estar a su lado, te lo agradezco de veras y sé que Lily también. Te llamaré cuando sepa qué voy a hacer.

—Muy bien, Andy. Te echo de menos. Y sé que harás lo que debes.

La comunicación se cortó antes de que pudiera protestar por la última frase.

¿Hacer lo que debía? ¿Lo que debía? ¿Qué demonios significaba eso? Me molestaba que Alex hubiera dado por hecho que subiría a un avión y regresaría a casa solo porque él me lo dijera. Me molestaba ese tono condescendiente y sermoneador que enseguida me hizo sentir como uno de sus alumnos de segundo al que habían pillado hablando en clase. Me molestaba que fuera él quien estuviera con Lily cuando ella era mi mejor amiga, que fuera él quien hiciera de enlace entre mis padres y yo, que estuviera nuevamente sentado sobre su moral elevada llevando la batuta. Lejos quedaban los tiempos en que podría haber colgado el teléfono reconfortada por sus palabras, por saber que estábamos juntos en una situación difícil e íbamos a superarla juntos en lugar de ser facciones beligerantes. ¿En qué momento habían cambiado las cosas?

No tenía energía para hacerle ver que si volvía a casa me despedirían de inmediato y mi año de servidumbre habría sido en vano. Un pensamiento atroz que hasta ese momento había conseguido reprimir brotó al fin en mi mente: mi presencia o mi ausencia no significarían absolutamente nada para Lily porque estaba inconsciente en una cama de hospital. Las opciones giraban velozmente en mi cabeza. Quizá debería quedarme el tiempo necesario para ayudar a organizar la fiesta y luego explicar a Miranda lo ocurrido y pedir clemencia. O, si Lily despertaba, alguien podría explicarle que volvería lo antes posible, probablemente en un par de días. Aunque todo eso me sonaba razonable a esas horas de la madrugada, después de una noche bailando, de muchas copas con burbujas y de una llamada de mis padres para decirme que mi mejor amiga estaba en coma por conducir borracha, en el fondo sabía que no lo era.

—An-dre-aaa, comunica a Horace Mann que las niñas no irán a clase el lunes porque estarán en París conmigo, y asegúrate de conseguir una lista con todas las tareas que tendrán que recuperar. Retrasa la cena de esta noche a las ocho y media y, si ponen alguna pega, cancélala. ¿Has encontrado ese libro que te pedí ayer? Necesito cuatro ejemplares, dos en francés y dos en inglés, antes de reunirme con ellos en el restaurante. Ah, y quiero una copia final del menú de la fiesta de mañana para meditar sobre los cambios que hice. Asegúrate de que no haya sushi, ¿me oyes?

—Sí, Miranda —contesté mientras lo anotaba todo tan deprisa como podía en la libreta Smythson que el departamento de complementos había añadido a mi colección de bolsos, zapatos, cinturones y joyas.

Estábamos en el coche, camino del desfile de Dior —mi primer desfile—, y Miranda escupía instrucciones sin tener en cuenta que yo había dormido menos de dos horas.

Uno de los conserjes de monsieur Renuad había llamado a mi puerta a las 6.45 a fin de asegurarse de que me vestía a tiempo para asistir al desfile con Miranda, que había decidido seis minutos antes que deseaba mi presencia. El joven tuvo el detalle de pasar por alto el hecho de que había dormido sobre la colcha de mi cama y no había apagado las luces. Disponía de veinticinco minutos para ducharme, consultar el cuaderno de dibujos, vestirme y maquillarme yo sola, pues la mujer encargada de acicalarme no tenía programado presentarse tan pronto.

Desperté con una ligera jaqueca producida por el champán, pero la verdadera punzada de dolor se produjo cuando recordé las llamadas de teléfono. ¡Lily! Debía hablar con Alex o mis padres para saber si había sucedido algo durante las dos últimas horas —caray, tenía la sensación de que había transcurrido una semana—, pero no tenía tiempo.

Cuando el ascensor llegó a la planta baja, había decidido que me quedaría dos días más, dos días atroces, para asistir a la fiesta, y luego regresaría a casa, junto a Lily. Quizá pidiera incluso unos días de permiso tras la vuelta de Emily para estar a su lado, ayudarla a recuperarse y hacer frente a las inevitables consecuencias del accidente. Mis padres y Alex se mantendrían al frente de la situación hasta que yo llegara. Lily no estaba sola, me dije. Y se trataba de mi vida. Mi carrera profesional, todo mi futuro, pendía de un hilo, y no creía que dos días significaran algo para alguien que seguía inconsciente. Sin embargo, para mí —y para Miranda— significaban mucho.

No sé cómo, pero había conseguido llegar al asiento trasero de la limusina antes que Miranda, y aunque esta tenía la mirada clavada en mis pantalones de cuero, todavía no había hecho ningún comentario sobre mi atuendo. Acababa de introducir mi libreta Smythson en el bolso Bottega Venetta cuando me sonó el móvil internacional. Caí en la cuenta de que nunca había sonado en presencia de Miranda e hice ademán de apagarlo, pero ella me ordenó que contestara.

—¿Diga? —pregunté mientras miraba de reojo a Miranda, que hojeaba el horario del día para hacer ver que no escuchaba.

—Hola, cariño. —Papá—. Solo quería ponerte al día.

—Muy bien. —Procuré decir lo mínimo, pues me resultaba muy extraño hablar por teléfono en presencia de Miranda.

—El médico acaba de llamar para decirme que Lily está dando muestras de que podría salir del coma muy pronto. ¿No es estupendo? He pensado que te gustaría saberlo.

—Es estupendo.

—¿Has decidido ya si vienes?

—No, todavía no. Miranda ofrece una fiesta mañana por la noche y necesitará mi ayuda, así que... Oye, papá, lo siento mucho, pero ahora no es un buen momento para hablar. ¿Puedo llamarte más tarde?

—Claro, cuando quieras. —Trató de adoptar un tono alegre, pero percibí la decepción en su voz.

—Gracias por llamar. Adiós.

—¿Quién era? —preguntó Miranda sin levantar la vista del horario.

Había empezado a llover y el martilleo de las gotas contra la limusina casi ahogaba su voz.

—¿Eh? Oh, mi padre, desde Estados Unidos.

¿Por qué había dicho eso? ¿Desde Estados Unidos?

—¿Y qué es eso que quería que hicieras y que es incompatible con la preparación de la fiesta de mañana?

En dos segundos se me ocurrieron un millón de mentiras, pero no tenía tiempo de elaborar los detalles, sobre todo ahora que Miranda había concentrado toda su atención en mí. No me quedó más remedio que decir la verdad.

—Oh, nada. Una amiga mía ha tenido un accidente. Está en el hospital. De hecho, en coma. Mi padre ha llamado para contarme cómo está y preguntarme si pienso volver.

Miranda pareció reflexionar, asintió lentamente con la cabeza y luego cogió el ejemplar del *International Herald Tribune* que el chófer le había proporcionado.

—Ya.

Ni un «Lo siento» o «¿Cómo está tu amiga?», únicamente una fría sílaba y una mirada de sumo descontento.

—Pero no pienso volver a casa. Sé lo importante que es que esté presente en la fiesta de mañana y allí estaré. He pensado mucho en ello y quiero que sepas que cumpliré con las obligaciones que he contraído contigo y con mi trabajo.

Miranda guardó silencio. Luego esbozó una tenue sonrisa y dijo:

—An-dre-aaa, me complace mucho tu decisión. Es justamente lo que debes hacer y aprecio que lo hayas comprendido. Andre-aaa, debo decir que desde el principio he tenido mis dudas sobre ti. Es evidente que no sabes nada sobre moda y, peor aún, que no parece importarte. No creas que no he advertido las variadas y elaboradas formas en que me transmites tu descontento cuando te pido que hagas algo que no quieres hacer. Tu competencia en el trabajo ha sido adecuada, pero tu actitud ha dejado mucho que desear.

—Oh, Miranda, deja que te...

—¡Estoy hablando! Iba a decir que estaré mucho más dispuesta a ayudarte a llegar donde quieres ahora que me has demostrado tu entrega. Deberías estar orgullosa de ti misma, An-dre-aaa. —Justo cuando pensaba que iba a desmayarme por la duración, la profundidad y el contenido de su soliloquio, no sé si de alegría o de dolor, Miranda fue más allá. En un gesto totalmente impropio de ella, posó una mano sobre la mía y añadió—: Me recuerdas a mí cuando tenía tu edad.

Antes de que pudiera pensar en una sola sílaba adecuada que pronunciar, el chófer se detuvo delante del Carrusel del Louvre y se apeó para abrir las portezuelas. Cogí mi bolso y el de Miranda y me pregunté si este era el momento más satisfactorio o más humillante de mi vida.

El recuerdo de mi primer desfile parisino es borroso. Nos hallábamos a oscuras, de eso sí me acuerdo, y la música estaba demasiado alta para tanta elegancia, pero lo único que puedo subrayar de aquellas dos extrañas horas era mi profundo malestar. Las botas Chanel que Jocelyn había seleccionado para hacer juego con el elástico y, por lo tanto, ceñidísimo jersey de cachemir Malo y la falda de gasa trataban a mis pies como si fueran documentos secretos en una trituradora de papel. La cabeza me dolía debido a la resaca y la angustia, y mi estómago protestaba con amenazadoras oleadas de náuseas. Me hallaba de pie, al fondo de la sala, en compañía de periodistas de tercera y otras personas sin categoría suficiente para merecer un asiento, con un ojo puesto en Miranda y el otro buscando los lugares menos humillantes donde vomitar si sentía la necesidad. «Me recuerdas a mí cuando tenía tu edad. Me recuerdas a mí cuando tenía tu edad. Me recuerdas a mí cuando tenía tu edad.» Las palabras resonaban en mi cabeza al ritmo de un martilleo insistente.

Miranda consiguió no dirigirse a mí en toda una hora, pero después se puso las pilas. Aunque estaba en la misma sala que ella, me llamó al móvil para pedirme un Pellegrino. A partir de ese momento el teléfono sonó a intervalos de diez o doce minutos, y cada exigencia enviaba otra descarga de martillazos a mi cabeza. Riiing. «Llama al señor Tomlinson al teléfono de su avión.» (MUSYC no respondió las dieciséis veces que le llamé.) Riiing. «Recuerda a todos nuestros redactores de *Runway* en París que el hecho de que estén aquí no significa que puedan abandonar sus responsabilidades. ¡Lo quiero todo en el plazo previsto!» (Las dos redactoras de *Runway* que había encontrado en sus respectivos hoteles de París se habían echado a reír y me habían colgado.) Riiing. «Tráeme inmediatamente un emparedado de pavo americano, estoy harta de tanto jamón.» (Caminé más de tres kilómetros con las botas que me destrozaban los pies y el estómago revuelto, pero no encontré pavo por ningún lado. Estoy convencida de que Miranda lo sabía, pues jamás pedía emparedados de pavo en Estados Unidos a pesar de que los vendían en cada esquina.) Riiing. «Espero que los expedientes de los tres mejores cocineros que has encontrado hasta ahora estén en mi suite cuando regrese del desfile.» (Emily tosió, gimió y protestó, pero prometió que enviaría por fax toda la información que tuviera sobre los aspirantes para que yo la convirtiera en expedientes.) ¡Riiing! ¡Riiing! ¡Riiing! «Me recuerdas a mí misma cuando tenía tu edad.»

Demasiado mareada y molida para prestar atención al desfile de anoréxicas, salí a fumarme un cigarrillo. Cómo no, el móvil volvió a sonar en cuanto encendí el mechero.

—¡An-dre-aaa! ¡An-dre-aaa! ¿Dónde estás? ¿Dónde demonios estás en estos momentos?

Arrojé el cigarrillo sin encender y volví rápidamente a la sala. El estómago me ardía tanto que sabía que iba a vomitar. Solo tenía que encontrar el momento y el lugar.

—Estoy en el fondo de la sala, Miranda —respondí mientras me deslizaba por la puerta y apoyaba la espalda contra la pared—. Justo a la izquierda de la puerta. ¿Puedes verme?

La vi volver la cabeza de un lado a otro hasta que su mirada se clavó en la mía. Me disponía a colgar el teléfono cuando susurró desde el suyo:

—No te muevas, ¿me oyes? ¡No te muevas! Se supone que mi ayudante sabe que está aquí para ayudarme, no para corretear por ahí fuera cuando la necesito. ¡Es inaceptable, An-dre-aaa!

Cuando hubo llegado al fondo de la sala y se hubo colocado delante de mí, una mujer con un vestido plateado hasta los pies de vuelo ligero y cintura imperio se pavoneaba entre el reverente público, y el canto gregoriano había dado paso al heavy metal. La cabeza empezó a palpitarme al ritmo de la música. Miranda seguía susurrando cuando me alcanzó, pero por fin cerró el móvil. Yo hice otro tanto.

—An-dre-aaa, tenemos un grave problema. Mejor dicho, tú tienes un grave problema. Acabo de recibir una llamada del señor Tomlinson. Por lo visto Annabelle le ha hecho percatarse de que los pasaportes de las gemelas expiraron la semana pasada.

Me miró fijamente, pero yo solo podía concentrarme en no vomitar.

—¿De veras? —fue cuanto alcancé a decir, si bien, claro está, no era la respuesta adecuada.

Miranda tensó la mano que sostenía el bolso y sus ojos empezaron a hincharse de furia.

—¿De veras? —me imitó con un grito de hiena. La gente empezó a mirarnos—. ¿De veras? ¿Es todo lo que tienes que decir?

—No, claro que no, Miranda. No quería decir eso. ¿Puedo hacer algo para ayudar?

—¿Puedo hacer algo para ayudar? —me imitó de nuevo, esta vez con voz de niña llorona. Si hubiera sido cualquier otra persona de la tierra, la habría abofeteado—. Por supuesto que sí, Andre-aaa. Puesto que eres incapaz de estar al tanto de estas cosas, tendrás que buscar la forma de renovar los pasaportes a tiempo para el vuelo de esta noche. No permitiré que mis hijas se pierdan la fiesta de mañana, ¿me entiendes?

¿La entendía? Mmm. Buena pregunta. No acertaba a comprender por qué era culpa mía que sus dos hijas de ocho años tuvieran el pasaporte caducado cuando, en principio, tenían un padre, una madre, un padrastro y una niñera permanente para encargarse de asuntos como ese, pero sí comprendía que eso no importaba. Si Miranda pensaba que era culpa mía, lo era. Sabía que ella no me comprendería cuando le dijera que las niñas no iban a embarcar en el avión de esa noche. Prácticamente no había nada que yo no pudiera encontrar, arreglar u organizar, pero conseguir documentos federales desde otro país en menos de tres horas era imposible. Punto. Miranda había hecho, por primera vez en el año que llevaba trabajando para ella, una petición que yo no podía satisfacer por mucho que me ladrara o intimidara. «Me recuerdas a mí cuando tenía tu edad.»

A la mierda. A la mierda París, los desfiles de moda y las maratones de «Estoy muy gorda». A la mierda toda la gente que creía que la conducta de Miranda estaba justificada porque sabía combinar un fotógrafo de talento con una ropa cara y obtener bonitos reportajes.

A la mierda Miranda por pensar que yo me parecía en algo a ella. Y, sobre todo, a la mierda Miranda por tener razón. ¿Qué demonios hacía allí, permitiendo que ese diablo insatisfecho me insultara y humillara? Tal vez fuera cierto, tal vez yo pudiera estar sentada en ese mismo desfile al cabo de treinta años acompañada de una ayudante que me detestara, rodeada de ejércitos de personas que fingían que yo les caía bien porque no les quedaba más remedio.

Abrí el móvil, marqué un número y observé cómo Miranda empalidecía por segundos.

—An-dre-aaa —susurró, demasiado fina para montar una escena—. ¿Qué crees que estás haciendo? ¿Te digo que mis hijas necesitan un pasaporte de inmediato y tú decides que es un buen momento para charlar por teléfono? ¿Para eso crees que te he traído a París?

Mi madre descolgó el teléfono de su despacho al tercer timbre, pero ni siquiera le dije hola.

—Mamá, cogeré el próximo vuelo disponible. Te llamaré cuando llegue al aeropuerto JFK. Vuelvo a casa.

Cerré el móvil antes de que mi madre pudiera responder y miré a Miranda, que parecía sorprendida de verdad. Al percatarme de que la había dejado sin habla noté que una sonrisa se abría paso entre la jaqueca y las náuseas. Por desgracia, se recuperó pronto. Existía una ligera posibilidad de que no me despidiera si me apresuraba a disculparme y darle una explicación, pero fui incapaz de reunir un ápice de autodominio.

—An-dre-aaa, ¿eres consciente de lo que estás haciendo? Supongo que sabes que si te vas me veré obligada a...

—Vete a la mierda, Miranda. Vete a la mierda.

Presa del estupor, tragó aire mientras su mano volaba hasta su boca, y noté que no pocas ayudantes se habían dado la vuelta para averiguar el motivo del alboroto.

Nos señalaban y cuchicheaban, tan sorprendidas como Miranda de que una vulgar ayudante hubiera hablado así —y en un tono no muy bajo— a una de las grandes leyendas vivientes de la moda.

—¡An-dre-aaa!

Miranda me agarró del brazo con su mano de fiera, pero me solté y esbocé una sonrisa de oreja a oreja. Me dije que había llegado el momento de dejar los susurros y compartir nuestro pequeño secreto con todo el mundo.

—No sabes cuánto lo siento, Miranda —dije con una voz que, por primera vez desde mi llegada a París, no temblaba descontroladamente—, pero me temo que no podré asistir a la fiesta de mañana. Lo entiendes, ¿verdad? Estoy segura de que será un éxito, así que diviértete. Eso es todo.

Y sin darle tiempo a responder, me colgué el bolso en el hombro, pasé por alto el dolor que me desgarraba los pies y salí a buscar un taxi. No recordaba haberme sentido tan bien en toda mi vida. Volvía a casa.

18

—¡Jill, deja de llamar a gritos a tu hermana! —vociferó mi madre a su vez—. Creo que todavía duerme. —Acto seguido, una voz aún más fuerte llegó desde el pie de la escalera hasta mi habitación—. ¿Andy, estás dormida?

Abrí un ojo y miré el reloj. Las ocho y cuarto de la mañana. Dios mío, ¿a qué venía tanto escándalo?

Estuve unos minutos dando vueltas en la cama antes de reunir la energía suficiente para incorporarme, y cuando finalmente lo hice todo mi cuerpo suplicó un poco más de sueño, solo un poco más.

—Buenos días. —Lily sonrió a unos centímetros de mi cara cuando se volvió para mirarme—. Cómo madruga la gente por aquí.

Jill, Kyle y el bebé estaban en casa por Acción de Gracias, de modo que Lily había tenido que dejar el antiguo dormitorio de Jill y mudarse al plegatín de mi infancia, que actualmente estaba desplegado y casi al mismo nivel que mi cama de matrimonio.

—¿De qué te quejas? Pareces encantada de estar despierta e ignoro por qué.

Lily estaba apoyada sobre un codo, leyendo un periódico y bebiendo una taza de café que levantaba constantemente del suelo.

—Llevo horas despierta oyendo el llanto de Isaac.

—¿Ha estado llorando? ¿En serio?

—No puedo creer que no lo hayas oído. No ha parado desde

las seis y media. Es una monada, Andy, pero eso de despertarse tan pronto tiene que terminar.

—¡Chicas! —volvió a gritar mi madre—. ¿Estáis despiertas? ¿Hay alguien ahí? No me importa que sigáis durmiendo, pero necesito saber cuántos gofres debo descongelar.

—Por favor, Lil, díselo tú. Creo que voy a matarla. —A continuación me volví hacia la puerta cerrada de mi habitación—: Todavía estamos dormidas, ¿no lo ves? Profundamente dormidas, y seguro que seguiremos así cuatro horas más. ¡No oímos los llantos del niño, tus gritos ni nada! —vociferé antes de hundirme de nuevo en la cama.

Lily rió.

—Cálmate —dijo de una manera muy impropia de ella—. Simplemente están contentos de que estés en casa y yo, por una vez, me alegro de estar aquí. Además, son solo dos meses y nos tenemos la una a la otra. No es tan horrible.

—¿Dos meses? Solo ha pasado uno y ya estoy lista para pegarme un tiro.

Me quité la camiseta —una de las de entrenamiento de Alex— y me puse un jersey de algodón. Los tejanos que había usado durante las últimas semanas estaban hechos una pelota al lado de mi armario. Al deslizarlos por mis caderas noté que empezaban a apretarme. Ahora que ya no tenía que engullir sopas a toda prisa ni subsistir únicamente a base de cigarrillos y Starbucks, había recuperado los cinco kilos que perdiera cuando trabajaba en *Runway*. Y lo cierto era que me daba igual. Creía a Lily y a mis padres cuando me decían que parecía sana, no gorda.

Lily se puso unos pantalones de chándal encima de los calzones con los que había dormido y se ató un pañuelo sobre los rizos. Con la frente despejada, las marcas rojas provocadas por las astillas del parabrisas se veían aún más, pero ya se le habían caído los puntos y el médico había prometido que las cicatrices, de quedarle alguna, serían mínimas.

—Vamos —dijo al tiempo que asía las muletas apoyadas contra la pared que la acompañaban allí adonde iba—. Se marchan hoy, así que puede que esta noche durmamos como es debido.

—Mamá no dejará de gritar hasta que bajemos, ¿verdad? —farfullé agarrando a Lily del codo para ayudarla a levantarse.

El yeso del tobillo derecho estaba firmado por toda mi familia y Kyle había dibujado irritantes mensajes de parte de Isaac.

—Verdad.

Mi hermana apareció en la puerta con el bebé en brazos. Isaac tenía la barbilla cubierta de babas y ahora reía.

—Mirad quién ha venido —trinó Jill dando saltitos—. Isaac, dile a la tía Andy que no gruña tanto, que nos iremos muy pronto. ¿Harás lo que te dice mamá, cariño? ¿Lo harás?

Isaac soltó un estornudo encantador y Jill le miró como si acabara de hacerse un hombre y hubiera recitado un soneto de Shakespeare.

—¿Has visto eso, Andy, lo has oído? Oh, mi pequeño es lo más bonito del mundo.

—Buenos días —dije, y besé a mi hermana en la mejilla—. Sabes que no quiero que te vayas, ¿verdad? E Isaac puede quedarse si encuentra la forma de dormir entre las doce de la noche y las diez de la mañana. Hasta Kyle puede quedarse si promete no hablar. ¿Lo ves? En esta casa somos muy tolerantes.

Lily había bajado y saludado a mis padres, que ya estaban vestidos para ir a trabajar y se estaban despidiendo de Kyle.

Me hice la cama, metí debajo la de Lily y le ahuequé la almohada antes de guardarla en el armario. Había salido del coma antes de que yo bajara del avión y fui la primera en verla despierta después de Alex. Le hicieron un montón de pruebas en todas las partes imaginables del cuerpo pero, exceptuando los puntos de la cara, el cuello y el pecho, y la rotura de tobillo, estaba perfectamente. Como es lógico, tenía un aspecto lamentable —exactamente el que esperarías de alguien que se ha echado un baile con un vehículo que venía de frente—, pero se movía con agilidad, y su alegría resultaba casi irritante en una persona que acababa de pasar por tan amarga experiencia.

Fue idea de mi padre que realquiláramos nuestro apartamento los meses de noviembre y diciembre y nos fuéramos a vivir con ellos. Aunque la perspectiva no me entusiasmaba, la ausencia de salario no me dejaba otra opción. Además, Lily pareció agradecer la oportunidad de salir de la ciudad un tiempo y dejar atrás todas las preguntas y rumores que tendría que afrontar en cuanto volviera a ver a alguien conocido. Introdujimos el piso en craislist.com como «apartamento de vacaciones» ideal para disfrutar de Nueva York y, para nuestro desconcierto y asombro, una pareja sueca cuyos hijos vivían en la ciudad nos pagó el precio que pedíamos, a saber, seiscientos dólares más al mes de lo que pagábamos nosotras. Los trescientos dólares mensuales que cada una recibía nos bastaban para vivir, sobre todo teniendo en cuenta que mis padres nos pagaban la comida, la lavandería y el uso de un destartalado Camry. Los suecos tenían previsto marcharse después de Año Nuevo, justo a tiempo para que Lily comenzara su semestre y yo me pusiera a hacer, en fin, algo.

Emily había sido la encargada de despedirme oficialmente. No es que yo hubiera dudado de mi situación laboral después de la pequeña rabieta, pero imagino que Miranda se había quedado demasiado lívida para dar una última estocada. La cosa había durado poco más de cuatro minutos y transcurrido con la implacable eficiencia *Runway* que tanto me gustaba.

Había conseguido subir a un taxi y quitarme la bota izquierda de mi dolorido pie cuando sonó el teléfono. El corazón, como es lógico, me dio un vuelco, pero cuando recordé que acababa de decir a Miranda lo que podía hacer con su «Me recuerdas a mí cuando tenía tu edad» comprendí que no podía ser ella. Un rápido cálculo de los minutos transcurridos (uno para que Miranda cerrara la boca y recuperara la calma ante todas las ayudantes de moda que estaban mirando, otro para que localizara su móvil y llamara a Emily a casa, un tercero para comunicarle los detalles sórdidos de mi inaudito arrebato y otro para que Emily le asegurara que «se haría cargo de todo»). Sí, aunque el identificador de llamadas no servía para las conferencias, sabía quién era.

—Hola, Em, ¿cómo estás? —pregunté casi cantando mientras me frotaba el pie, procurando que no tocara el suelo mugriento del taxi.

Mi tono jovial la desconcertó.

—¿Andrea?

—Sí, soy yo. ¿Qué quieres? Tengo un poco de prisa, así que...

Pensé en preguntarle directamente si había llamado para despedirme, pero decidí darle un respiro por una vez. Me preparé para la perorata que estaba segura iba a soltarme —cómo has podido fallarle, fallarme, fallar a *Runway*, al mundo de la moda, bla, bla, bla—, pero no llegó.

—Sí, claro. Bueno, verás, acabo de hablar con Miranda... —Su voz se apagó, como si esperara que yo continuara por ella y le dijera que todo había sido un gran error, que no se preocupara porque había conseguido repararlo en los últimos cuatro minutos.

—Y supongo que te ha contado lo ocurrido.

—Mmm, sí. Andy, ¿qué está pasando?

—Creo que soy yo quien debería preguntártelo a ti, ¿no te parece? —Silencio—. Escucha, Em, intuyo que me has telefoneado para despedirme. No te preocupes, sé que no eres tú quien ha tomado la decisión. Dime, ¿te ha llamado Miranda para pedirte que te deshagas de mí?

Aunque hacía meses que no me sentía tan ligera, me descubrí conteniendo la respiración, preguntándome si, por algún golpe de suerte o de infortunio, Miranda había respetado que la hubiera enviado a la mierda.

—Sí, me ha pedido que te comunique que estás despedida desde este mismo instante y que le gustaría que te marcharas del Ritz antes de que ella regrese del desfile.

Lo dijo con suavidad y cierto pesar. Quizá fuera por las muchas horas, días y semanas que le esperaban buscando y formando de nuevo a alguien, pero intuí que había algo más.

—Vas a echarme de menos, ¿verdad, Em? Venga, dilo, no pasa nada, no se lo diré a nadie. Por lo que a mí respecta, esta conversación nunca ha tenido lugar. No quieres que me vaya, ¿verdad?

Milagro donde los haya, se echó a reír.

—¿Qué le dijiste? No paraba de repetir que fuiste una grosera, pero no pude sacarle nada más.

—Oh, probablemente sea porque la mandé a la mierda.

—¡No!

—Has llamado para despedirme. Te digo la verdad.

—Dios.

—Mentiría si te dijera que no ha sido el momento más satisfactorio de mi patética vida, aunque es cierto que acaba de despedirme la mujer más poderosa del mundo editorial. No solo no puedo pagar mi hinchada MasterCard, sino que las probabilidades de trabajar en otras revistas parecen muy escasas. Quizá debería intentar trabajar para uno de sus enemigos. Estarían encantados de contratarme, ¿no crees?

—Desde luego. Envía tu currículum a Anna Wintour. Nunca se han llevado demasiado bien.

—Mmm, lo pensaré. Oye, Em, nada de rencores, ¿de acuerdo?

Ambas sabíamos que no teníamos absolutamente nada en común salvo Miranda Priestly pero, siempre que nos lleváramos bien, estaba dispuesta a seguirle la corriente.

—Claro —mintió ella, sabedora de que yo acababa de entrar en la estratosfera superior de los parias sociales.

Las probabilidades de que en adelante Emily admitiera ante alguien que me conocía eran nulas, pero no me importaba. Quizá al cabo de diez años, cuando ella estuviera sentada en la primera fila del desfile de Marc Jacobs y yo siguiera comprando en Filene y cenando de Benihana, nos reiríamos de todo lo ocurrido. No, probablemente no.

—Me encantaría seguir hablando, pero ahora mismo estoy hecha un lío. No sé muy bien qué hacer. Tengo que encontrar la forma de regresar a casa cuanto antes. ¿Crees que puedo utilizar mi billete de vuelta? Miranda no puede despedirme y dejarme colgada en un país extranjero, ¿verdad?

—Es evidente que tiene razones para hacerlo, Andrea —afirmó. ¡Ajá, un último golpe! Me alegraba saber que en realidad todo seguía igual—. Después de todo, has sido tú quien ha dejado el trabajo, quien la ha obligado a que te despida. Pero no creo que Miranda sea una persona vengativa. Carga a la tarjeta el precio del cambio de vuelo y ya encontraré la forma de justificarlo.

—Gracias, Em, te lo agradezco de veras.

—Buena suerte, Andrea.

—Gracias. Y buena suerte a ti también. Algún día serás una fantástica redactora de moda.

—¿De veras lo crees? —preguntó ilusionada.

Ignoro por qué la opinión de la mayor perdedora del mundo de la moda era para ella tan importante, pero parecía muy, muy complacida.

—Claro. No me cabe la menor duda.

Christian llamó en cuanto hube colgado. Se había enterado de lo ocurrido. Increíble. No obstante, el placer que experimentó al oír los sórdidos detalles, sumado a las promesas e invitaciones que me hizo, volvió a producirme náuseas. Le dije con toda la tranquilidad que pude reunir que en ese momento tenía muchas cosas en que pensar, que no me llamara, que ya me pondría en contacto con él cuando me apeteciera, si es que me apetecía.

Como en el hotel aún no sabían que me habían echado del trabajo, monsieur Renuad y el resto del personal se desvivieron conmigo cuando les comuniqué que un problema familiar me obligaba a regresar de inmediato a Nueva York. Solo hizo falta media hora para que un pequeño ejército de empleados me reservara una plaza en el siguiente vuelo a Nueva York, me hiciera las maletas y me subiera a una limusina con el bar hasta los topes rumbo a Charles de Gaulle. El conductor era muy charlatán, pero apenas le presté atención; quería disfrutar de mis últimos momentos como la ayudante peor-pagada-pero-más-contenta del mundo libre. Me serví una última copa de champán muy seco y bebí un largo trago. Había tardado doce meses y medio, 44 semanas y unas 3.080 horas de trabajo en comprender —de una vez para siempre— que convertirme en el reflejo de Miranda Priestly no me parecía una buena idea.

En lugar de un chófer uniformado sosteniendo un letrero, al salir de la aduana encontré a mis padres, que se alegraron mucho de verme. Nos abrazamos y, una vez superado el estupor que les produjo mi indumentaria (vaqueros D&G apretados y muy gastados con sandalias de tacón de aguja y una blusa totalmente transparente, atuendo que correspondía a la categoría miscelánea, subcategoría hasta y desde el aeropuerto, y era, de lejos, el atuendo más adecuado para el avión que me habían proporcionado), me dieron una buenísima noticia: Lily ya estaba despierta y consciente. Fuimos directos al hospital, donde la propia Lily hizo comentarios sobre mi vestimenta en cuanto me vio entrar.

Como es lógico, debía hacer frente al problema legal. Después de todo, había conducido por encima del límite de velocidad en dirección contraria bajo los efectos del alcohol. No obstante, como nadie más había sufrido heridas de consideración, el juez se había mostrado sumamente clemente y, aunque siempre quedaría reflejado en su permiso de conducir, solo la habían condenado a recibir asesoramiento antialcohólico y a lo que parecían tres décadas de servicio comunitario. No habíamos hablado mucho del tema —todavía no le hacía gracia admitir que tenía un problema—, pero la había acompañado en coche al East Village para su primera sesión de terapia en grupo, y al salir reconoció que no había sido «excesivamente sensiblera». Un «auténtico palo», fue como la describió, pero cuando enarqué las cejas y la obsequié con una mirada especialmente feroz —a lo Emily—, comentó que había algunos tíos monos y que no le haría ningún mal salir con alguien sobrio por una vez en su vida. Mis padres la habían convencido de que se sincerara con el rector de Columbia, gesto que le pareció aterrador pero que al final resultó muy acertado. El hombre no solo le permitió retirarse a medio semestre sin suspenderla, sino que dio su aprobación para que la oficina de becas trasladara la solicitud de ese trimestre al siguiente.

La vida de Lily y nuestra amistad se hallaban de nuevo en el buen camino, mas no podía decir lo mismo con respecto a Alex. Cuando llegué al hospital, lo encontré sentado junto al lecho de Lily, y nada más verlo deseé que mis padres no hubieran tenido la delicadeza de esperar en la cafetería. Nos saludamos con tirantez y hablamos mucho de Lily, pero media hora más tarde, cuando se puso la chaqueta y se despidió agitando una mano, todavía no habíamos intercambiado una sola palabra sobre nosotros. Le llamé cuando llegué a casa, pero conectó el buzón de voz. Probé unas cuantas veces más y colgué. Hice un último intento antes de acostarme. Esta vez Alex contestó, pero parecía receloso.

—¡Hola! —saludé con un tono adorable.

—Hola.

Era evidente que Alex no estaba para historias.

—Oye, sé que Lily también es tu amiga y que habrías hecho eso por cualquier persona, pero no imaginas lo agradecida que te estoy por todo lo que has hecho, por dar conmigo, ayudar a mis padres y pasarte tantas horas en el hospital. Lo digo en serio.

—Cualquier persona haría eso por un ser querido que está sufriendo. No tiene importancia.

Con eso estaba insinuando, naturalmente, que cualquier persona haría eso salvo alguien que solo sabe mirarse el ombligo, como yo.

—Alex, por favor, ¿no podríamos hablar...?

—No. No podemos hablar de nada ahora mismo. Me he pasado un año entero esperando poder hablar contigo, a veces hasta te lo supliqué, pero no parecías muy interesada. A lo largo de estos meses he perdido a la Andy de la que me había enamorado. No sé muy bien cómo ocurrió ni cuándo, pero está claro que no eres la misma persona que antes de encontrar ese trabajo. Mi Andy jamás habría considerado la posibilidad de elegir un desfile de moda, una fiesta o lo que fuera en lugar de estar al lado de una amiga que la necesitaba, que la necesitaba de verdad. Me alegro de que hayas venido y sabes que era lo que debías hacer, pero necesito tiempo para averiguar qué pasa conmigo, contigo, con nosotros. Esto no es nada nuevo, Andy, al menos para mí. Hace mucho tiempo que está ocurriendo, pero has estado demasiado ocupada para darte cuenta.

—Alex, no me has concedido ni un solo segundo para que pueda explicarte cara a cara qué han supuesto para mí todos estos meses. Tal vez tengas razón, tal vez me haya convertido en una persona totalmente diferente, aunque lo dudo. En todo caso, si he cambiado, no creo que haya sido solo para peor. ¿Tanto nos hemos alejado?

Alex era mi mejor amigo, incluso más que Lily, pero hacía muchísimos meses que no era mi novio. Comprendí que él tenía razón y que había llegado el momento de reconocerlo.

Respiré hondo y dije lo que sabía que era cierto aunque no me gustara:

—Tienes razón.

—¿La tengo? ¿Estás de acuerdo conmigo?

—Sí. He sido muy egoísta e injusta contigo.

—¿Y ahora qué? —preguntó con tono resignado pero no herido.

—No lo sé. ¿Dejamos de hablarnos? ¿Dejamos de vernos? No tengo ni idea de cómo se hacen estas cosas. Pero quiero que seas parte de mi vida y no puedo imaginar no ser parte de la tuya.

—Yo tampoco, aunque me temo que tardaremos mucho tiempo en conseguirlo. No éramos amigos cuando empezamos a salir y ahora me resulta casi imposible imaginarnos solo como amigos. Pero quién sabe, puede que una vez que hayamos tenido tiempo para pensar...

Esa noche, después de colgar me eché a llorar, no solo por Alex, sino por todo lo que había cambiado durante el último año. Había entrado en Elias-Clark como una niña desorientada y mal vestida, y había salido como una semiadulta ligeramente curtida y mal vestida (si bien ahora era consciente de ello). Con todo, en el ínterin había tenido suficientes experiencias para desempeñar cien empleos. Y aunque mi currículum mostraba ahora una «D» escarlata, aunque mi novio me había dejado, aunque me había marchado sin nada concreto salvo una maleta (bueno, cuatro maletas Louis Vuitton) repleta de fabulosas prendas de diseño, tal vez había merecido la pena.

Apagué el móvil, saqué una vieja libreta del instituto del cajón inferior de mi mesa y me puse a escribir.

Mi padre ya había huido a su despacho y mi madre se dirigía al garaje cuando bajé.

—Buenos días, cariño. ¡No sabía que estabas despierta! He de darme prisa porque tengo un alumno a las nueve. El avión de Jill despega a las doce y tendréis que salir con mucho tiempo de antelación porque será hora punta. Llevo encima el móvil por si ocurre algo. Ah, ¿cenaréis tú y Lily en casa esta noche?

—No lo sé. Acabo de levantarme y todavía no he tomado ni una taza de café. ¿Te importa que decida lo de la cena dentro de un rato?

Mamá, sin embargo, no se quedó a escuchar mi malhumorada respuesta; cuando abrí la boca, ya estaba saliendo por la puerta. Lily, Jill, Kyle y el bebé estaban sentados en torno a la mesa de la cocina leyendo diferentes secciones del *Times*. En el centro había una bandeja de gofres blandengues nada apetecibles, una botella de Aunt Jemima y un tubo de mantequilla. Lo único que al parecer habían probado era el café, que mi padre había comprado en su visita matutina a Dunkin Donuts, tradición nacida de su comprensible renuencia a ingerir todo aquello que preparara personalmente mi madre. Con ayuda del tenedor trasladé un gofre a un plato de papel y cuando fui a cortarlo se desmoronó en una masa pastosa.

—Esto es incomible. ¿Ha traído papá algún donut?

—Sí, los escondió en el armario que hay al lado de su despacho —explicó Kyle—. No quería que tu madre los viera. Si vas, trae toda la caja.

El teléfono sonó cuando me dirigía a rescatar el botín.

—¿Diga? —contesté con mi mejor tono irritado.

Por fin había dejado de responder a las llamadas con un «Despacho de Miranda Priestly».

—Hola. ¿Está Andrea Sachs?

—Soy yo. ¿Con quién hablo?

—Andrea, hola, soy Loretta Andriano, de *Seventeen Magazine*.

El corazón me dio un vuelco. Había escrito un relato «ficticio» de dos mil palabras sobre una adolescente que está tan obsesionada por ingresar en el *college* que se olvida de su familia y amigos. Tardé dos horas enteras en escribir esa tontería, pero creo que conseguí darle las dosis adecuadas de humor y sentimentalismo.

—Hola, ¿cómo estás?

—Bien, gracias. Oye, me han pasado tu relato y he de decirte que me ha encantado. Hay que revisarlo, naturalmente, y el vocabulario necesita algunos retoques porque nuestros lectores son adolescentes, pero me gustaría que saliera en el número de febrero.

—¿De veras?

No podía creerlo. Había enviado el cuento a una docena de revistas para adolescentes y, a renglón seguido, había escrito una versión algo más madura que mandé a cerca de veinticinco revistas femeninas, pero nadie me había respondido.

—Desde luego. Pagamos un dólar y medio por palabra, y necesitaré que rellenes algunos impresos para Hacienda. Ya has publicado otros relatos, ¿verdad?

—En realidad no, pero he trabajado en *Runway*.

No sé por qué pensé que eso iba a ayudarme, sobre todo porque lo único que había escrito allí habían sido cartas destinadas a intimidar a los demás, pero Loretta no pareció reparar en ese detalle.

—¿En serio? Mi primer trabajo cuando terminé el *college* fue de ayudante de moda de *Runway*. Aprendí más en ese año que en los cinco siguientes.

—Fue toda una experiencia. Tuve suerte de entrar.

—¿Qué puesto tenías?

—Era ayudante de Miranda Priestly.

—¿De veras? Pobre, no lo sabía. Un momento, ¿eres la chica a la que despidieron en París?

Entonces me di cuenta de que había cometido un error. *Page Six* se había hecho eco del incidente a los pocos días de mi regreso, probablemente informado por una de las ayudantes que presenciaron mis terribles modales, pues habían citado mis palabras al pie de la letra. ¿Cómo era posible que hubiera olvidado que otras personas habían podido leerlo? Tuve el presentimiento de que Loretta se mostraría menos satisfecha con mi relato que tres minutos atrás, pero ya no podía hacer nada al respecto.

—Mmm, sí, pero no fue tan terrible como parece, en serio. El artículo de *Page Six* sacó las cosas de quicio.

—¡Espero que no! Ya era hora de que alguien mandara a la mierda a esa mujer, y si fuiste tú, me quito el sombrero. Esa tía me amargó la vida durante el año que trabajé allí y ni siquiera crucé una sola palabra con ella. Oye, he de dejarte porque tengo un almuerzo, pero ¿qué te parece si fijamos una hora para vernos? Tendrás que venir a rellenar los impresos y me gustaría aprovechar la ocasión para conocerte. Trae cualquier otra cosa que creas que puede encajar con el estilo de la revista.

—Estupendo, me parece estupendo.

Quedamos el viernes siguiente a las tres. Colgué sin dar todavía crédito a lo que acababa de ocurrir. Kyle y Jill habían dejado al bebé con Lily mientras se arreglaban y hacían el equipaje, y el pequeño había iniciado un llanto que amenazaba con derivar en un berrido histérico. Lo levanté de su silla, lo apoyé sobre mi hombro y le froté la espalda a través del pijama. Por sorprendente que parezca, calló.

—Nunca adivinarías quién era —triné bailando por la habitación con Isaac—. Una redactora de la revista *Seventeen*. ¡Van a publicarme un relato!

—¿En serio? ¿Van a publicar la historia de tu vida?

—No es mi historia, es la historia de Jennifer. Y solo son dos mil palabras, pero por algo se empieza.

—Lo que tú digas. Joven se obsesiona por alcanzar algo y acaba dejando de lado a todas las personas que quiere. La historia de Jennifer, claro. —Lily puso los ojos en blanco y sonrió.

—Eso no son más que detalles. El caso es que va a salir en el número de febrero y me pagarán tres mil dólares. ¿No es estupendo?

—Felicidades, Andy. Es un gran comienzo.

—Bueno, no es el *New Yorker*, pero no está mal para empezar. Si me encargan algunos relatos más, y también en otras revistas, tal vez signifique que voy camino de ser alguien. El viernes tengo una reunión con esa mujer. Me dijo que llevara otras cosas que haya escrito. Y no me preguntó si hablaba francés. Y detesta a Miranda. Creo que puedo trabajar con ella.

Acompañé a la pandilla de Texas al aeropuerto, compré dos menús bien grasientos en Burger King para Lily y para mí a fin de bajar los donuts del desayuno y pasé el resto del día, y el otro, y el otro, escribiendo cosas que enseñar a una Loretta que despreciaba a Miranda.

19

—Un capuchino grande con vainilla, por favor —pedí a un camarero al que no conocía en el Starbucks de la Cincuenta y siete.

Habían pasado casi cinco meses desde la última vez que estuve allí haciendo equilibrios con una bandeja de cafés y pastas y luchando por llegar al despacho de Miranda antes de que me despidiera por coger aire. Al recordarlo pensé que era mucho mejor que me hubieran despedido por gritarle «vete a la mierda» que por llevarle dos terrones de azúcar blanco en lugar de sin refinar.

¿Quién habría dicho que Starbucks tenía semejante rotación de personal? No había una sola persona detrás de la barra cuya cara sonara, y eso hacía que la época en que solía ir allí me pareciera aún más lejana. Me alisé el pantalón negro de buen corte, aunque no de diseño, y me aseguré de que la vuelta de los bajos no estuviera manchada de aguanieve. Aunque sabía que toda la plantilla de una revista de moda concreta estaría en total desacuerdo conmigo, en mi opinión tenía un aspecto estupendo para ser mi segunda entrevista. No solo sabía ya que nadie iba con traje a las revistas, sino que un año en el mundo de la moda había penetrado, supongo que por simple ósmosis, en mi cabeza.

El capuchino estaba casi demasiado caliente, pero me estaba sentando de maravilla en ese día frío y húmedo de invierno en que el sombrío cielo de la tarde cubría la ciudad como un gigantesco granizado. Normalmente los días como ese me deprimían. Después de todo era uno de los días más deprimentes del mes más deprimente del año (febrero), uno de esos días en que hasta los optimistas preferirían quedarse en la cama y los pesimistas no tenían ninguna posibilidad de sobrevivir sin un puñado de Zoloft. Starbucks, no obstante, tenía una iluminación cálida y el público justo, así que me acomodé en una de las enormes butacas verdes y procuré no pensar en quién había sido el último que había frotado su pelo grasiento en el respaldo.

Durante los últimos tres meses Loretta se había convertido en mi mentora, mi paladina, mi salvadora. Habíamos congeniado en la primera reunión y desde entonces se portaba muy bien conmigo. Nada más entrar en su espacioso pero abarrotado despacho y ver que estaba —¡caramba!— gorda, tuve la extraña sensación de que iba a adorarla. Me invitó a sentarme y leyó lo que yo había escrito durante la semana: artículos irónicos sobre los desfiles de moda, un cuento perverso sobre las experiencias de la ayudante de una celebridad y una historia sensible sobre qué hay que hacer —y qué no hay que hacer— para cargarse una relación de tres años con alguien a quien amas pero con quien no puedes estar. Parecía irreal —casi repugnante— lo mucho que Loretta y yo congeniamos desde el principio, la naturalidad con que compartíamos nuestras pesadillas sobre *Runway* (yo todavía sufría algunas; la última tenía una parte especialmente espantosa en que la policía parisina de la moda mataba de un tiro a mis padres por llevar pantalones cortos en la calle y Miranda conseguía adoptarme legalmente), la rapidez con que nos dimos cuenta de que éramos la misma persona, solo que con siete años de diferencia.

Como había tenido la brillante idea de llevar toda mi ropa *Runway* a una de esas arrogantes tiendas de segunda mano de Madison Avenue, era una mujer rica y podía permitirme escribir por una miseria. Había esperado durante largo tiempo a que Emily o Jocelyn llamaran para decirme que iban a enviar a un mensajero a fin de que recogiera la ropa, pero no lo hicieron. Por lo tanto, era toda mía. Empaqueté todas las prendas salvo un vestido de Diane von Furstenburg. Mientras revisaba el contenido de mis cajones, que Emily había vertido en unas cajas y enviado a mi casa, tropecé con la carta de Anita Álvarez, aquella donde expresaba su adoración por todo lo relacionado con *Runway*. Había sido mi intención mandarle un vestido fabuloso, pero nunca había encontrado el momento. Así pues, envolví el vestido de Diane von Furstenburg en papel de seda, añadí unos Manolo y escribí una nota falsificando la firma de Miranda, talento que me alegré de comprobar que aún poseía. Llegaría con unos meses de retraso, me dije, pero al menos la muchacha sabría, por una vez, qué se siente al poseer algo bonito. Mejor aún, sabría que a alguien le importaba. Lo envié por correo desde la ciudad para que no sospechara que no provenía de *Runway*.

Exceptuando el vestido, el ceñidísimo y sexy vaquero D&G y el bolso acolchado con cadena que regalé a mi madre («Oh, cariño, es precioso, ¿de qué marca dices que es?»), vendí hasta el último *top*, pantalón, bota y sandalia. La cajera llamó a la dueña de la tienda y ambas decidieron que era preferible cerrar durante unas horas para tasar la mercancía. Solo el juego de viaje Louis Vuitton —dos maletas grandes, una bolsa de mano y un baúl enorme— me proporcionó seis de los grandes, y cuando terminaron de susurrar, examinar y reír salí del local con un talón de 38.000 dólares. Eso significaba, según mis cálculos, que podía pagar el alquiler y alimentarme durante un año mientras intentaba afianzarme en eso de la escritura. A continuación Loretta entró en mi vida y la mejoró al instante.

Ella ya había decidido comprarme cuatro textos: una reseña, dos artículos de quinientas palabras y el relato de las dos mil palabras. Sin embargo, lo que más me entusiasmaba era su extraña obsesión por ayudarme a hacer contactos y conocer a gente de otras revistas que podían estar interesadas en aceptarme como colaboradora. De ahí que ese día de invierno me hallara en Starbucks, preparándome para regresar a Elias-Clark. Loretta había tenido que insistir mucho para convencerme de que Miranda no me acosaría en cuanto yo entrara en el edificio ni me derribaría con un dardo envenenado. Sin embargo, estaba nerviosa. No paralizada de miedo como en los viejos tiempos, cuando el corazón me daba un vuelco con solo oír el móvil, pero algo asustada ante la posibilidad —por remota que fuera— de verla. O de ver a Emily. O, ya puestos, a cualquiera, salvo a James, que me había apoyado.

Por alguna razón que desconozco, Loretta había llamado a una vieja compañera de habitación del *college* que estaba a cargo de la sección de la City del *Buzz* y le dijo que había descubierto a una escritora promesa. O sea, yo. Me había conseguido una entrevista para ese día y hasta advirtió a la mujer de que Miranda me había despedido, pero su amiga se echó a reír y repuso que si se negaran a contratar a la gente que Miranda despedía, apenas tendrían escritores.

Terminé el capuchino, recogí con renovada energía la carpeta que contenía mis artículos y me dirigí —esta vez con calma, sin un móvil incansable ni una bandeja repleta de cafés— al edificio Elias-Clark. Una ojeada desde la acera me indicó que no había ayudantes de moda de *Runway* entre el gentío del vestíbulo y procedí a introducir mi cuerpo en la puerta giratoria. Nada había cambiado durante mi cinco meses de ausencia. Divisé a Ahmed detrás de la caja registradora del quiosco. Un enorme cartel anunciaba que *Chic* ofrecía una fiesta en Spa ese fin de semana. Aunque hubiera debido firmar en recepción, caminé instintivamente hasta los torniquetes y al instante una voz familiar se puso a cantar *I can't remember if I cried when I read about his widowed bride, but something touched me deep inside, the day, the music died. And we were singing...* «American Pie». Qué encanto, pensé, era la canción de despedida que nunca llegué a cantar. Me volví y vi a Eduardo, tan grande y sudoroso como siempre, sonriendo. Pero no a mí. Delante del torniquete más próximo al mostrador había una chica increíblemente alta y delgada, de pelo negro azabache y ojos verdes, que lucía unos pantalones de rayas superceñidos y explosivos y un *top* que dejaba al descubierto el ombligo. Estaba haciendo equilibrios con una bandeja de Starbucks con tres cafés, una bolsa repleta de periódicos y revistas, tres perchas de las que pendían tres conjuntos completos y una bolsa de lona con las iniciales «MP». Su móvil empezó a sonar al tiempo que yo caía en la cuenta de lo que estaba ocurriendo. Parecía tan aterrada que pensé que iba a echarse a llorar pero, en vista de que sus repetidas embestidas contra el torniquete no daban su fruto, suspiró profundamente y empezó a cantar «American Pie». Cuando miré de nuevo a Eduardo, esbozó una rápida sonrisa en mi dirección y me guiñó un ojo. A continuación, mientras la morenita terminaba de cantar, me dejó pasar como si fuera alguien importante.

AGRADECIMIENTOS

Doy las gracias a las cuatro personas que me ayudaron a que eso sucediera:

Stacy Creamer, mi editora. Si no disfruta con el libro, cúlpela a ella... eliminó los trozos realmente divertidos.

Charles Salzberg, escritor y profesor. Me presionó todo lo que pudo para que siguiera adelante, o sea que si no disfruta con el libro, cúlpelo también a él.

Deborah Schneider, extraordinaria agente. No para de asegurarme que, cuando menos, le gusta el quince por ciento de todo lo que hago, digo y, sobre todo, escribo.

Richard David Story, mi anterior jefe. Es más fácil quererle ahora, cuando ya no tengo que verle todos los días antes de las nueve de la mañana.

Y, por supuesto, muchas gracias a todos aquellos que no me ayudaron pero que prometieron comprar muchos ejemplares si mencionaba sus nombres:

Dave Baiada, Dan Barasch, Heather Bergida, Lynn Bernstein, Dan Braun, Beth Buschman-Kelly, Helen Coster, Audrey Diamond, Lydia Fakundiny, Wendy Finerman, Chris Fonzone, Kelly Gillespie, Simone Girner, Cathy Gleason, Jon Goldstein, Eliza Harris, Peter Hedges, Julie Hootkin, Bernie Kelberg, Alli Kirshner, John Knecht, Anna Weber Kneitel, Jaime Lewisohn, Bill McCarthy, Dana McMakin, Ricki Miller, Daryl Nierenberg, Wittney Rachlin, Drew Reed, Edgar Rosenberg, Brian Seitchik, Jonathan Seitchik, Marni Senofonte, Shalom Shoer, Josh Ufberg, Kyle White y Richard Willis.

Y especialmente a Leah Jacobs, Jon Roth, Joan y Abe Lichtenstein, y a los Weisberger: Shirley y Ed, Judy, David y Pam, Mike y Michele.